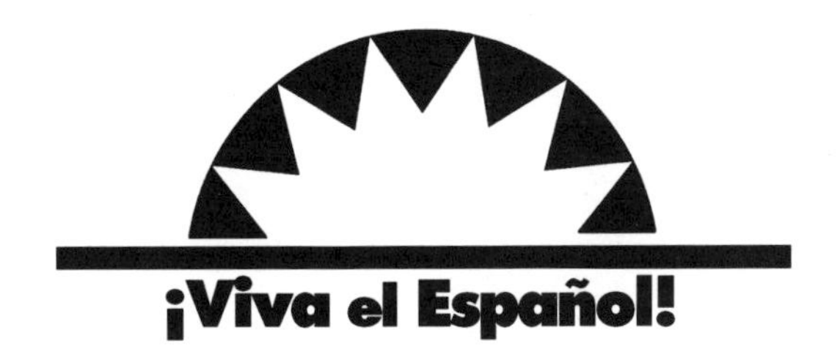

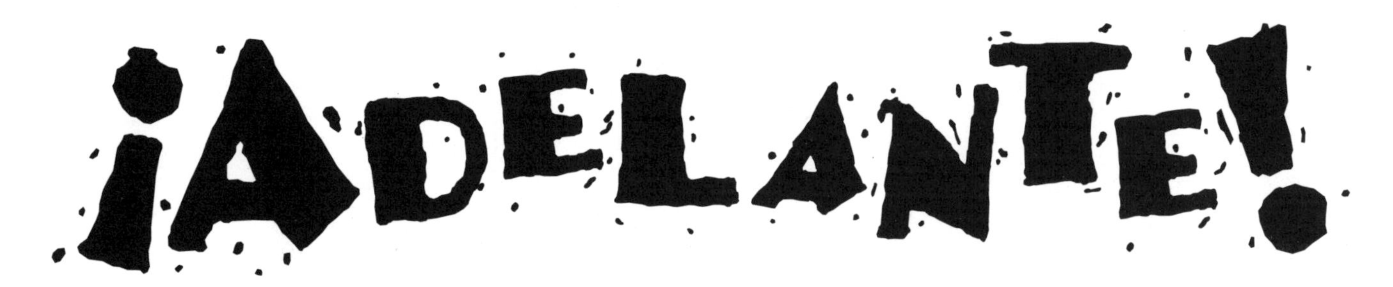

RESOURCE & ACTIVITY BOOK

Blackline Masters

Ava Belisle-Chatterjee

Linda West Tibensky

Abraham Martínez-Cruz

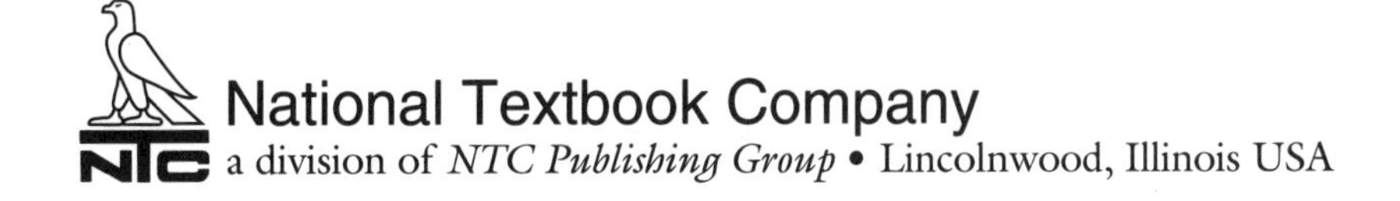

To the Teacher:

The blackline masters in this book are designed to be photocopied for classroom use only.

Published by National Textbook Company
a division of NTC Publishing Group
4255 West Touhy Avenue
Lincolnwood (Chicago), Illinois 60646–1975 U.S.A.

Manufactured in the United States of America.

6 7 8 9 0 VL 9 8 7 6 5 4 3 2 1

CONTENTS

Blackline Masters

Vocabulary Cards

Master 79	Unidad 6	el equipaje, hacer fila
Master 80	Unidad 6	el piloto, la piloto
Master 81	Unidad 6	el aeromozo, la aeromoza
Master 82	Unidad 6	los asientos, el pasajero
Master 83	Unidad 6	la pasajera; El avión despega. (despegar)
Master 84	Unidad 6	El avión vuela. (volar); El avión aterriza. (aterrizar)
Master 85	Unidad 6	El asiento es cómodo.; El asiento es incómodo.
Master 86	Unidad 7	la habitación, el turista
Master 87	Unidad 7	la turista, la llave
Master 88	Unidad 7	el arte moderno, el ascensor
Master 89	Unidad 7	la sábana, la manta
Master 90	Unidad 7	blanda, dura
Master 91	Unidad 7	el arte antiguo, las tarjetas postales
Master 92	Unidad 7	la ducha, la bañera
Master 93	Unidad 7	el jabón, las toallas
Master 94	Unidad 7	agua caliente, agua fría
Master 95	Unidad 8	el banco, el cajero
Master 96	Unidad 8	la cajera, abierta
Master 97	Unidad 8	cerrada, las monedas
Master 98	Unidad 8	los billetes, la ventanilla
Master 99	Unidad 8	el camarero, la camarera
Master 100	Unidad 8	el menú, la propina
Master 101	Unidad 8	la cuenta, el restaurante
Master 102	Unidad 9	la plaza, la iglesia
Master 103	Unidad 9	la fuente, la escultura
Master 104	Unidad 9	la alcaldía, el museo
Master 105	Unidad 9	el monumento, el metro
Master 106	Unidad 9	el edificio de apartamentos, el colegio
Master 107	Unidad 9	la sinagoga, el supermercado
Master 108	Unidad 9	el zoológico, el estadio
Master 109	Unidad 9	el mercado al aire libre, el rascacielos
Master 110	Unidad 10	norte, sur
Master 111	Unidad 10	este, oeste
Master 112	Unidad 10	una cuadra, la manzana
Master 113	Unidad 10	el paso de peatones, la esquina
Master 114	Unidad 10	el farol, el semáforo
Master 115	Unidad 10	Va rápido.; Va despacio.
Master 116	Unidad 10	Queda adelante.; Queda atrás.
Master 117	Unidad 10	perderse, encontrarse
Master 118	Unidad 11	la joyería, las joyas
Master 119	Unidad 11	el joyero, la joyera

Blackline Masters

Vocabulary Review

Blackline Masters

¡A conversar y a leer!

Blackline Masters

Numbers / Letters

Blackline Masters

Maps

Blackline Masters

Game / Activity Pages

Blackline Masters

Tape Exercise and Pronunciation Pages

Page 13	Unidad 5	¿Cómo lo dices?: Exercise 2, Exercise 3
Page 14	Unidad 6	Los sonidos del idioma, Pronunciation Exercise
Page 15	Unidad 6	¿Cómo lo dices?: Exercise 1
Page 16	Unidad 7	Los sonidos del idioma, Pronunciation Exercise
Page 17	Unidad 7	¿Cómo lo dices?: Exercise 1
Page 18	Unidad 8	Los sonidos del idioma, Pronunciation Exercise
Page 19	Unidad 8	¿Cómo lo dices?: Exercise 1
Page 20	Unidad 8	¿Cómo lo dices?: Exercise 2
Page 21	Unidad 9	Los sonidos del idioma, Pronunciation Exercise
Page 22	Unidad 9	¿Cómo lo dices?: Exercise 1
Page 23	Unidad 10	Los sonidos del idioma, Pronunciation Exercise
Page 24	Unidad 10	¿Cómo lo dices?: Exercise 2
Page 25	Unidad 11	Los sonidos del idioma, Pronunciation Exercise
Page 26	Unidad 11	¿Cómo lo dices?: Exercise 1, Exercise 2
Page 27	Unidad 12	Los sonidos del idioma, Pronunciation Exercise
Page 28	Unidad 12	¿Cómo lo dices?: Exercise 1
Page 29	Unidad 12	¿Cómo lo dices?: Exercise 2

INTRODUCTION

Overview

The *¡Adelante! Resource and Activity Book* provides a wealth of materials to help you create and maintain a lively learning environment in the classroom. Consistent with the methodologies used in the ***¡Viva el español!*** language program [for example, Total Physical Response (TPR) and the Natural Approach], the blackline masters become the visually stimulating and manipulable materials needed to present and reinforce language concepts. The numerous vocabulary, exercise, and activity pages in the *Resource and Activity Book* have been carefully integrated into the lessons and units of ***¡Adelante!*** Also included are tapescripts for the Lesson Cassettes and Exercise Cassettes, as well as the music and lyrics for the songs on the Song Cassette. The music and lyrics may also be used as blackline masters and duplicated for classroom use.

In the Unit Plans section of the *Annotated Teacher's Edition*, you will find references to the blackline masters needed for presenting, practicing, and reviewing the lessons and units in ***¡Adelante!*** As an additional aid to organizing your teaching materials, the contents of the *Resource and Activity Book* are given in detail, as well as organized in clearly identifiable sections.

Sections of the Resource and Activity Book

The *Resource and Activity Book* is divided into eight blackline master sections:

1. *¡Hablemos!*
2. Vocabulary Cards
3. Vocabulary Review
4. *¡A conversar y a leer!*
5. Numbers / Letters
6. Maps
7. Game / Activity Pages
8. Tape Exercise and Pronunciation Pages

¡Hablemos!

The blackline masters in this section re-create the vocabulary items from the *¡Hablemos!* pages in the pupil textbook. They may be reproduced and distributed to students throughout the year to be put into individual notebooks or folders. At the end of the school year, students will have compiled their own "picture dictionary." These pages may also be made into transparencies for use on the overhead projector. For example, as students listen to vocabulary words pronounced on the Lesson Cassette, they may simultaneously view the corresponding vocabulary page projected on a screen or wall.

Encourage students to color the pages of their picture dictionaries. Also encourage students to add to their dictionaries by making notes or by drawing pictures to illustrate words and expressions they learn in the *¿Cómo lo dices?, Entre amigos,* and *¡A divertirnos!* sections of the units.

Vocabulary Cards

The masters in this section are designed as vocabulary cards (half-page illustrations). These may be photocopied and used for TPR instruction with individuals, small groups, or the entire class. You may wish to mount these cards on posterboard or heavy gauge paper and laminate them for demonstration sets in the classroom or for games. The pages may also be photocopied and distributed so that each student may have a complete set of vocabulary cards for a given unit.

Vocabulary Review

The vocabulary review masters contain reduced illustrations of the vocabulary in a given word group or family. These pages may be made into transparencies for quick review activities, informal assessment, and games. They also may be copied, cut apart, and used to make game boards and materials for the many games described in the "Games and Activities" resource section of the *Annotated Teacher's Edition*.

¡A conversar y a leer!

The *¡A conversar y a leer!* masters help students apply the vocabulary and grammar of the unit to real-life situations. The conversations and readings incorporate humor with situations that relate to students' interests. Carefully placed within the conversations and readings are examples of unfamiliar words and expressions that are designed to help students develop the ability to guess meanings from context, to recognize cognates, or to practice their dictionary skills. Following each conversation and reading is a set of comprehension/recall questions.

Numbers / Letters

The numbers and letters masters have been included for presenting and practicing the numbers from 1 to 1,000 and the alphabet in Spanish. The full pages may be duplicated and included in the individual picture dictionaries and may also be distributed so that each student can have a set of cards for games, reading readiness activities, and small-group or paired activities and games.

Maps

The full-page outline maps in this section are designed to supplement activities that introduce students to the geography of the Spanish-speaking world. They may be used for written activities that include labeling countries and capitals, or enrichment activities such as coloring areas where Spanish is spoken in the United States.

Game / Activity Pages

The game and activity masters correspond to the many learning activities and games suggested in the *Annotated Teacher's Edition*. They may be reproduced and distributed to students for quiet activities at their desks or made into transparencies and used for games with the whole class. You may wish to enlarge some game boards, color them, mount them, and laminate them for small-group activities in a classroom "activity corner."

The following is a list of the blackline master game pages that correspond to the games in the *Annotated Teacher's Edition* (ATE). You will find complete instructions for playing the games in the resource section "Games and Activities":

Master	Game	ATE Page
186	Cinco	T-159
187	¿Cuánto cuesta la palabra?	T-162
188	Vamos en taxi (game board)	T-169
189	Vamos en taxi (number spinner)	
190	El volcán (game board)	T-171
191	El volcán (number spinner)	

The remaining blackline masters may be used for a number of oral and written learning activities. The blank calendar pages (masters 192 and 193) may be used to log daily activities, practice dates, or highlight holidays. The various forms (masters 199, 200, and 201) allow students to create simulated real-life postcards and tickets for oral and written activities or for role-playing games. The patterns may be used as name tags, game pieces for games you create, or for bulletin-board displays to highlight students' achievements.

Tape Exercise and Pronunciation Pages

The exercise pages in this section are designed to be used in conjunction with the Exercise Cassettes. These blackline masters may be reproduced and used for large-group, small-group, paired, or individual listening comprehension activities. The exercises recorded on the Exercise Cassettes practice and reinforce the *Los sonidos del idioma* section of the *Resource and Activity Book*, and the *¿Cómo lo dices?* section of each regular unit in the pupil textbook. For ease of checking, the answer key to the exercises follows the introductory section of the *Resource and Activity Book*.

Informal Assessment Activities

The blackline masters are particularly useful in preparing materials for informal assessment activities. They may be used to create whatever materials you need, from vocabulary cards for TPR activities and games to visual stimulus for oral interviews. In the Unit Plans of the *Annotated Teacher's Edition* of the textbook, you will find numerous suggestions for informal assessment activities for every unit.

Because listening and speaking skills are crucial to successful language learning, the vocabulary cards and pictures may be used for TPR activities that require a nonverbal response to indicate comprehension. They also can be used for initial utterances in activities that call for a yes-no response or a choice of answers, as well as activities that encourage free conversation. The blackline masters may also be used to initiate writing activities, from writing simple labels to composing entire sentences about a picture or a set of vocabulary cards.

Transparencies

Throughout the Unit Plans in the *Annotated Teacher's Edition*, it is often recommended that you make a transparency of a blackline master for use on the overhead projector. You may wish to investigate the equipment available in your school or school system for making transparencies. Transparencies are especially useful when you are teaching a game, reviewing vocabulary with the entire class, or initiating a conversation as a quick warm-up activity to start the class period. Full-color transparencies of the *¡Hablemos!* teaching art pages are also available and may be used in conjunction with the Lesson Cassettes to provide visual reinforcement of the vocabulary pronounced on the audiocassettes.

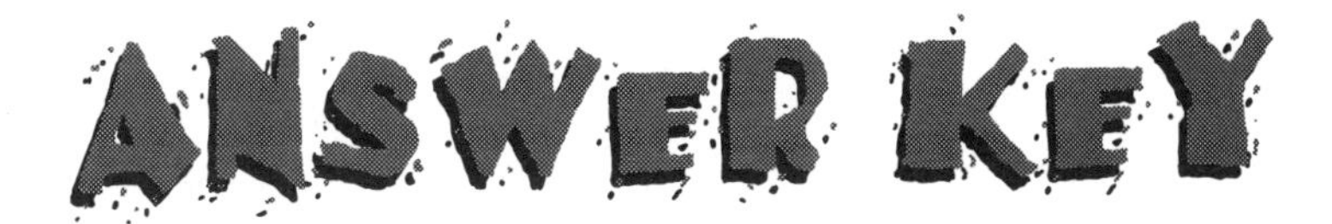

Tape Exercise and Pronunciation Pages; *¡A conversar y a leer!* Questions

The answers given in this section are for the exercises that correspond to the Tape Exercise and Pronunciation Pages only. For a complete script of the Exercise Cassettes, as well as the Lesson Cassettes, see "Tapescripts" in the *Resource and Activity Book*.

Unidad 1 *(Tape Exercise and Pronunciation Page 1)*
Los sonidos del idioma
Pronunciation Exercise

	sí	no
M	✓	
M		✓
1.	✓	
2.		✓
3.	✓	
4.		✓
5.	✓	
6.		✓
7.	✓	
8.	✓	
9.		✓
10.	✓	

Unidad 1 *(Tape Exercise and Pronunciation Page 2)*
¿Cómo lo dices?

Exercise 1

The following answers are given on the Exercise Cassette:

1. (model) Juego al tenis.
2. (model) Juegan al fútbol americano.
3. Jugamos al béisbol.
4. Juega al ajedrez.
5. Juegas al volibol.
6. Juega al baloncesto.
7. Juego al fútubol.
8. Jugamos al dominó.

Exercise 2

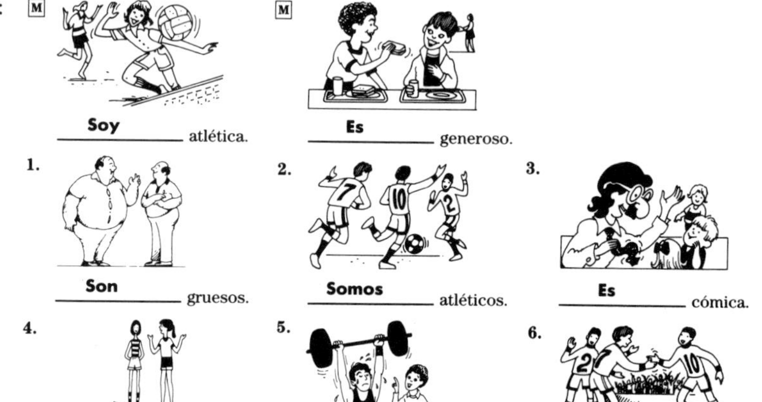

M
Soy atlética.
M
Es generoso.
1.
Son gruesos.
2.
Somos atléticos.
3.
Es cómica.
4.
Son delgadas.
5.
Eres fuerte.
6.
Somos populares.

Unidad 2 *(Tape Exercise and Pronunciation Page 3)*
Los sonidos del idioma
Pronunciation Exercise

M j____ usticia

M hara ____ o

1. a __j__ o
2. pere __j__ il
3. parti __j__ a
4. glo ____ o
5. si ____ lo
6. __j__ inete
7. sin ____ onía
8. mascara ____ a
9. le ____ árgico
10. conser __j__ e

Unidad 2 *(Tape Exercise and Pronunciation Page 4)*
¿Cómo lo dices?
Exercise 1

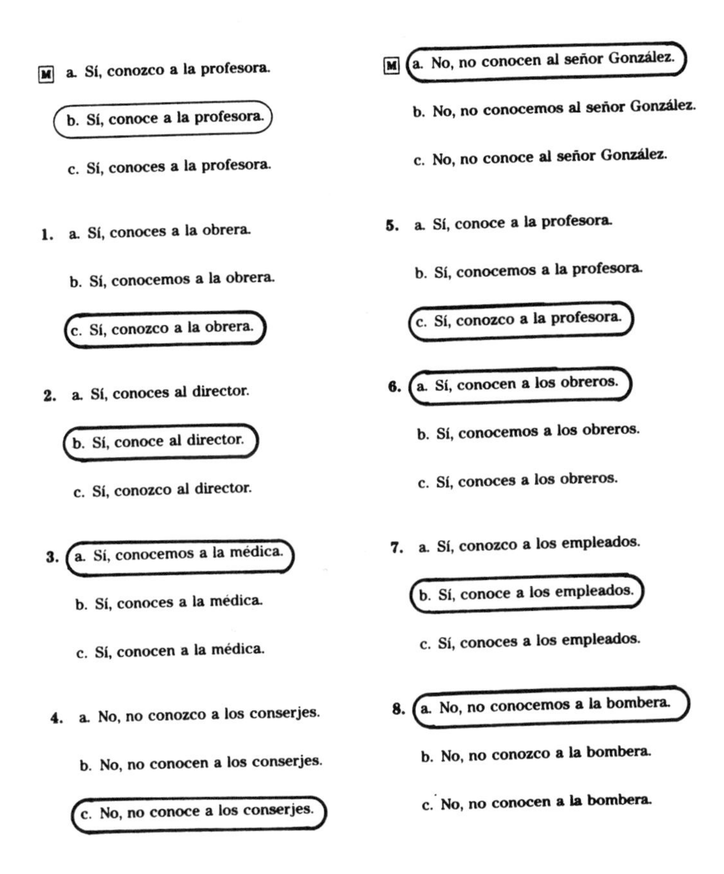

M a. Sí, conozco a la profesora.
b. Sí, conoce a la profesora.
c. Sí, conoces a la profesora.

1. a. Sí, conoces a la obrera.
b. Sí, conocemos a la obrera.
c. Sí, conozco a la obrera.

2. a. Sí, conoces al director.
b. Sí, conoce al director.
c. Sí, conozco al director.

3. a. Sí, conocemos a la médica.
b. Sí, conoces a la médica.
c. Sí, conocen a la médica.

4. a. No, no conozco a los conserjes.
b. No, no conocen a los conserjes.
c. No, no conoce a los conserjes.

M a. No, no conocen al señor González.
b. No, no conocemos al señor González.
c. No, no conoce al señor González.

5. a. Sí, conoce a la profesora.
b. Sí, conocemos a la profesora.
c. Sí, conozco a la profesora.

6. a. Sí, conocen a los obreros.
b. Sí, conocemos a los obreros.
c. Sí, conoces a los obreros.

7. a. Sí, conozco a los empleados.
b. Sí, conoce a los empleados.
c. Sí, conoces a los empleados.

8. a. No, no conocemos a la bombera.
b. No, no conozco a la bombera.
c. No, no conocen a la bombera.

Unidad 2 *(Tape Exercise and Pronunciation Page 5)*
¿Cómo lo dices?
Exercise 2

The following answers are given on the Exercise Cassette:

M Está trabajando, Angelita.
M Están poniendo la mesa, Angelita.
1. Está escribiendo, Angelita.
2. Estoy cocinando, Angelita.
3. Están abriendo la puerta, Angelita.
4. Está barriendo el piso, Angelita.
5. Está subiendo las escaleras, Angelita.
6. Está regando las plantas, Angelita.

Unidad 3 *(Tape Exercise and Pronunciation Page 6)*
Los sonidos del idioma
Pronunciation Exercise

M no

M sí

1. sí
2. no
3. sí
4. no
5. sí
6. no
7. no
8. sí

Unidad 3 *(Tape Exercise and Pronunciation Page 7)*
¿Cómo lo dices?
Exercise 1

The following answers are given on the Exercise Cassette:

M Sí. Cristina, Alejandro y yo pedimos leche.
M Sí. Andrés y Carlos piden sopa.
1. Sí. Yo pido pollo.
2. Sí. Elena pide pescado.
3. Sí. Rosa María y Carmen piden ensalada.
4. Sí. Yo pido legumbres.
5. Sí. Pancho y Paula piden carne.
6. Sí. Carlos y Rosa María piden maíz.
7. Sí. Tú pides arroz.
8. Sí. Andrés y yo pedimos helado.

Exercise 2

Unidad 4 *(Tape Exercise and Pronunciation Page 8)*
Los sonidos del idioma
Pronunciation Exercise

	sí	no
M	✓	
M		✓
1.	✓	
2.	✓	
3.		✓
4.		✓
5.	✓	
6.	✓	
7.		✓
8.		✓
9.	✓	
10.		✓

Unidad 4 *(Tape Exercise and Pronunciation Page 9)*
¿Cómo lo dices?
Exercise 1

Unidad 4 *(Tape Exercise and Pronunciation Page 10)*
¿Cómo lo dices?
Exercise 1, *continued*

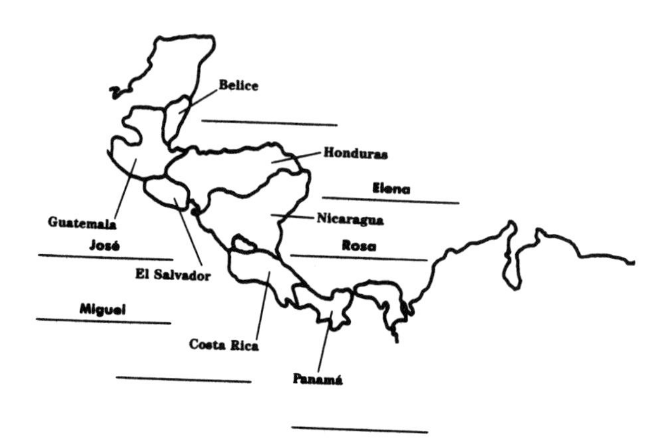

Unidad 5 *(Tape Exercise and Pronunciation Page 11)*
Los sonidos del idioma
Pronunciation Exercise

	AE	EA
M	✓	
M		✓
1.	✓	
2.	✓	
3.		✓
4.	✓	
5.		✓
6.		✓

	AO	OA
M		✓
1.		✓
2.	✓	
3.		✓
4.	✓	
5.	✓	
6.		✓

Unidad 5 *(Tape Exercise and Pronunciation Page 12)*
¿Cómo lo dices?
Exercise 1

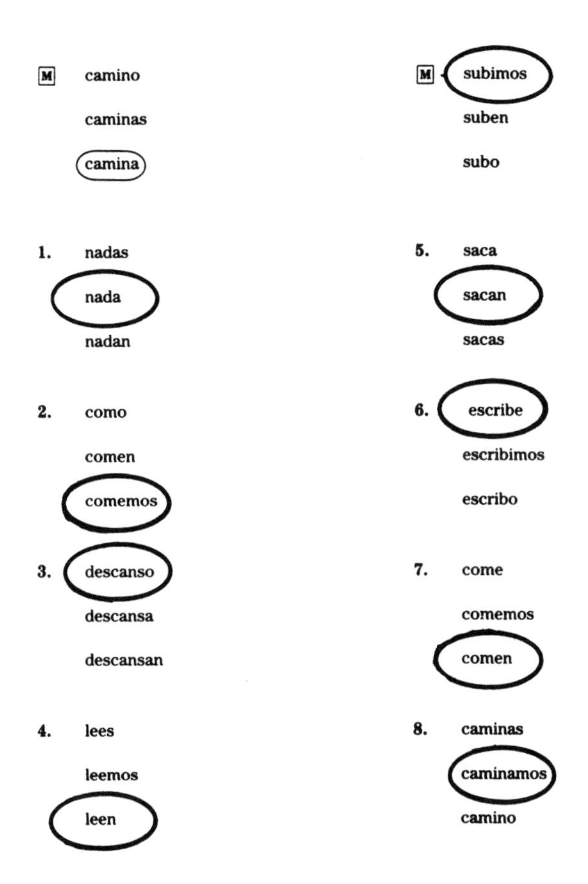

M camino
caminas
camina
M subimos
suben
subo
1. nadas
nada
nadan
5. saca
sacan
sacas
2. como
comen
comemos
6. escribe
escribimos
escribo
3. descanso
descansa
descansan
7. come
comemos
comen
4. lees
leemos
leen
8. caminas
caminamos
camino

Unidad 5 *(Tape Exercise and Pronunciation Page 13)*
¿Cómo lo dices?
Exercise 2

Answers will vary.

Exercise 3

M Almuerza a las once.
M Almuerzan a la una y cuarto.
1. Almuerza a las doce y cuarto.
2. Almuerzan a las once y media.
3. Almuerzas a las once y cuarto.
4. Almuerza a la una.
5. Almuerzan a las doce y media.

Unidad 6 *(Tape Exercise and Pronunciation Page 14)*
Los sonidos del idioma
Pronunciation Exercise

Parts 1 and 2

	EO	OE
M	___	✓
M	✓	___
1.	✓	___
2.	✓	___
3.	___	✓
4.	✓	___
5.	___	✓
6.	___	✓
7.	✓	___
8.	___	✓

Unidad 6 *(Tape Exercise and Pronunciation Page 15)*
¿Cómo lo dices?
Exercise 1

M Sí, hace un viaje.
M No, no hago un viaje.
1. Sí, hace un viaje.
2. Sí, hacemos un viaje.
3. No, no hago un viaje.
4. Sí, hacen un viaje.
5. No, no hace un viaje.
6. No, no hacen un viaje.

Unidad 7 *(Tape Exercise and Pronunciation Page 16)*
Los sonidos del idioma
Pronunciation Exercise

M b **ai** lo
M p **ia** no
1. grac **ia** s
2. farmac **ia**
3. c **ai** go
4. f **ia** mbres
5. **ai** re
6. fr **ai** le

M g **ua** po
1. j **au** la
2. s **ua** ve
3. apl **au** so
4. g **ua** rdia
5. fl **au** ta
6. c **ua** dro

Unidad 7 *(Tape Exercise and Pronunciation Page 17)*
¿Cómo lo dices?
Exercise 1

M Abuelo sirve el jamón.
M Mamá y tío Francisco sirven el maíz.
1. Margarita y yo servimos el pollo.
2. Papá sirve los espaguetis con albóndigas.
3. Yo sirvo las legumbres.
4. Tía Sara y yo servimos el pescado.
5. Abuelo y Humberto sirven los guisantes.
6. Papá sirve el helado.

Unidad 8 *(Tape Exercise and Pronunciation Page 18)*
Los sonidos del idioma
Pronunciation Exercise

M p **ei** ne

M qu **ie** to

1. pl **ei** to
2. t **ie** rno
3. qu **ie** n
4. r **ei** no
5. r **ie** nda
6. v **ei** nte

M ab **ue** lo

1. d **eu** da
2. n **eu** mático
3. tr **ue** no
4. p **ue** sto
5. r **eu** nir
6. ac **ue** sta

Unidad 8 *(Tape Exercise and Pronunciation Page 19)*
¿Cómo lo dices?
Exercise 1

M A Óscar **le sirve huevos revueltos**.

M A mí **me sirve una toronja**.

1. A Luis y Armando **les sirve cereal**.
2. A ti **te sirve avena**.
3. A Catalina **le sirve pan tostado**.
4. A nosotros **nos sirve huevos fritos**.
5. A Marisa y Adolfo **les sirve té**.
6. A Mateo **le sirve chocolate**.

Unidad 8 *(Tape Exercise and Pronunciation Page 20)*
¿Cómo lo dices?
Exercise 2

M Da un radio.
M Dan unos libros.
1. Da dos camisas.
2. Doy un retrato.
3. Dan una lámpara vieja.
4. Das un espejo.
5. Da unos platos.
6. Dan cinco camisetas.

Unidad 9 *(Tape Exercise and Pronunciation Page 21)*
Los sonidos del idioma
Pronunciation Exercise

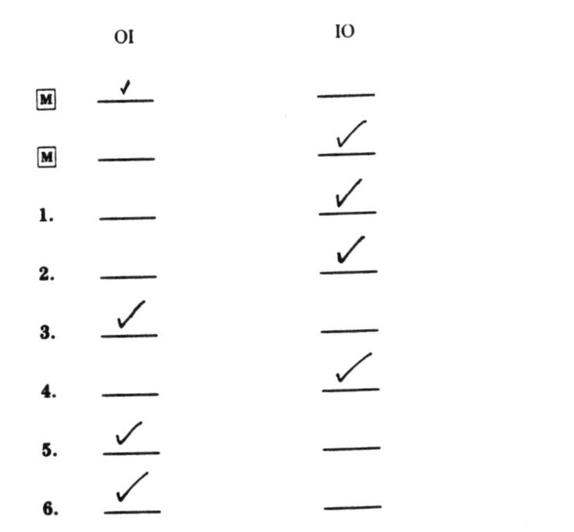

M sí
M no
1. sí
2. no
3. no
4. sí
5. sí
6. no

Unidad 9 *(Tape Exercise and Pronunciation Page 22)*
¿Cómo lo dices?
Exercise 1

M Voy a **darles** camisetas.

M Voy a **darle** un radio.

1. Voy a **darle** un libro.
2. Voy a **darles** un plato bonito.
3. Voy a **darle** un bolígrafo.
4. Voy a **darle** unos cuadernos.
5. Voy a **darles** dos coches de plástico.
6. Voy a **darle** un beso grande.

Unidad 10 *(Tape Exercise and Pronunciation Page 23)*
Los sonidos del idioma
Pronunciation Exercise

M **sí**

M **no**

1. **no**
2. **sí**
3. **sí**
4. **no**

M **sí**

1. **no**
2. **no**
3. **sí**
4. **sí**

Unidad 10 *(Tape Exercise and Pronunciation Page 24)*
¿Cómo lo dices?
Exercise 2

[M] SIMÓN: Lee la lección tres.

TÚ: No, no **leas** la lección tres.

[M] SIMÓN: Mira el programa de televisión.

TÚ: No, no **mires** el programa de televisión.

1. SIMÓN: Escribe las respuestas.

TÚ: No, no **escribas** las respuestas.

2. SIMÓN: Lee la novela.

TÚ: No, no **leas** la novela.

3. SIMÓN: Usa la computadora.

TÚ: No, no **uses** la computadora.

4. SIMÓN: Prepara un reporte.

TÚ: No, no **prepares** un reporte.

5. SIMÓN: Abre el libro de ciencias.

TÚ: No, no **abras** el libro de ciencias.

6. SIMÓN: Contesta las preguntas.

TÚ: No, no **contestes** las preguntas.

Unidad 11 *(Tape Exercise and Pronunciation Page 25)*
Los sonidos del idioma
Pronunciation Exercise

[M]	2	(3)	4
[M]	(2)	3	4
1.	2	3	(4)
2.	(2)	3	4
3.	2	(3)	4
4.	2	(3)	4
5.	2	3	(4)
6.	(2)	3	4
7.	2	3	(4)
8.	(2)	3	4
9.	2	(3)	4
10.	(2)	3	4

[M] ma-ra-**vi**-lla

1. gui-**san**-tes
2. **car**-ta
3. **pa**-vo
4. es-**tre**-lla

[M] **cla**-ro

5. ma-ri-**ne**-ro
6. **al**-to
7. ca-**ri**-ño
8. ham-bur-**gue**-sa

Unidad 11 *(Tape Exercise and Pronunciation Page 26)*
¿Cómo lo dices?

Exercise 1

- M Mamá me compró un abrigo.
- M Luis y Ana me compraron un libro.
1. Abuelita me compró un disco.
2. Mis primos me compraron un collar.
3. Tú me compraste una bolsa.
4. Papá y Manolita me compraron un suéter.
5. Carolina me compró un brazalete.
6. Yo me compré un cinturón.

Exercise 2

- M Sí, **almorcé** en un restaurante.
- M Mis papás la **pagaron** .
1. No, nosotros no **jugamos** al fútbol.
2. **Jugué** al ajedrez.
3. No, yo no **saqué** fotos.
4. Sí, él **sacó** fotos.
5. Sí, **pensamos** ir.
6. **Llegué** a las siete y media.
7. No, mi amigo **pagó** por los billetes.
8. **Llegué** a las diez y media.

Unidad 12 *(Tape Exercise and Pronunciation Page 27)*
Los sonidos del idioma
Pronunciation Exercise

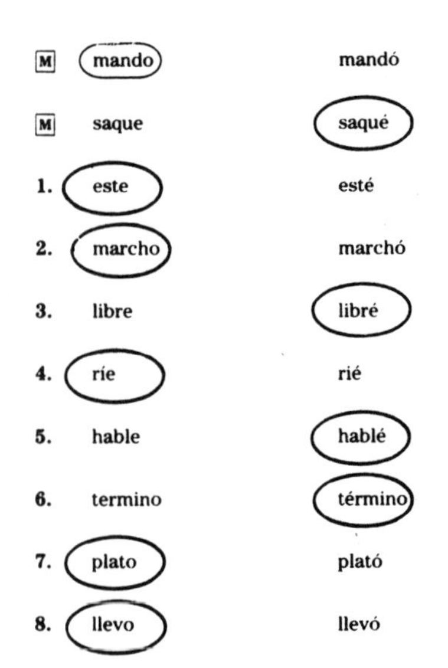

mandó
saqué
esté
marchó
libré
rié
hablé
término
plató
llevó

Unidad 12 *(Tape Exercise and Pronunciation Page 28)*
¿Cómo lo dices?
Exercise 1

[M] **Corriste** mucho en la playa, ¿verdad?

[M] Tu hermana **escribió** tarjetas postales, ¿verdad?

1. Tu hermanito y tú **se perdieron** en la ciudad, ¿verdad?
2. Tus papás **salieron** a comer en un restaurante, ¿verdad?
3. **Aprendiste** a bucear, ¿verdad?
4. Tu hermana **aprendió** a nadar, ¿verdad?
5. Un día **te dolió** la cabeza en la playa, ¿verdad?
6. **Volvieron** el miércoles, ¿verdad?

Unidad 12 *(Tape Exercise and Pronunciation Page 29)*
¿Cómo lo dices?
Exercise 2

[M] Ese disco es de Víctor.

[M] Aquellas sandalias son de María.

1. Este collar es de Ana.
2. Aquella sombrilla es de José.
3. Estos libros son de Teo.
4. Ese brazalete es de Luz.
5. Este radio es de Nora.
6. Aquellos bolígrafos son de Juan.

¡A conversar y a leer! Questions

Unidad 1 *(Master 154)*
1. Tomás y Ramón juegan al tenis, al fútbol, al baloncesto y más.
2. Ellos coleccionan tarjetas postales.
3. A Ramón le gusta montar a caballo.
4. Tomás tiene miedo de los caballos.
5. Sí, todavía son buenos amigos.

Unidad 2 *(Master 155)*
1. El primo de Elena trabaja en la fábrica.
2. Angélica, la tía de Elena, es policía.
3. Su abuelo es médico.
4. No, Elena no conoce a un bombero.
5. Lidia conoce a un bombero.

Unidad 3 *(Master 156)*
1. No, el paciente siempre tiene el mismo sueño.
2. No, en el sueño el paciente habla con un policía.
3. No, el actor está en un taxi.
4. El director señala al paciente.
5. No, el paciente no sabe el significado del sueño.

Unidad 4 *(Master 157)*
1. Sí, Iñaki es de Bilbao.
2. Sí, Madrid es la capital de España.
3. No, el avión va a Santo Domingo.
4. Van a visitar Puerto Rico primero.
5. No. Van a llegar a Nicaragua en otro viaje.

Unidad 5 *(Master 158)*
1. Los papás piensan hacer un viaje fuera de los Estados Unidos.
2. Eva quiere ir al Ecuador. Quiere ir al Ecuador porque hay montañas, valles y muchas playas.
3. Hugo quiere ir a la República Dominicana para probar frutas tropicales y nadar en el Mar Caribe.
4. El papá no quiere ir a una isla porque cuesta mucho (dinero).
5. En México hay de todo.

Unidad 6 *(Master 159)*
1. No, tienes que llegar temprano para los vuelos internacionales.
2. Tienes que hacer fila en el aeropuerto porque siempre hay muchos pasajeros.
3. Puedes comprar revistas, regalos y otras cosas en las tiendas del aeropuerto.
4. Los aeromozos sirven la comida durante el vuelo.
5. No, los viajes en avión son interesantes.

Unidad 7 *(Master 160)*
1. No, Manizales está en las montañas.
2. Sí, el Nevado de Ruiz es un volcán activo.
3. No, su hotel es pequeño.
4. La familia almuerza al mediodía.
5. Marleny quiere ser la dueña del hotel en el futuro.

Unidad 8 *(Master 161)*
1. Ellos van a un restaurante.
2. Su amigo Pablo trabaja en el restaurante.
3. No, ellos no hacen fila.
4. Le van a dar una propina grande a Pablo después del almuerzo.
5. No, Pablo no les sirve.
6. Pablo va a almorzar también.

Unidad 9 *(Master 162)*
1. No, América Latina tiene muchas ciudades antiguas.
2. No, hay una plaza en Lima que se llama la Plaza de Armas.
3. Sí, Simón Bolívar es un héroe en Venezuela.
4. Sí, a veces las casas antiguas son museos.
5. Generalmente los patios están dentro de las casas.

Unidad 10 *(Master 163)*
1. Marcos busca la plaza Bolívar.
2. Jorge conoce el lugar. (OR Jorge lo conoce.)
3. *Answers will vary. Accept appropriate paraphrasing.*
4. Según el mapa, la plaza Bolívar queda aquí (OR en el centro de la ciudad).
5. El mapa es de Ciudad Jardín.

Unidad 11 *(Master 164)*
1. Compró una blusa.
2. Pagó muy poco (dinero).
3. Ella buscó un precío barato.
4. No, no lo examinó bien.
5. No pagó mucho porque no hay botones en la blusa.

Unidad 12 *(Master 165)*
1. Santa Bárbara es perfecto para toda la familia.
2. No, las montañas tienen nieve durante todo el año.
3. No, al Sr. Rodríguez le gusta mucho Santa Bárbara de los Arcos.
4. No, el Sr. Rodríguez no visitó museos.
5. Ellos caminaron por las playas.

TAPESCRIPTS

The tapescripts in this section are designed to help you plan your lessons to derive the most benefit from the *¡Viva el español!* audiocassettes. The scripts for the Lesson Tapes will help you select the conversations and features that will enrich your students' listening comprehension activities, while the scripts for the Exercise Tapes will enable you to choose appropriate exercises to practice the vocabulary and structures taught in each unit.

Exercise Cassettes

The Exercise Cassettes are designed to provide additional practice with the vocabulary and structures taught in the twelve regular units of the textbook. Each unit on the Exercise Cassettes contains the pronunciation lesson and one exercise corresponding to the "Los sonidos del idioma" page of the Tape Exercise and Pronunciation Pages in the *Resource and Activity Book,* and several exercises corresponding to the *¿Cómo lo dices?* sections of the textbook unit. Within each unit, grammar is typically practiced in the same order as it is presented in the textbook.

As in the textbook, each *¿Cómo lo dices?* exercise on the cassettes is preceded by a communicative context given in English. Following this, the English-speaking narrator gives step-by-step instructions for the exercise and leads students through one or two *modelos*. Then, students may begin the exercise. Students are frequently reminded that they may stop the tape while they say or write their answers. Whenever possible, the correct answers for the exercise items are given on the tapes so that students can receive immediate feedback.

The English-speaking narrator provides a brief description of what students will be required to do for each exercise. When materials are needed for an exercise, they are listed after this description. Generally, the materials needed are the Tape Exercise and Pronunciation Pages from the *Resource and Activity Book*. Next, the *modelos* are presented, followed by the exercise itself.

The tapescripts indicate which Tape Exercise and Pronunciation Page will be needed for each activity. Among other types of activities, the Tape Exercise and Pronunciation Pages include pictures or other visual cues for answering questions on the tapes, multiple-choice items for students to circle, and dictation-type activities where students write words they hear on the cassettes to complete sentences in a conversation. Some Tape Exercise and Pronunciation Pages provide blanks for students to write their answers; many were designed to give you the choice of having students write their answers on a separate sheet of paper or assigning the exercises as oral activities. Answers to the Tape Exercise and Pronunciation Page activities are given in the Answer Key beginning on page 5 of the *Resource and Activity Book*.

Lesson Cassettes

The Lesson Cassettes are recorded by native speakers of Spanish of varied ages and backgrounds. Each regular unit of the Lesson Cassettes contains the following:

- *¡Hablemos!*—The vocabulary sections of the textbook unit, including the conversation models that appear in the textbook, and additional models utilizing other section vocabulary.
- *¡A conversar y a leer!*—The conversation and reading section found in the *Resource and Activity Book*, followed by four or five original questions about the conversation or reading.
- Conversations—Three to five short conversations that use the unit vocabulary and structures in simulated real-life situations. Each conversation is preceded by a communicative context given by an English-speaking narrator.
- A feature—A longer, more challenging listening passage that simulates a real-life situation. Each feature is preceded by a brief communicative context given by an English-speaking narrator. The narrator also interrupts the features at intervals to give students a "breather" as they listen and provide a natural stopping place for you to ask comprehension questions.

In the tapescripts, all recorded textbook sections are followed by a page reference that directs you to the page in the textbook on which that section appears. Similarly, there are Master number references for recorded material from the *Resource and Activity Book*. All original taped material is transcribed on the tapescripts.

Both the Lesson Cassettes and the Exercise Cassettes use abbreviations to indicate the speakers. In the Lesson Cassettes, these are M (male voice) and F (female voice). In the Exercise Cassettes, the abbreviations are: P (*pregunta*), R (*respuesta*), A (*adjetivo*), and N (*nombre*).

Song Cassette

Following the Lesson Cassette Tapescript, you will find the music and lyrics for the songs on the Song Cassette. These may be reproduced or made into transparencies for use with the whole class or small groups.

Tapescripts / Exercise Cassettes

UNIDAD 1

Los sonidos del idioma

Presentation
*See **Resource and Activity Book,** Tape Exercise and Pronunciation Page 1.*

Practice
Students hear the soft *g* sound, followed by a sentence. They then put a check mark in the *sí* column on their exercise pages if they hear the soft *g* sound in the sentence, or in the *no* column if they do not.

Modelos: **G. En general, estudio la geometría.**
G. Margarita come manzanas.

1. G. Germán va al gimnasio.
2. G. La casa es magnífica.
3. G. Generalmente, hay gitanos aquí.
4. G. El coche no tiene garantía.
5. G. Gilberto tiene mucha energía.
6. G. Los gauchos viven en la Pampa.
7. G. La gente mira las girafas.
8. G. Germán estudia la geografía.
9. G. Gabriel sirve agua.
10. G. Aquí crecen geranios y girasoles.

¿Cómo lo dices?

Exercise 1
Students hear a girl ask her friends what games they intend to play. They answer using forms of the verb *jugar*, according to the picture on their exercise pages.
*See **Resource and Activity Book,** Tape Exercise and Pronunciation Page 2.*

Modelos:
P: ¿A qué juegas tú, Hernando?
R: Juego al tenis.
P: Maruja, ¿a qué juegan Nicolás y Natán?
R: Juegan al fútbol americano.

- **P:** Felipe, ¿a qué juegan Verónica y tú?
  R: Jugamos al béisbol.
- **P:** Hernando, ¿a qué juega Maruja?
  R: Juega al ajedrez.
- **P:** Felipe, ¿a qué juego yo?
  R: Juegas al volibol.
- **P:** Maruja, ¿a qué juega Timoteo?
  R: Juega al baloncesto.
- **P:** Rosa, ¿a qué juegas tú?
  R: Juego al fútbol.
- **P:** Martín, ¿a qué juegan Lola y tú?
  R: Jugamos al dominó.

Exercise 2
Students hear Manuel ask Ana María questions about pictures of herself and her friends. Students answer as Ana María would, filling in blanks beneath each picture on their exercise pages with the adjective that best describes the person pictured.
*See **Resource and Activity Book,** Tape Exercise and Pronunciation Page 2.*

Modelos:
P: ¿Cómo eres tú?
R: Soy atlética.
P: ¿Cómo es León?
R: Es generoso.

1. **P:** ¿Cómo son Luis y Alfredo?
   R: Son gruesos.
2. **P:** ¿Cómo son ustedes?
   R: Somos atléticos.
3. **P:** ¿Cómo es Carlota?
   R: Es cómica.
4. **P:** ¿Cómo son Anita y Ema?
   R: Son delgadas.
5. **P:** ¿Cómo soy yo?
   R: Eres fuerte.
6. **P:** ¿Cómo son ustedes?
   R: Somos populares.

UNIDAD 2

Los sonidos del idioma

Presentation
*See **Resource and Activity Book,** Tape Exercise and Pronunciation Page 3.*

Practice
Students hear a series of words. They will find the words on their exercise pages with one letter missing. Students then write the letter *j* in the blanks on their exercise pages for words that have the *j* sound. Students will hear each word twice.

Modelos: **Justicia. Justicia.**
Harapo. Harapo.

1. Ajo. Ajo.
2. Perejil. Perejil.
3. Partija. Partija.
4. Globo. Globo.
5. Siglo. Siglo.
6. Jinete. Jinete.
7. Sinfonía. Sinfonía.

8. Mascarada. Mascarada.
9. Letárgico. Letárgico.
10. Conserje. Conserje.

¿Cómo lo dices?

Exercise 1

Students hear questions about who knows whom in a community. Students respond by circling the sentence on their exercise page that best answers the question.
See ***Resource and Activity Book,*** *Tape Exercise and Pronunciation Page 4.*

Modelos:

P: El secretario conoce a la profesora, ¿verdad?
R: Sí, conoce a la profesora.
P: Los bomberos conocen al señor González, ¿verdad?
R: No, no conocen al señor González.

1. **P:** Tú conoces a la obrera, ¿verdad?
   R: Sí, conozco a la obrera.
2. **P:** Tu mamá conoce al director, ¿verdad?
   R: Sí, conoce al director.
3. **P:** Tu hermana y tú conocen a la médica, ¿verdad?
   R: Sí, conocemos a la médica.
4. **P:** La señorita Castro conoce a los conserjes, ¿verdad?
   R: No, no conoce a los conserjes.
5. **P:** Tú conoces a la profesora, ¿verdad?
   R: Sí, conozco a la profesora.
6. **P:** Tus papás conocen a los obreros, ¿verdad?
   R: Sí, conocen a los obreros.
7. **P:** El dueño conoce a los empleados, ¿verdad?
   R: Sí, conoce a los empleados.
8. **P:** Tu familia y tú conocen a la bombera, ¿verdad?
   R: No, no conocemos a la bombera.

Exercise 2

Students look at pictures showing people doing different activities and hear a girl ask her mother questions about what the people are doing. They then answer aloud as the mother would, according to the pictures on their exercise pages.
See ***Resource and Activity Book,*** *Tape Exercise and Pronunciation Page 5.*

Modelos:

P: Mamá, ¿qué hace papá?
R: Está trabajando, Angelita.
P: Mamá, ¿qué hacen Carlos y Anita?
R: Están poniendo la mesa, Angelita.

1. **P:** Mamá, ¿qué hace tío Bernardo?
   R: Está escribiendo, Angelita.
2. **P:** Mamá, ¿qué haces tú?
   R: Estoy cocinando, Angelita.
3. **P:** Mamá, ¿qué hacen Carmen y María?
   R: Están abriendo la puerta, Angelita.
4. **P:** Mamá, ¿qué hace Adela?
   R: Está barriendo el piso, Angelita.
5. **P:** Mamá, ¿qué hace Minerva?
   R: Está subiendo las escaleras, Angelita.
6. **P:** Mamá, ¿qué hace Humberto?
   R: Está regando las plantas, Angelita.

UNIDAD 3

Los sonidos del idioma

Presentation

See ***Resource and Activity Book,*** *Tape Exercise and Pronunciation Page 6.*

Practice

Students hear the hard *g* sound, followed by a sentence. They then write *sí* in the blanks on their exercise pages if they hear the hard *g* sound in each sentence, and *no* if they do not.

Modelos: **Gue. Hay una máquina en el jardín.**
Gue. Los guías bailan el merengue.

1. Gue. Guillermo está en los magueyes.
2. Gue. Generalmente, como a las cinco.
3. Gue. Hay guisantes en el guisado.
4. Gue. Sólo hay una nariz en la cara.
5. Gue. Los guías también comen hamburguesas.
6. Gue. La recámara es muy cómoda.
7. Gue. El gimnasio está muy lejos.
8. Gue. No bailan seguidillas en Guinea.

¿Cómo lo dices?

Exercise 1

Students look at pictures of food and hear subjects containing names and/or pronouns. They then complete the sentences aloud with the correct form of *pedir* and the name of the pictured food item.
See ***Resource and Activity Book,*** *Tape Exercise and Pronunciation Page 7.*

Modelos:

P: Cristina, Alejandro y yo...
R: pedimos leche. Sí, Cristina, Alejandro y yo pedimos leche.
P: Andrés y Carlos...
R: piden sopa. Sí, Andrés y Carlos piden sopa.

1. **P:** Yo...
   R: pido pollo. Sí, yo pido pollo.
2. **P:** Elena...
   R: pide pescado. Sí, Elena pide pescado.
3. **P:** Rosa María y Carmen...
   R: piden ensalada. Sí, Rosa María y Carmen piden ensalada.
4. **P:** Yo...
   R: pido legumbres. Sí, yo pido legumbres.
5. **P:** Pancho y Paula...
   R: piden carne. Sí, Pancho y Paula piden carne.
6. **P:** Carlos y Rosa María...
   R: piden maíz. Sí, Carlos y Rosa María piden maíz.
7. **P:** Tú...
   R: pides arroz. Sí, tú pides arroz.
8. **P:** Andrés y yo...
   R: pedimos helado. Sí, Andrés y yo pedimos helado.

Exercise 2

Students look at a city map on their exercise pages and hear a boy give directions to a girl. They follow the directions by tracing the route on their maps. When they complete the activity, students may tell the girl where she is. See Answer Key for answers.

*See **Resource and Activity Book,** Tape Exercise and Pronunciation Page 7*

BOY: Sigue dos cuadras.

Dobla a la derecha en la calle Costa Rica y sigue dos cuadras otra vez.

Dobla a la izquierda en la calle Prado.

Ahora, sigue derecho y dobla a la izquierda en la calle Alcalá.

Pasa delante del teatro y dobla a la izquierda en la calle Ochoa.

Sigue derecho tres cuadras en la calle Ochoa, y ¡ya estás!

GIRL: Pero, ¿dónde estoy?

Tienes razón. Estoy en la plaza Hernández otra vez.

UNIDAD 4

Los sonidos del idioma

Presentation

*See **Resource and Activity Book,** Tape Exercise and Pronunciation Page 8.*

Practice

Students hear a series of words and listen for the sound of the letters *ll* and *y*. They then put a check mark in the *sí* column on their exercise pages for words that have the sound of *ll* or *y* or in the *no* column for words that do not.

Modelos: **Batalla. Batalla.**
Sortija. Sortija.

1. Yo. Yo.
2. Llegar. Llegar.
3. Manjar. Manjar.
4. Vieja. Vieja.
5. Bello. Bello.
6. Yunque. Yunque.
7. Zaguán. Zaguán.
8. Queso. Queso.
9. Mayo. Mayo.
10. Frito. Frito.

¿Cómo lo dices?

Exercise 1

Students look at maps of countries on their exercise pages and hear statements describing children's nationalities. They then write each child's name in the appropriate country on their maps. See Answer Key for answers.

*See **Resource and Activity Book,** Tape Exercise and Pronunciation Pages 9–10.*

Modelos:

P: Raúl es argentino.
P: Norma es colombiana.

P: Isabel es uruguaya.
P: Miguel es mexicano.
P: José es guatemalteco.
P: Elena es hondureña.
P: Mario es brasileño.
P: Rosa es nicaragüense.
P: Ana es peruana.
P: Pedro es chileno.

Exercise 2
Students hear statements describing children's nationalities. They then say sentences aloud telling which country each child comes from.

Modelos:
P: Consuelo es dominicana.
R: Es de la República Dominicana.
P: Marcos es mexicano.
R: Es de México.

- P: Paco es peruano.
  R: Es del Perú.
- P: Esperanza es argentina.
  R: Es de la Argentina.
- P: Carolina es costarricense.
  R: Es de Costa Rica.
- P: Mario es uruguayo.
  R: Es del Uruguay.
- P: Marina es ecuatoriana.
  R: Es del Ecuador.
- P: Carlos es brasileño.
  R: Es del Brasil.
- P: Linda es puertorriqueña.
  R: Es de Puerto Rico.

UNIDAD 5

Los sonidos del idioma

Presentation
*See **Resource and Activity Book,** Tape Exercise and Pronunciation Page 11.*
Practice
Students hear a series of words and listen for the sounds of the vowel pairs *ae* and *ea*. They then put a check mark in the appropriate column on their exercise pages to indicate which of the two vowel pairs they have just heard. Students will hear each word twice.

Modelos: **Trae. Trae.**
Marea. Marea.

1. Aeromozo. Aeromozo.
2. Paella. Paella.
3. Batea. Batea.
4. Rafael. Rafael.
5. Aldea. Aldea.
6. Fea. Fea.

Next, students hear another series of words and listen for the sounds of the vowel pairs *ao* and *oa*. They then put a check mark in the appropriate column on their exercise pages to indicate which of the two vowel pairs they have just heard. Students will hear each word twice.

Modelo: **Boa. Boa.**

1. Canoa. Canoa.
2. Ahorrar. Ahorrar.
3. Coagular. Coagular.
4. Cacao. Cacao.
5. Bacalao. Bacalao.
6. Toallera. Toallera.

¿Cómo lo dices?

Exercise 1
Students hear sentences about a family's vacation activities and circle the verb on their exercise pages that they hear in each sentence. See Answer Key for answers.
*See **Resource and Activity Book,** Tape Exercise and Pronunciation Page 12*

Modelos: **En la mañana, papá camina en el valle.**
Mamá y yo subimos la montaña.

1. En la mañana, mi hermana siempre nada en el lago.
2. A la hora del almuerzo, comemos mucho.
3. En la tarde, yo descanso en la playa.
4. Mis papás leen novelas.
5. A veces, ellos también sacan fotos.
6. Mi hermana escribe cartas a sus amigos.
7. A la hora de la cena, mis papás y mi hermana comen mucho.
8. En la noche, nosotros caminamos en la playa.

Exercise 2
Students hear questions about themselves and people in their school and look at a list of adjectives on their exercise pages. They answer each question aloud with a form of *ser* and an adjective agreeing in gender and number with the subject being described. Answers will vary.
*See **Resource and Activity Book,** Tape Exercise and Pronunciation Page 13.*

Modelos:
P: ¿Cómo son tus profesores?
R: Son simpáticos.
P: ¿Cómo son tu familia y tú?
R: Somos altos.

P: ¿Cómo es el profesor o la profesora de inglés?
P: ¿Cómo es la enfermera?
P: ¿Cómo son los conserjes?
P: ¿Cómo son tus amigos y tú?
P: ¿Cómo es el director o la directora?
P: ¿Cómo eres tú?

Exercise 3
Students look at a puzzle on their exercise pages with the names of children connected by lines to pictures of clocks. They hear questions about the children's schedules, which they answer aloud according to the times shown on the clocks.
See ***Resource and Activity Book,*** *Tape Exercise and Pronunciation Page 13.*

Modelos:
P: ¿A qué hora almuerza Linda?
R: Almuerza a las once.
P: ¿A qué hora almuerzan José y Arturo?
R: Almuerzan a la una y cuarto.

1. **P:** ¿A qué hora almuerza Juan?
   R: Almuerza a las doce y cuarto.
2. **P:** ¿A qué hora almuerzan Celia y Pablo?
   R: Almuerzan a las once y media.
3. **P:** ¿A qué hora almuerzo yo?
   R: Almuerzas a las once y cuarto.
4. **P:** ¿A qué hora almuerza Flora?
   R: Almuerza a la una.
5. **P:** ¿A qué hora almuerzan Paco y Lisa?
   R: Almuerzan a las doce y media.

UNIDAD 6

Los sonidos del idioma

Presentation
See ***Resource and Activity Book,*** *Tape Exercise and Pronunciation Page 14.*
Practice
Students hear a series of words and listen for the sounds of the vowel pairs *eo* and *oe*. They then put a check mark in the appropriate column on their exercise pages to indicate which of the two vowel pairs they have just heard. Students will hear each word twice.

Modelos: **Coeducación. Coeducación.**
Feo. Feo.

1. Museo. Museo.
2. Rodeo. Rodeo.
3. Incoercible. Incoercible.
4. Peor. Peor.
5. Poema. Poema.
6. Roer. Roer.
7. Reo. Reo.
8. Coherente. Coherente.

¿Cómo lo dices?

Exercise 1
Students hear a girl ask her classmates whether or not they have plans to travel. They answer aloud as would the person being addressed, using a form of *hacer*, according to cues on their exercise pages.
See ***Resource and Activity Book,*** *Tape Exercise and Pronunciation Page 15.*

Modelos:
P: Jaime, ¿hace Lupe un viaje?
R: Sí, hace un viaje.
P: Éster, ¿haces tú un viaje?
R: No, no hago un viaje.

1. **P:** Emilio, ¿hace Lidia un viaje?
   R: Sí, hace un viaje.
2. **P:** Jaime, ¿hacen Carolina y tú un viaje?
   R: Sí, hacemos un viaje.
3. **P:** Emilio, ¿haces tú un viaje?
   R: No, no hago un viaje.
4. **P:** Éster, ¿hacen Clara y Mateo un viaje?
   R: Sí, hacen un viaje.
5. **P:** Emilio, ¿hace Julio un viaje?
   R: No, no hace un viaje.
6. **P:** Jaime, ¿hacen Antonio y Laura un viaje?
   R: No, no hacen un viaje.

UNIDAD 7

Los sonidos del idioma

Presentation
See ***Resource and Activity Book,*** *Tape Exercise and Pronunciation Page 16.*
Practice
Students hear a series of words and listen for the sounds of the vowel pairs *ai* and *ia*. They then fill in the blanks on their exercise pages with the letters *ai* or *ia* to indicate which of the two vowel pairs they have just heard. Students will hear each word twice.

Modelos: **Bailo. Bailo.**
Piano. Piano.

1. Gracias. Gracias.
2. Farmacia. Farmacia.
3. Caigo. Caigo.
4. Fiambres. Fiambres.
5. Aire. Aire.
6. Fraile. Fraile.

Next, students hear another series of words and listen for the sounds of the vowel pairs *au* and *ua*. They then fill in the blanks on their exercise pages with the letters *au* or *ua* to indicate which of the two vowel pairs they have just heard. Students will hear each word twice.
*See **Resource and Activity Book,** Tape Exercise and Pronunciation Page 16.*

Modelo: **Guapo. Guapo.**

1. Jaula. Jaula.
2. Suave. Suave.
3. Aplauso. Aplauso.
4. Guardia. Guardia.
5. Flauta. Flauta.
6. Cuadro. Cuadro.

¿Cómo lo dices?

Exercise 1
Students look at pictures of dishes on their exercise pages and hear incomplete sentences naming family members. They complete the sentences, using a form of the verb *servir* and the name of the dish.
*See **Resource and Activity Book,** Tape Exercise and Pronunciation Page 17.*

Modelos:
P: Abuelo
R: Abuelo sirve el jamón.
P: Mamá y tío Francisco
R: Mamá y tío Francisco sirven el maíz.

1. **P:** Margarita y yo
   R: Margarita y yo servimos el pollo.
2. **P:** Papá
   R: Papá sirve los espaguetis con albóndigas.
3. **P:** Yo
   R: Yo sirvo las legumbres.
4. **P:** Tía Sara y yo
   R: Tía Sara y yo servimos el pescado.
5. **P:** Abuelo y Humberto
   R: Abuelo y Humberto sirven los guisantes.
6. **P:** Papá
   R: Papá sirve el helado.

UNIDAD 8

Los sonidos del idioma

Presentation
*See **Resource and Activity Book,** Tape Exercise and Pronunciation Page 18.*

Practice
Students hear a series of words and listen for the sounds of *ei* and *ie*. They then fill in the blanks on their exercise pages with the letters *ei* or *ie* to indicate which of the two sounds they have just heard. Students will hear each word twice.

Modelos: **Peine. Peine.**
Quieto. Quieto.

1. Pleito. Pleito.
2. Tierno. Tierno.
3. Quien. Quien.
4. Reino. Reino.
5. Rienda. Rienda.
6. Veinte. Veinte.

Next, students hear another series of words and listen for the sounds of *eu* and *ue*. They then fill in the blanks on their exercise pages with the letters *eu* or *ue* to indicate which of the two sounds they have just heard. Students will hear each word twice.
*See **Resource and Activity Book,** Tape Exercise and Pronunciation Page 18.*

Modelo: **Abuelo. Abuelo.**

1. Deuda. Deuda.
2. Neumático. Neumático.
3. Trueno. Trueno.
4. Puesto. Puesto.
5. Reunir. Reunir.
6. Acuesta. Acuesta.

¿Cómo lo dices?

Exercise 1
Students hear questions about what a group of friends is being served in a restaurant, followed by verbal cues. They then write complete answers, using indirect object pronouns, in the blanks on their exercise pages.
*See **Resource and Activity Book,** Tape Exercise and Pronunciation Page 19.*

Modelos:
P: ¿Qué le sirve a Óscar?
huevos revueltos
R: A Óscar le sirve huevos revueltos.
P: ¿Qué te sirve a ti?
una toronja
R: A mí me sirve una toronja.

1. **P:** ¿Qué les sirve a Luis y Armando?
   cereal
   R: A Luis y Armando les sirve cereal.

2. **P:** ¿Qué me sirve a mí?
   avena
   R: A ti te sirve avena.
3. **P:** ¿Qué le sirve a Catalina?
   pan tostado
   R: A Catalina le sirve pan tostado.
4. **P:** ¿Qué les sirve a Lucas y a ti?
   huevos fritos
   R: A nosotros nos sirve huevos fritos.
5. **P:** ¿Qué les sirve a Marisa y Adolfo?
   té
   R: A Marisa y Adolfo les sirve té.
6. **P:** ¿Qué le sirve a Mateo?
   chocolate
   R: A Mateo le sirve chocolate.

Exercise 2
Students look at a list of people and their donations to a rummage sale, and hear questions about what items people are giving. They answer according to the list, using forms of the verb *dar*.
*See **Resource and Activity Book,** Tape Exercise and Pronunciation Page 20.*

Modelos:
P: ¿Qué da Dolores?
R: Da un radio.
P: ¿Qué dan Enrique y Clemente?
R: Dan unos libros.

- **P:** ¿Qué da Jorge?
  R: Da dos camisas.
- **P:** ¿Qué das tú?
  R: Doy un retrato.
- **P:** ¿Qué dan Juana y Rosalía?
  R: Dan una lámpara vieja.
- **P:** ¿Qué doy yo?
  R: Das un espejo.
- **P:** ¿Qué da Sergio?
  R: Da unos platos.
- **P:** ¿Qué dan Miguel y Natán?
  R: Dan cinco camisetas.

UNIDAD 9

Los sonidos del idioma

Presentation
*See **Resource and Activity Book,** Tape Exercise and Pronunciation Page 21.*

Practice
Students hear a series of words and listen for the sounds of *oi* and *io*. They then put a check mark in the appropriate column on their exercise pages to indicate which of the two sounds they have just heard. Students will hear each word twice.

Modelos: **Oigo. Oigo.**
Cambio. Cambio.

1. Horario. Horario.
2. Quiosco. Quiosco.
3. Boicot. Boicot.
4. Estudio. Estudio.
5. Loira. Loira.
6. Boina. Boina.

Next, students hear another series of words. They write *sí* in the blanks on their exercise pages when they hear the sound of the letters *uo*, and *no* when they do not hear the *uo* sound. Students will hear each word twice.

Modelos: **Duodécimo. Duodécimo.**
Diario. Diario.

1. Antiguo. Antiguo.
2. Cuaderno. Cuaderno.
3. Julio. Julio.
4. Fraguo. Fraguo.
5. Cuota. Cuota.
6. Cuidado. Cuidado.

¿Cómo lo dices?

Exercise 1
Students hear names of the members of a family and look at incomplete sentences on their exercise pages. Students complete the sentences with the infinitive *dar* and the correct pronoun attached to it.
*See **Resource and Activity Book,** Tape Exercise and Pronunciation Page 22.*

Modelos:
P: Cristiano y Celia
R: Voy a darles camisetas.
P: Tía Luz
R: Voy a darle un radio.

1. **P:** Rogelio
   R: Voy a darle un libro.
2. **P:** Tío Gregorio y tía Ana
   R: Voy a darles un plato bonito.

3. **P:** Esperanza
 R: Voy a darle un bolígrafo.
4. **P:** Marisela
 R: Voy a darle unos cuadernos.
5. **P:** Raúl y Samuel
 R: Voy a darles dos coches de plástico.
6. **P:** Y a mí, ¿qué me vas a dar?
 R: Voy a darte un beso grande.

¡Uf!

UNIDAD 10

Los sonidos del idioma

Presentation
*See **Resource and Activity Book,** Tape Exercise and Pronunciation Page 23.*
Practice
Students hear a series of sentences and listen for the sound of the pair *ui*. They first hear the *ui* sound, then a sentence. Students then write *sí* in the blanks on their exercise pages when they hear the *ui* sound in a sentence and *no* when they do not hear the sound. Students will hear each sentence twice.

Modelos: **Ui. Ten cuidado en las ruinas. Ten cuidado en las ruinas.**
Ui. Carlos tiene un diario. Carlos tiene un diario.

1. Ui. Oigo los sonidos. Oigo los sonidos.
2. Ui. El circuito está en Suiza. El circuito está en Suiza.
3. Ui. Luisa hace mucho ruido. Luisa hace mucho ruido.
4. Ui. Los fiambres son deliciosos. Los fiambres son deliciosos.

Next, students hear another series of sentences and listen for the sound of the pair *iu*. They first hear the *iu* sound, then a sentence. Students then write *sí* in the blanks on their exercise pages when they hear the *iu* sound in a sentence and *no* when they do not hear the sound. Students will hear each sentence twice.
*See **Resource and Activity Book,** Tape Exercise and Pronunciation Page 23.*

Modelo: **Iu. Los pollitos piulan en la ciudad. Los pollitos piulan en la ciudad.**

1. Iu. Digo que no quiero. Digo que no quiero.
2. Iu. Lidia piensa irse. Lidia piensa irse.
3. Iu. Ellos triunfan en la ciudad. Ellos triunfan en la ciudad.
4. Iu. No hay viudas en la ciudadela. No hay viudas en la ciudadela.

¿Cómo lo dices?

Exercise 1
Students hear phrases with verbs in the infinitive. They then convert these phrases into commands.

Modelos:
P: **levantarse**
R: **Levántate.**
P: **buscar los calcetines**
R: **Busca los calcetines.**

- **P:** cepillarse los dientes
 R: Cepíllate los dientes.
- **P:** lavarse la cara
 R: Lávate la cara.
- **P:** secarse la cara
 R: Sécate la cara.
- **P:** tomar el desayuno
 R: Toma el desayuno.
- **P:** peinarse
 R: Péinate.
- **P:** traer los libros
 R: Trae los libros.
- **P:** quitarse el pijama
 R: Quítate el pijama.
- **P:** comer la toronja
 R: Come la toronja.

Exercise 2
Students hear affirmative commands, followed by contradictory negative commands. Students write the negative command forms they hear in the blanks on their exercise pages. Each negative command will be heard twice.
*See **Resource and Activity Book,** Tape Exercise and Pronunciation Page 24.*

Modelos:
P: **Lee la lección tres.**
R: **No, no leas la lección tres. No, no leas la lección tres.**
P: **Mira el programa de televisión.**
R: **No, no mires el programa de televisión. No, no mires el programa de televisión.**

1. **P:** Escribe las respuestas.
   R: No, no escribas las respuestas. No, no escribas las respuestas.
2. **P:** Lee la novela.
   R: No, no leas la novela. No, no leas la novela.
3. **P:** Usa la computadora.
   R: No, no uses la computadora. No, no uses la computadora.
4. **P:** Prepara un reporte.
   R: No, no prepares un reporte. No, no prepares un reporte.
5. **P:** Abre el libro de ciencias.
   R: No, no abras el libro de ciencias. No, no abras el libro de ciencias.
6. **P:** Contesta las preguntas.
   R: No, no contestes las preguntas. No, no contestes las preguntas.

UNIDAD 11

Los sonidos del idioma

Presentation
See ***Resource and Activity Book,*** *Tape Exercise and Pronunciation Page 25.*

Practice
Students hear a series of words and count the syllables in each word. They then circle the number two, three, or four on their exercise pages, depending on the number of syllables they have counted. Students will hear each word twice.

Modelos: **Bañera. Bañera.**
Cada. Cada.

1. Carretera. Carretera.
2. Peso. Peso.
3. Palabra. Palabra.
4. Cariño. Cariño.
5. Pasajero. Pasajero.
6. Alta. Alta.
7. Alpinista. Alpinista.
8. Mejor. Mejor.
9. Canasta. Canasta.
10. Claro. Claro.

Next, students hear another series of words and listen for the stressed syllables. They then underline the stressed syllable of each word on their exercise pages. Students will hear each word twice.

Modelos: **Maravilla. Maravilla.**
Claro. Claro.

1. Guisantes. Guisantes.
2. Carta. Carta.
3. Pavo. Pavo.
4. Estrella. Estrella.
5. Marinero. Marinero.
6. Alto. Alto.
7. Cariño. Cariño.
8. Hamburguesa. Hamburguesa.

¿Cómo lo dices?

Exercise 1
Students look at pictures of birthday presents and hear incomplete sentences naming the people who gave the presents. They then complete the sentences aloud, using a form of the verb *comprar* in the preterite tense, and naming the items pictured.
See ***Resource and Activity Book,*** *Tape Exercise and Pronunciation Page 26.*

Modelos:
P: Mamá me...
R: compró un abrigo. Mamá me compró un abrigo.
P: Luis y Ana me...
R: compraron un libro. Luis y Ana me compraron un libro.

1. **P:** Abuelita me...
   R: compró un disco. Abuelita me compró un disco.
2. **P:** Mis primos me...
   R: compraron un collar. Mis primos me compraron un collar.
3. **P:** Tú me...
   R: compraste una bolsa. Tú me compraste una bolsa.
4. **P:** Papá y Manolita me...
   R: compraron un suéter. Papá y Manolita me compraron un suéter.
5. **P:** Carolina me...
   R: compró un brazalete. Carolina me compró un brazalete.
6. **P:** Yo me...
   R: compré un cinturón. Yo me compré un cinturón.

Exercise 2
Students hear a girl ask her classmates if they did various activities and look at incomplete answers on their exercise pages. They complete each answer by writing the missing verb in the preterite tense in the blank.
See ***Resource and Activity Book,*** *Tape Exercise and Pronunciation Page 26.*

Modelos:
P: ¿Almorzaste en un restaurante?
R: Sí, almorcé en un restaurante.
P: ¿Quién pagó la cuenta?
R: Mis papás la pagaron.

1. **P:** ¿Jugaron tus amigos y tú al fútbol?
   R: No, nosotros no jugamos al fútbol.
2. **P:** ¿A qué jugaste?
   R: Jugué al ajedrez.
3. **P:** ¿Sacaste fotos?
   R: No, yo no saqué fotos.
4. **P:** ¿Sacó fotos tu hermano?
   R: Sí, él sacó fotos.
5. **P:** ¿Pensaron ir al cine tus amigos y tú?
   R: Sí, pensamos ir.
6. **P:** ¿A qué hora llegaste al cine?
   R: Llegué a las siete y media.
7. **P:** ¿Pagaste por los billetes?
   R: No, mi amigo pagó por los billetes.
8. **P:** ¿A qué hora llegaste a casa?
   R: Llegué a las diez y media.

UNIDAD 12

Los sonidos del idioma

Presentation
See ***Resource and Activity Book,*** *Tape Exercise and Pronunciation Page 27.*
Practice
Students hear a series of words. On their exercise pages, they read pairs of words that are identical except for the stressed syllable. Students circle the word they heard on the tape. Students will hear each word twice.

Modelos: **Mando. Mando.**
Saqué. Saqué.

1. Este. Este.
2. Marcho. Marcho.
3. Libré. Libré.
4. Ríe. Ríe.
5. Hablé. Hablé.
6. Término. Término.
7. Plato. Plato.
8. Llevo. Llevo.

¿Cómo lo dices?

Exercise 1
Students hear answers about a girl's vacation activities and look at partially written questions on their exercise pages. They then complete each question with the correct *-er* or *-ir* verb form in the preterite tense.
See ***Resource and Activity Book,*** *Tape Exercise and Pronunciation Page 28.*

Modelos:
R: Sí, corrí mucho en la playa.
P: Corriste mucho en la playa, ¿verdad?
R: No, mi hermana no escribió tarjetas postales.
P: Tu hermana escribió tarjetas postales, ¿verdad?

1. **R:** Sí, mi hermanita y yo nos perdimos en la ciudad.
   P: Tu hermanita y tú se perdieron en la ciudad, ¿verdad?
2. **R:** Sí, mis papás salieron a comer en un restaurante.
   P: Tus papás salieron a comer en un restaurante, ¿verdad?
3. **R:** No, no aprendí a bucear.
   P: Aprendiste a bucear, ¿verdad?
4. **R:** Sí, mi hermana aprendió a nadar.
   P: Tu hermana aprendió a nadar, ¿verdad?
5. **R:** No, nunca me dolió la cabeza en la playa.
   P: Un día, te dolió la cabeza en la playa, ¿verdad?
6. **R:** Sí, volvimos el miércoles.
   P: Volvieron el miércoles, ¿verdad?

Exercise 2
Students hear a teacher ask which of a group of similar items belongs to individual children. They then answer aloud, according to pictures on their exercise pages, using a form of *este, ese,* or *aquel.*
See ***Resource and Activity Book,*** *Tape Exercise and Pronunciation Page 29.*

Modelos:
P: ¿Cuál es el disco de Víctor?
R: Ese disco es de Víctor.
P: ¿Cuáles son las sandalias de María?
R: Aquellas sandalias son de María.

Tapescripts / Exercise Cassettes

1. **P:** ¿Cuál es el collar de Ana?
   R: Este collar es de Ana.
2. **P:** ¿Cuál es la sombrilla de José?
   R: Aquella sombrilla es de José.
3. **P:** ¿Cuáles son los libros de Teo?
   R: Estos libros son de Teo.
4. **P:** ¿Cuál es el brazalete de Luz?
   R: Ese brazalete es de Luz.
5. **P:** ¿Cuál es el radio de Nora?
   R: Este radio es de Nora.
6. **P:** ¿Cuáles son los bolígrafos de Juan?
   R: Aquellos bolígrafos son de Juan.

Tapescripts / Lesson Cassettes

UNIDAD 1

¡Hablemos!

(See textbook, pages 24–25.)
Students will also hear these conversations:
—Pedro ¿quieres jugar al béisbol?
—No, no puedo. Voy a jugar al fútbol con los muchachos.

—Ángela, ¿quieres jugar al baloncesto?
—No, no puedo. Voy a jugar al volibol con las muchachas.

—¿Es fuerte tu equipo de béisbol?
—Sí, somos buenas jugadoras.

—¿Es fuerte tu equipo de fútbol americano?
—Sí, somos buenos jugadores.

(See textbook, pages 28–29.)
Students will also hear these conversations:
—¿Quieres jugar al dominó?
—No. Quiero probar otro juego.

—¿Quieres jugar al ajedrez?
—Sí, ¡claro! Es mi pasatiempo favorito.

—¿Qué te gusta hacer los fines de semana?
—Bueno, mi pasatiempo favorito es ir en bicicleta.

—¿Qué te gusta hacer los fines de semana?
—Bueno, mi pasatiempo favorito es tocar un instrumento.

¡A conversar y a leer!

*(See **Resource and Activity Book,** Master 154.)*

Preguntas

1. **P:** A los muchachos no les gustan los juegos electrónicos, ¿verdad?
   R: No, a los muchachos sí les gustan los juegos electrónicos.
2. **P:** ¿Sacan fotos los muchachos?
   R: Sí, sacan fotos.
3. **P:** ¿Cómo van a todas partes?
   R: Van en bicicleta.
4. **P:** ¿Quiere Tomás montar a caballo?
   R: No, no quiere. Tiene miedo de los caballos.
5. **P:** ¿Es grande o pequeño el caballo?
   R: Es muy grande.

Conversations

Conversation 1

NARRATOR: Elena needs to find one more person for the volleyball team.
ELENA: Hola, Guillermo.
GUILLERMO: Hola, Elena. ¿Qué pasa?
ELENA: Necesito una persona para completar mi equipo de volibol. Jugamos esta tarde.
GUILLERMO: Lo siento. No juego al volibol. No soy atlético. Me gusta más el ajedrez.
ELENA: Pues, ¿qué voy a hacer?
GUILLERMO: ¿Por qué no preguntas a Rosalía? Ella juega al volibol. Ella es muy atlética.
ELENA: ¡Qué buena idea! Voy a preguntar a Rosalía si quiere jugar al volibol con nosotros. Adiós, Guillermo.
GUILLERMO: Adiós, Elena.

Conversation 2

NARRATOR: Jorge and his friends on the football team are on their way to a game. Juana wants to know where they are going.
JUANA: Hola, Jorge. Hola, amigos. ¿Adónde van?
JORGE: Vamos al partido de fútbol americano.
JUANA: ¿Cómo se llama tu equipo?

JORGE: Nos llamamos los Tigres porque somos muy fuertes.
JUANA: ¿Juegan bien?
JORGE: Sí, jugamos muy bien porque somos muy atléticos.
JUANA: ¿Eres tú un jugador muy bueno?
JORGE: Sí, juego bien. Me gusta jugar al fútbol americano. ¡Ay! Vamos a llegar tarde para el partido. Nos vemos.
JUANA: Hasta la vista.

Conversation 3

NARRATOR: Roberto and Teresa are talking about their plans for the summer.
ROBERTO: ¿Qué vas a hacer este verano?
TERESA: Voy a montar a caballo y voy a practicar los deportes.
ROBERTO: ¿Juegas al tenis?
TERESA: No, no me gusta el tenis. Mis amigos y yo jugamos al baloncesto.
ROBERTO: Yo también juego al baloncesto. En el verano voy a jugar los miércoles por la tarde.
TERESA: ¿Qué más vas a hacer este verano?
ROBERTO: Voy a ir de pesca con mi papá y mi hermana. Vamos de pesca todos los veranos.
TERESA: ¿Vas a sacar fotos?
ROBERTO: Sí, me gusta sacar fotos de plantas y de flores.
TERESA: Vas a hacer mucho este verano.

Conversation 4

NARRATOR: Sara needs to interview someone about his or her family for a school project. Rubén has agreed to help.
SARA: Oye, Rubén, ¿cómo es tu familia?
RUBÉN: Pues, no tengo una familia muy grande. Tengo un hermano y una hermanita.
SARA: ¿Es alto tu hermano?
RUBÉN: Sí, somos todos altos.
SARA: ¿Son todos atléticos también?
RUBÉN: Mi hermanita y yo somos atléticos. Ella juega al baloncesto y al béisbol. Yo juego al fútbol.
SARA: ¿Y tu hermano?
RUBÉN: Él no es muy atlético. Prefiere leer novelas y jugar a las damas.
SARA: Gracias, Rubén. Eres un buen amigo.

Feature

NARRATOR: This weekend is very important for *La Escuela Central*. Several school teams will be playing in the regional finals. As the teams practice for the big game, Marcos Morales, reporter for the school newspaper, is interviewing Claudia Barranco, the school coach.
MARCOS: Buenos días, señora Barranco. Soy Marcos Morales, reportero del *Periódico Central*. ¿Puedo hacerle unas preguntas?
SRA. BARRANCO: Sí, cómo no.
MARCOS: ¿Qué equipo vemos aquí en el gimnasio?
SRA. BARRANCO: Es el equipo de baloncesto de los muchachos.
MARCOS: ¿Juegan bien?
SRA. BARRANCO: Sí, es un equipo muy bueno. Todos los muchachos son muy fuertes. Sólo José Vicente, el número cinco, tiene un poco de dolor en una rodilla y no juega. Hoy, Pedro Luis, el número ocho, juega por él.
MARCOS: Pero José Vicente va a jugar el sábado.
SRA. BARRANCO: Sí, va a jugar.
MARCOS: Veo que algunos de los jugadores no son muy altos.
SRA. BARRANCO: Es verdad. Pero no tienes que ser muy alto para jugar bien al baloncesto. Es más importante ser atlético.
MARCOS: De acuerdo. ¿Qué otros equipos practican hoy?
SRA. BARRANCO: Bueno, afuera el equipo de las muchachas juega al fútbol. ¡Muy bien, muchachos! ¡Más rápido, Juan! Perdóname, Marcos, pero tengo que hablar con los muchachos. Puedes hablar con mi asistente, el señor Ortega, afuera.
MARCOS: Muchas gracias, señora. Hasta luego.
SRA. BARRANCO: ¡Adiós! Oye, Pedro Luis, tienes que...
NARRATOR: Let's follow Marcos out to the playing field and find out how the girls' soccer team is doing.
MARCOS: Hola, señor Ortega. Soy Marcos Morales, reportero del *Periódico Central*.
SR. ORTEGA: Mucho gusto, Marcos. Quieres hablar del equipo de fútbol, supongo.
MARCOS: Sí. El equipo va a jugar el domingo, ¿no?

SR. ORTEGA: Sí, las muchachas juegan el domingo. Pero ahora termina el partido. ¿Quieres hablar con una jugadora?
MARCOS: Sí, gracias.
SR. ORTEGA: ¡Lucía! ¡Lucía, ven aquí, por favor!
LUCÍA: Sí, señor.
SR. ORTEGA: Lucía, te presento a Marcos Morales. Él quiere hacerte preguntas sobre el equipo.
LUCÍA: Hola, Marcos.
MARCOS: Hola, Lucía. ¿Te gusta jugar al fútbol?
LUCÍA: Claro que sí. Me gusta mucho jugar en un equipo muy bueno, también.
MARCOS: ¿Quiénes son las jugadoras muy buenas?
LUCÍA: Pues, somos todas muy buenas. Además, somos amigas y trabajamos muy bien juntas. Bueno, si no tienes más preguntas, tengo que ducharme e ir a casa.
MARCOS: Muchas gracias por contestar mis preguntas.
LUCÍA: De nada. ¡Adiós!
MARCOS: ¡Hasta luego!

UNIDAD 2

¡Hablemos!

(See textbook, pages 46–47.)
Students will also hear these conversations:
—¿Qué hace tu tío Ernesto?
—Él es médico. Trabaja en el hospital.
—¿Y tu tía Luisa?
—Ella es policía.

—¿Dónde trabaja tu tía Luisa?
—Trabaja en el departamento de policía.
—¿Qué hace tu papá?
—Él es policía también.

(See textbook, pages 50–51.)
Students will also hear these conversations:
—¿Qué quieres ser?
—Quiero ser vendedor. ¿Y tú?
—Quiero ser empleado en una compañía.

—¿Qué hacen tus tíos?
—Ellos trabajan mucho. Mi tío es vendedor.
—¿Y tu tía?
—Ella es obrera en una fábrica.

¡A conversar y a leer!

(*See **Resource and Activity Book,** Master 155.*)

Preguntas

1. **P:** ¿Conoce Elena a un obrero?
   R: Sí, su primo Samuel es obrero.
2. **P:** ¿Dónde está trabajando Samuel?
   R: Está trabajando en la fábrica.
3. **P:** ¿Qué hace la tía de Elena?
   R: Es policía.
4. **P:** Lidia no conoce a nadie, ¿verdad?
   R: No, Lidia conoce a un bombero.
5. **P:** ¿Quién es el bombero?
   R: Es el papá de Lidia.

Conversations

Conversation 1

NARRATOR: Señora Carillo is taking her daughter Andrea to see a new doctor for the first time.
ANDREA: ¿Conoces a la médica, mamá?
SRA. CARILLO: No, no conozco a la médica. Es la médica de tu amiga Blanca. Mira, aquí está. Buenos días, doctora.
PACIENTE: ¿Perdón?
SRA. CARILLO: Soy la señora Carillo. Ésta es mi hija Andrea.
PACIENTE: Pero, señora...
SRA. CARILLO: Estamos aquí porque a Andrea le duele el tobillo y...
PACIENTE: Señora, por favor.
SRA. CARILLO: ¿Sí?
PACIENTE: Yo no soy la médica. Soy una paciente. La médica está examinando a un paciente en el otro cuarto.
SRA. CARILLO: Oh, perdone.

Conversation 2

NARRATOR: Dolores has never met Paula's best friend Diego.
DOLORES: Oye, Paula, ¿conoces a este chico?
PAULA: Sí, conozco a ese chico. Es mi amigo Diego. Diego, ven aquí, por favor. Te presento a mi amiga Dolores.
DIEGO: Mucho gusto, Dolores. Pienso que conozco a tu papá. Él es policía, ¿no?
DOLORES: Sí, mi papá es policía. ¿Cómo conoces a mi papá?
DIEGO: Mi mamá es policía. Ella conoce muy bien a tu papá.
DOLORES: ¿Qué hace tu papá?

DIEGO: Es empleado en una compañía muy grande. ¿Qué hace tu mamá?
DOLORES: Es vendedora. Trabaja en un almacén.
PAULA: Dolores, tenemos que ir a la escuela ahora.
DOLORES: Es verdad. Adiós, Diego.
DIEGO: Hasta luego, chicas.

Conversation 3

NARRATOR: Adela would like her parents to come home soon.
ADELA: Oye, Humberto.
HUMBERTO: Sí, hermanita.
ADELA: Estoy buscando a papá.
HUMBERTO: Papá está en la fábrica. Está trabajando.
ADELA: Y mamá, ¿no está aquí tampoco?
HUMBERTO: Claro que no. Ella trabaja también. Está vendiendo ropa en el almacén.
ADELA: Tengo hambre. ¿No quieres tú comer la cena?
HUMBERTO: No. Estoy escribiendo cartas. Y además, ¡sólo son las tres de la tarde!

Feature

NARRATOR: As a community service, *Radio Viva* broadcasts job announcements every Thursday morning. Manuel Osorio and his fellow disc jockey, Teresa Buñuel, are reading the advertisements of factories and companies looking for employees.
MANUEL: Hola, amigos. Soy Manuel Osorio, en directo con *Radio Viva*. Ya saben que hoy es jueves, el día de las ofertas de trabajo. Estoy en el estudio con Teresa Buñuel. Hola, Teresa.
TERESA: Hola, Manuel.
MANUEL: Teresa va a leer la primera oferta.
TERESA: Gracias, Manuel. La fábrica Martínez está buscando obreros para fabricar muebles. Necesita personas para hacer mesas y estantes. Los interesados pueden llamar al dos-cinco-seis-treinta y tres-cuarenta y siete y preguntar por la señora Martínez.
NARRATOR: I wonder if the Martínez factory will get many calls from people who can make tables and shelves. The next announcement is from a very different source.
MANUEL: La próxima oferta es del hospital Miraflores. El hospital está buscando enfermeros y enfermeras para trabajar por las noches desde la medianoche hasta las ocho de la mañana. Los enfermeros tienen que hablar inglés y español. Los interesados pueden llamar al señor Carillo al tres-dos-ocho-sesenta y dos-quince.
NARRATOR: The hospital needs nurses to work some unusual hours. Let's listen as Teresa reads the last announcement.
TERESA: Leo la última oferta. Los dueños de la compañía Tarragona están buscando un empleado o una empleada para trabajar en la oficina. La persona tiene que saber hablar inglés y poder trabajar con otras personas. Los interesados pueden llamar al siete-seis-uno-cincuenta y uno-catorce.
MANUEL: No tenemos más tiempo para los anuncios. Gracias, Teresa, por tu ayuda.
TERESA: De nada, Manuel. Hasta luego. Adiós, amigos.
MANUEL: Hasta la vista, Teresa. Y ahora, más música en *Radio Viva*.

UNIDAD 3

¡Hablemos!

(See textbook, pages 66–67.)
Students will also hear these conversations:
—¿Dónde está la parada de autobús?
—Está cerca de la gasolinera.

—¿Dónde está la gasolinera?
—Bueno, la gasolinera está cerca de la farmacia.

—¿Cómo vamos a la farmacia? ¿En coche?
—Sí, vamos en coche.

—¿Cómo vamos a ir? ¿En taxi?
—Sí, porque no hay tiempo.
—¿La taxista conoce bien la ciudad?
—Sí, claro.
—En el taxi tienes que abrochar los cinturones.

(See textbook, pages 69–70.)
Students will also hear these conversations:
—¿Hay muchos edificios en el centro?
—Sí, hay muchos. Nuestra ciudad es grande.

—¿Hay muchas plazas?
—Sí, hay rascacielos en el centro también.

—¿Está cerca el teatro?
—Sí. Vamos a pie.

—¿Está cerca el estacionamiento?
—No, está lejos. Vamos en autobús.

¡A conversar y a leer!

(*See* ***Resource and Activity Book,*** *Master 156.*)

Preguntas

1. **P:** En el sueño, ¿dónde está el paciente, en el campo o en la ciudad?
   R: Está en la ciudad.
2. **P:** ¿Está la gente caminando o corriendo fuera del edificio?
   R: Ellos están corriendo fuera del edificio.
3. **P:** ¿Quién está gritando?
   R: El director de la película.
4. **P:** ¿Qué quiere del paciente el director?
   R: Quiere una escoba.
5. **P:** En el sueño, ¿habla el paciente con el director?
   R: No, él no habla con el director.

Conversations

Conversation 1

NARRATOR: Enrique and his mother are going to the market.
MAMÁ: ¿Quieres ir al mercado, Enrique?
ENRIQUE: Sí, sí. Me gusta mucho ir al mercado. ¿Vamos a pie?
MAMÁ: No. Vamos en coche.
ENRIQUE: ¿Sabes cómo ir al mercado, mamá?
MAMÁ: No, no sé. Pide ayuda a tu papá.
ENRIQUE: Papá, mamá y yo queremos ir al mercado. ¿Cómo vamos?
PAPÁ: Pues, dobla a la derecha en la calle Silvestre, dobla a la izquierda en la avenida Quiroga y sigue derecho. El mercado está a la derecha.
ENRIQUE: Gracias, papá. ¿Nos vamos, mamá?
MAMÁ: Sí, hijo. Abrocha tu cinturón.

Conversation 2

NARRATOR: Señor Torres needs a few more ingredients to make dinner.
JUAN: ¿Cocinas la cena, papá?
PAPÁ: Sí, Juan, pero necesito zanahorias y pan. Camina a la tienda y compra zanahorias y pan, por favor.
JUAN: Voy. ¿Qué sirves para la cena?
PAPÁ: Sirvo carne con legumbres, pan, ensalada y frutas.
JUAN: Mmm. ¡Qué bueno! Me voy a la tienda ahora mismo.

Conversation 3

NARRATOR: Juan is now in the store buying food for tonight's dinner. His sister has decided to tag along.
HERMANA: Aquí está la tienda. ¿Qué pedimos?
JUAN: Pedimos pan y zanahorias.
HERMANA: Señorita, por favor.
VENDEDORA: ¿Cómo puedo servirle?
HERMANA: Necesitamos pan y zanahorias.
VENDEDORA: Muy bien.... Aquí están. ¿Son para la cena?
JUAN: Sí. Mi papá sirve carne con legumbres para la cena.
VENDEDORA: ¡Qué bueno!

Conversation 4

NARRATOR: Miguel and María are meeting in the town square.
MARÍA: Ah, aquí está el teatro, pero ¿dónde está Miguel?
MIGUEL: ¡María! Siento llegar tarde. Acabo de llegar en el autobús, pero la parada de autobús está lejos.
MARÍA: No importa. ¿Vamos al teatro?
MIGUEL: Sí.... Pero, no tengo mi libro. ¿Dónde está mi libro?
MARÍA: No sé. ¿Todavía está en el autobús?
MIGUEL: ¡Tienes razón! ¡Qué horror!
MARÍA: Mira, el autobús está allá en la calle. ¡Corre, Miguel! ¡Sigue el autobús!

Feature

NARRATOR: Eugenia and Germán had decided to meet this morning and go shopping together. Eugenia is getting a ride from her mother.
EUGENIA: Mamá, vamos a llegar tarde. Tenemos que ir ahora.
MAMÁ: Sí, espera un momento. ¿Dónde está mi abrigo?
EUGENIA: Está en el sofá. ¿Nos vamos ahora?
MAMÁ: Sí. ¿Adónde te llevo?
EUGENIA: Pues, nos encontramos en la farmacia. Después, vamos a caminar al mercado.
MAMÁ: Bueno, saco el coche del garaje y nos vamos.

NARRATOR: Meanwhile, at Germán's house, Germán and his father are also getting ready to go.
PAPÁ: Germán, ¿estás listo?
GERMÁN: Sí, voy.
PAPÁ: Abrocha el cinturón. Bueno, ¿adónde vamos?
GERMÁN: A la farmacia. No, espera. Vamos al mercado.
PAPÁ: ¿Estás seguro?
GERMÁN: Pues...
PAPÁ: Llama a Eugenia.
GERMÁN: No, no. Estoy seguro. Primero vamos al mercado y luego vamos a caminar a la farmacia.
PAPÁ: Está bien.
NARRATOR: This looks like a real mix-up. Let's see how Eugenia and her mother are doing.
MAMÁ: La farmacia está en la calle Olivera, ¿no?
EUGENIA: Sí. Dobla a la izquierda en la avenida Suárez y luego dobla a la derecha cerca de la parada de autobús.
MAMÁ: Bueno, doblo a la derecha, pero no veo la farmacia.
EUGENIA: Ay, ¡qué lío! Vamos a llegar muy tarde. Hay una gasolinera a la derecha. Dobla aquí y le pido ayuda al hombre.
NARRATOR: Eugenia and her mother sound really lost. Let's see if Germán and his father are doing any better.
PAPÁ: Acabo de doblar a la izquierda y veo la plaza, pero no hay mercado.
GERMÁN: Sigue derecho y dobla a la derecha después de la plaza. Sé que el mercado no está lejos.
PAPÁ: Todavía no veo el mercado, pero aquí hay una gasolinera. Pedimos ayuda al hombre.
GERMÁN: Buena idea. Pero ya hay gente en la gasolinera. ¿No es el coche de la mamá de Eugenia?
EUGENIA: ¡Germán! ¿Qué haces aquí?
GERMÁN: Estamos buscando el mercado.
EUGENIA: Pero, ¿por qué? Vamos primero a la farmacia.
GERMÁN: ¿Estás segura?
EUGENIA: Pues, de todos modos, no importa. Todos estamos en el mismo lugar ahora. ¡Qué suerte!

UNIDAD 4

¡Hablemos!

(See textbook, pages 88–89.)
Students will also hear these conversations:
—¿A qué hora sale el avión?
—A las nueve. Tengo que estar en el aeropuerto a las ocho.

—¿A qué hora sale el barco?
—A las once. Tengo que estar en el puerto a las diez y media.

—¿Cuántos países hay en la América del Norte?
—Hay tres.
—¿Cuáles son?
—México, los Estados Unidos y Canadá son los países de la América del Norte.

(See textbook, pages 92–93.)
Students will also hear these conversations:
—¿Dónde está Colombia?
—Está en la América del Sur.
—¿Hablan español en Colombia?
—¡Claro que sí!

—¿Dónde está Venezuela?
—Está en la América del Sur.
—¿Hablan español en Venezuela?
—Sí, hablan español en Venezuela también.

—¿Dónde esta Costa Rica?
—Está en la América Central.
—¿Hablan español en Costa Rica?
—Sí, hablan español.

—¿Dónde está Cuba?
—Está en el Caribe.
—¿Hablan español en Cuba?
—¡Claro que sí!

¡A conversar y a leer!

*(See **Resource and Activity Book,** Master 157.)*

Preguntas

1. **P:** ¿Es Iñaki de España?
   R: Sí, Iñaki es de España.
2. **P:** ¿Adónde va Iñaki?
   R: Él va a América Latina.

3. **P:** ¿Con quién va Iñaki?
   R: Él va con su familia
4. **P:** ¿Cómo van a viajar en el Caribe, en barco o en avión?
   R: Ellos van a viajar en barco.
5. **P:** ¿Qué otros países quiere conocer Iñaki?
   R: Él quiere conocer Costa Rica, Cuba, Nicaragua, Honduras y Guatemala.

Conversations

Conversation 1

NARRATOR: Araceli's family is hosting an exchange student from Honduras. Today, she is introducing him to her friends.
PILAR: Hola, Araceli.
ARACELI: Hola, Pilar. Te presento a mi amigo Jerónimo.
PILAR: Mucho gusto.
JERÓNIMO: El gusto es mío.
ARACELI: Jerónimo es de Honduras.
PILAR: ¡Eres de Honduras! Está muy lejos de aquí. Yo soy del Canadá.
JERÓNIMO: Eres canadiense, pero vives aquí en los Estados Unidos.
PILAR: Sí, así es.
JERÓNIMO: Y tú, Araceli, eres de aquí, ¿no?
ARACELI: Sí. Yo soy estadounidense.

Conversation 2

NARRATOR: Ramón and Sara are talking about their summer vacation plans.
RAMÓN: ¿Adónde vas este verano?
SARA: Voy a Puerto Rico a visitar mi familia.
RAMÓN: ¿Eres de Puerto Rico?
SARA: Sí, soy puertorriqueña.
RAMÓN: ¿Vas en avión?
SARA: No. Voy en barco. Y tú, ¿adónde vas?
RAMÓN: Voy a la Argentina.
SARA: ¿Eres argentino?
RAMÓN: No. Soy del Uruguay, pero vivo en los Estados Unidos.
SARA: ¿Cómo vas a la Argentina?
RAMÓN: Voy en avión, por supuesto.

Feature

NARRATOR: Juan Carlos has nothing to do this summer. Maybe Consuelo can solve his problem.
CONSUELO: ¡Por fin! Hoy es el último día de clases. ¡Mañana comienzan las vacaciones!
JUAN CARLOS: Pues, sí.
CONSUELO: ¿No estás contento?
JUAN CARLOS: Es que no tengo nada que hacer este verano. Va a ser un verano aburrido.
CONSUELO: Tengo una solución. Te invito a visitar a mis abuelos en Costa Rica.
JUAN CARLOS: Pero, ¿no vive tu familia en la Argentina?
CONSUELO: Algunos primos viven en la Argentina y tengo un tío que vive en el Brasil, pero el resto de mi familia vive en Costa Rica o en los Estados Unidos.
JUAN CARLOS: ¿Y me invitas a ir contigo a Costa Rica? ¿De veras? ¿Tus papás están de acuerdo?
CONSUELO: ¡Claro que sí! Vamos a Costa Rica en julio. ¿Quieres ir con nosotros?
JUAN CARLOS: ¡Sí, cómo no! Pero, primero tengo que hablar con mis papás.
NARRATOR: Now all Juan Carlos needs is permission from his parents to go to Costa Rica with Consuelo's family.
JUAN CARLOS: ¡Papa! ¡Mamá!
MAMÁ: ¿Qué te pasa, Juan Carlos? ¿Por qué estás tan emocionado?
JUAN CARLOS: Consuelo acaba de invitarme a ir a Costa Rica con ella y sus papás.
PAPÁ: ¡A Costa Rica!
JUAN CARLOS: Sí. Los abuelos de Consuelo viven en Costa Rica.
PAPÁ: Pues, ¿cuándo van a ir?
JUAN CARLOS: En julio.
MAMÁ: ¿Y cómo van?
JUAN CARLOS: En avión, por supuesto. Por favor, mamá, quiero ir a Costa Rica.
MAMÁ: No sé. Está muy lejos.
PAPÁ: Pero si va con la familia de Consuelo. Ellos son buenos amigos.
MAMÁ: Tienes razón.
JUAN CARLOS: Entonces, ¿puedo ir?
PAPÁ: Creo que sí. Pero primero voy a llamar a los papás de Consuelo.
JUAN CARLOS: ¡Gracias, papá! ¡Gracias, mamá! ¡Ustedes son muy muy muy simpáticos!

UNIDAD 5

¡Hablemos!

(See textbook, pages 106–107.)
Students will also hear these conversations:
—¿Adónde quieren viajar los viajeros?
—Ella quiere viajar al río. Él quiere viajar al volcán.

—¿Adónde quieren viajar tus padres?
—Mi mamá quiere viajar a las montañas, pero mi papá quiere viajar al valle.

—¿Vas a hacer un viaje con tu familia?
—¡Sí, vamos a México!
—¿Adónde vas ahora?
—Voy a la agencia de viajes. Voy a hablar con el agente de viajes.

(See textbook, pages 110–111.)
Students will also hear these conversations:
—¿Cuánto cuesta un viaje al lago?
—No cuesta mucho. Cuesta cinco o diez dólares.

—¿Cuesta mucho un viaje al desierto?
—No. El billete no cuesta mucho.

—¿Cómo son las playas de Costa Rica?
—Costa Rica tiene playas muy bonitas, señor.

—¿Cómo son los desiertos de los Estados Unidos?
—Son bonitos, señora. Los Estados Unidos tiene desiertos muy bonitos.

¡A conversar y a leer!

(*See* ***Resource and Activity Book,*** *Master 158.*)

Preguntas

1. **P:** ¿Adónde piensan viajar los papás de Eva y Hugo?
   R: Piensan hacer un viaje fuera de los Estados Unidos.
2. **P:** ¿Dónde pueden ver el Océano Pacífico?
   R: Pueden ver el Océano Pacífico en Ecuador.
3. **P:** ¿Qué puede hacer el papá en la República Dominicana?
   R: El papá puede descansar en la playa en la República Dominicana.
4. **P:** Eva no quiere ir a México, ¿verdad?
   R: No. Eva no quiere ir a México.
5. **P:** ¿Con quién va a hablar el papá?
   R: Va a hablar con el agente de viajes.

Conversations

Conversation 1

NARRATOR: Miguel seems to be too busy to join Ana and her friends and family.
ANA: Hola, Miguel. ¿Vas a ir a la playa con nosotros esta tarde?
MIGUEL: Lo siento, Ana. No puedo ir esta tarde. Tengo que estudiar.
ANA: ¿Y mañana? ¿Quieres ir a las montañas con mis hermanos?
MIGUEL: Tampoco puedo ir a las montañas mañana. Tengo que pintar la casa.
ANA: El domingo vamos al lago a pescar. ¿Quieres ir con nosotros?
MIGUEL: Lo siento. El domingo mis hermanitos y yo escribimos cartas a nuestros abuelitos.
ANA: Bueno...¿quieres ir al desierto a sacar fotos el lunes?
MIGUEL: No puedo, Ana. El lunes descanso.
ANA: ¡Ah, Miguel!

Conversation 2

NARRATOR: Vacations can be expensive! Señor Velásquez is finding out about the high cost of traveling from a travel agent.
SR. VELÁSQUEZ: ¿Cuánto cuesta un billete para ir al desierto?
AGENTE: Cuesta seiscientos cincuenta dólares.
SR. VELÁSQUEZ: ¿Y cuánto cuesta un viaje al río y a las montañas?
AGENTE: Cuesta casi mil dólares.
SR. VELÁSQUEZ: Y si visito el volcán, ¿cuánto cuesta el billete?
AGENTE: Casi dos mil dólares.
SR. VELÁSQUEZ: Y si quiero ir a la playa, ¿cuánto cuesta el viaje?
AGENTE: Va a costar ochocientos dólares.
SR. VELÁSQUEZ: Muy bien.
AGENTE: ¿Adónde piensa ir, señor?
SR. VELÁSQUEZ: Pienso ir a la biblioteca. ¡Los libros de viajes no cuestan nada!

Feature

NARRATOR: The Gómez family is ready to take a vacation. Señora Gómez has gone to a travel agency to get some expert advice.
AGENTE: Buenos días, señora.
SRA. GÓMEZ: Buenos días. Tengo un pequeño problema.
AGENTE: ¿Y cómo puedo ayudar?
SRA. GÓMEZ: Bueno, mi familia y yo pensamos ir de vacaciones, pero nadie quiere ir al mismo lugar.
AGENTE: ¿Y a qué lugares quieren ir?
SRA. GÓMEZ: Primero, mi esposo piensa ir a las montañas y al río.
AGENTE: ¿Adónde quieren ir sus hijos?

SRA. GÓMEZ: Nuestros hijos, José y Ana, quieren ir al desierto. Les gusta estudiar los animales y las plantas del desierto y quieren sacar fotos de ellos también.

AGENTE: Ya comprendo. Y usted, señora, ¿dónde piensa pasar sus vacaciones?

SRA. GÓMEZ: Quiero pasar dos semanas en una playa. Me gusta nadar y leer. Así puedo nadar por la mañana y por la tarde. Y cuando no estoy en el agua, puedo leer. Quiero descansar.

NARRATOR: It sounds like señora Gómez has a real problem. Let's see if the travel agent can help.

AGENTE: Bueno, a ver si comprendo todo. Ustedes son cuatro. El señor Gómez quiere ir a las montañas y al río. A sus hijos les gusta el desierto y usted, señora, quiere pasar sus vacaciones en la playa.

SRA. GÓMEZ: Sí, es cierto. ¿Qué podemos hacer? Queremos viajar juntos y pensamos salir pronto.

AGENTE: Un momento, por favor. Busco algo sobre un lugar de vacaciones ideal...¡Aquí está!

SRA. GÓMEZ: ¿Qué tiene?

AGENTE: Es un libro sobre San Carlos.

SRA. GÓMEZ: ¿San Carlos? No conozco San Carlos.

AGENTE: ¡Ah! Pero ustedes van a conocer San Carlos...y muy pronto. Tiene todo. Hay una montaña alta y muy bonita para el señor Gómez.

SRA. GÓMEZ: ¿Sí?

AGENTE: Sí. Y muy cerca hay un río donde él puede ir de pesca. San Carlos también tiene un desierto cerca de la montaña. Sus hijos pueden sacar muchas fotos y estudiar la vida allí.

SRA. GÓMEZ: ¡Qué bien! ¿Pero hay una playa también?

AGENTE: ¡Y qué playa! Hay un lago precioso. Se llama el Lago de los Espejos. Tiene una playa muy, muy simpática y tan limpia. Usted puede nadar, descansar, leer...

SRA. GÓMEZ: ¡Oh! Esto es maravilloso. ¿Está muy lejos de aquí San Carlos?

AGENTE: Bueno, es un viaje de seis horas en avión. El viaje para cuatro personas cuesta dos mil dólares, pero los hoteles en San Carlos no son caros.

SRA. GÓMEZ: ¡Perfecto! Voy a casa ahora mismo. ¡Todos van a estar muy contentos! Muchas gracias.

AGENTE: A usted, señora. ¡Adiós y buen viaje!

UNIDAD 6

¡Hablemos!

(See textbook, pages 128–129.)
Students will also hear these conversations:
—¿Va usted en esta línea aérea?
—Sí, señor. Hago fila con los otros pasajeros.
—¿Tiene usted equipaje?
—Sí, aquí están mis maletas.

—¿Qué está haciendo el aeromozo?
—Está hablando con unos pasajeros.

—¿Y qué está haciendo la aeromoza?
—Bueno, ella está hablando con los pilotos.

(See textbook, pages 132–133.)
Students will also hear these conversations:
—¿El avión está despegando ahora?
—Sí, está despegando.
—Ahora vuela.

—¿El avión está aterrizando ahora?
—No, todavía no. Va a aterrizar en cinco minutos.

—¿Llega a tiempo el vuelo número cinco dieciséis de Madrid?
—Llega a las dos menos cuarto en la puerta F6. Llega a tiempo.

—¿Sale a tiempo el vuelo número seis once?
—Sale a las tres menos veinticinco. Sale tarde.

¡A conversar y a leer!

*(See **Resource and Activity Book,** Master 159.)*

Preguntas

1. **P:** Para los viajes a la América Central, ¿necesitas llegar al aeropuerto una hora antes del vuelo?
   R: No, necesitas llegar dos horas antes del vuelo.
2. **P:** ¿Quién recibe el equipaje de los pasajeros?
   R: El empleado de la línea aérea lo recibe.

3. **P:** ¿Qué asientos son más cómodos, los de primera clase o los de clase económica?
   R: Los asientos de primera clase son más cómodos.
4. **P:** ¿Qué tienen que hacer los pasajeros antes de despegar el avión?
   R: Ellos tienen que abrochar los cinturones.
5. **P:** ¿Qué pueden hacer los pasajeros durante el vuelo?
   R: Pueden descansar, leer o apreciar la vista espectacular.

Conversations

Conversation 1

NARRATOR: Pepe and his mother are on a plane.
PEPE: Mamá, ¿a qué hora vamos a aterrizar?
MAMÁ: A las siete, Pepe.
PEPE: ¿Qué hace el piloto, mamá?
MAMÁ: Está pilotando el avión, Pepe.
PEPE: ¿Y qué hacen los aeromozos?
MAMÁ: Están ayudando a los pasajeros. Las aeromozas traen las comidas y el aero-mozo trae las revistas.
PEPE: ¿Y qué hace esa pasajera?
MAMÁ: Está escuchando música, hijo.
PEPE: Y ese pasajero, ¿qué estudia?
MAMÁ: Estudia un horario.
PEPE: Y mamá, ¿qué hago yo?
MAMÁ: ¡Haces muchas preguntas, Pepe!

Conversation 2

NARRATOR: The DeLeón family is about to leave for the airport. Señor DeLeón and Marta are making sure they have everything they need for the trip.
SR. DELEÓN: ¡Ah, Marta! Son las nueve y nuestro vuelo sale a las once. Vamos rápido al aeropuerto.
MARTA: ¿Tienes todo el equipaje ya? El taxi está aquí.
SR. DELEÓN: Sí…¿pero dónde está mi maleta pe-queña? Siempre la pongo debajo de mi asiento cuando viajo en avión.
MARTA: Está en el comedor, ¿no la ves?
SR. DELEÓN: Sí, ahora la veo. ¿Dónde están mis zapatos marrones? Siempre los llevo cuando hago un viaje.
MARTA: Pues, están en la cocina.
SR. DELEÓN: Muy bien. Los veo.
MARTA: Y ahora nos vamos, papá. Si no, el avión despega sin nosotros.

Feature

NARRATOR: Juanita Martínez and her parents have just arrived at the airport. Juanita is worried that they will miss their flight to California.
JUANITA: ¡Mamá! ¡Papá! ¿A qué hora sale el avión?
MAMÁ: Pienso que sale a las once y cuarto, pero mira el horario, Juanita.
JUANITA: Ahora dicen que el vuelo seiscientos doce sale a las once y media…pero, ¿qué hora es, papá?
PAPÁ: Son las once y cinco.
JUANITA: ¿Tenemos tiempo?
PAPÁ: Sí, sí, no hay problema.
JUANITA: ¡Pero mira! Tenemos que hacer fila con nuestro equipaje y hay mucha gente.
MAMÁ: Bueno, hacemos fila. Tienes que ser más paciente.
NARRATOR: It seems like the people in front of the Martínez family have all sorts of prob-lems…and luggage. Juanita is really starting to lose her patience.
JUANITA: ¡Ay! ¿Qué hacemos? No vamos a llegar. Sé que no vamos a llegar. El avión va a despegar sin nosotros.
PAPÁ: Hay tiempo, hija. Hay tiempo.
JUANITA: ¿Qué hora tienes?
PAPÁ: Son las once y veinte.
JUANITA: ¡Ay! Nunca vamos a pasar nuestras vacaciones en Disneylandia. Nunca, nunca.
MAMÁ: ¿Cómo?
JUANITA: Digo que no vamos a llegar a Disneylan-dia porque no vamos a estar en el avión y…
PAPÁ: Mira, ya no hay fila. Podemos pasar con las maletas.
NARRATOR: Finally the bags are checked. Now Juanita and her parents must go to gate five. From there, they will take a shut-tle bus to their plane.
JUANITA: ¿Qué dice esta señora? ¿Un autobús? ¿Y cuántos minutos tenemos?
PAPÁ: Bueno, tenemos cuatro minutos. ¡Vamos a correr!
JUANITA: Sí, vamos. La puerta número cinco está cerca y puedo ver el autobús.
PAPÁ: Sí, yo también lo veo.
MAMÁ: Y yo lo veo, pero…
JUANITA: ¡Ay! El autobús acaba de salir. ¿Qué va a pasar ahora?

PILOTO: No va a pasar nada. El autobús tiene que volver.
JUANITA: ¿Y por qué? Si ya son las once y media y el avión va a despegar ahora mismo.
PILOTO: No, no. ¡No es posible!
JUANITA: Sí, es posible, señor. Este vuelo sale ahora...
PILOTO: ¡Pero si no puede despegar sin piloto! Soy José Vicente Díaz, el piloto del vuelo seiscientos doce. El autobús tiene que volver. Si no, ¡nadie puede llegar a Disneylandia!

UNIDAD 7

¡Hablemos!

(See textbook, pages 152–153.)
Students will also hear these conversations:
—¿Necesita una habitación, señor?
—Sí, quiero una habitación cerca del ascensor.
—¿Es usted turista?
—Sí, soy de Colombia.

—Señora, este cuarto es muy antiguo.
—Tenemos una habitación moderna lejos del ascensor, señor.
—Muy bien.
—Aquí está la llave.
—Gracias.

(See textbook, pages 156–157.)
Students will also hear these conversations:
—¡Mira las mantas bonitas que tienen las camas!
—Sí, pero las camas son muy duras.
—¿Qué hay en el cuarto de baño?
—Hay una bañera y una ducha.

—¿Cómo está el agua?
—¡Bien fría! ¿Me puedes dar el jabón?
—Sí, claro.

¡A conversar y a leer!

*(See **Resource and Activity Book,** Master 160.)*

Preguntas

1. **P:** ¿De dónde es Marleny?
   R: Marleny es de Manizales, Colombia.
2. **P:** ¿Dónde trabajan los padres de Marleny?
   R: Ellos trabajan en su hotel.
3. **P:** ¿Cómo son las habitaciones?
   R: Tienen dos camas y un baño privado con ducha y agua caliente.
4. **P:** ¿Qué hace la madre de Marleny en el hotel los sábados?
   R: Ella pasa la aspiradora.
5. **P:** ¿Trabaja Marleny en el hotel los miércoles? Si no, ¿qué hace?
   R: Marleny no trabaja en el hotel los miércoles. Ella va al colegio y juega al volibol con sus amigos.

Conversations

Conversation 1

NARRATOR: The Rodríguez family has just checked in to a hotel. Laura and Linda Rodríguez are settling into their room.
LAURA: La habitación es muy grande.
LINDA: Sí, a mí también me gusta, pero tengo calor y tengo sueño. Ahora me baño y luego me acuesto.
LAURA: Buena idea. Nos acostamos ahora y nos levantamos temprano mañana.
LINDA: Laura, no hay jabón en el cuarto de baño. Llama a la oficina y pide jabón.
LAURA: De acuerdo. ¿Dónde está el teléfono?
LINDA: Espera, tampoco hay toallas en el cuarto de baño. Pide toallas también.
LAURA: Bueno, pido jabón y toallas.
LINDA: Y agua caliente. No hay agua caliente. Llama y pide...
LAURA: No puedo pedir nada por teléfono, Linda. No hay teléfono.
LINDA: Tengo sueño. Me acuesto ahora y mañana pedimos jabón, toallas, agua caliente y un teléfono.
LAURA: Buena idea. Buenas noches, Linda.
LINDA: Buenas noches.

Conversation 2

NARRATOR: Paco Guzmán and his father have just begun their vacation. They are deciding what to do tomorrow.
PACO: Me gusta el hotel. Nuestra habitación es muy bonita.
PAPÁ: Sí, y mi cama es muy cómoda. Casi me duermo ahora...
PACO: ¿Qué quieres hacer mañana?
PAPÁ: Pienso descansar.
PACO: ¿Jugamos al tenis mañana, papá?
PAPÁ: ¡Ay! Mañana me levanto tarde. Además, sirven el desayuno en la habitación en este hotel.

PACO: Por la tarde quiero caminar al museo de arte antiguo. Hay cuadros muy interesantes allí. También quiero caminar al museo de arte moderno.
PAPÁ: No tengo que salir del hotel para ver un cuadro de arte moderno muy bonito.
PACO: ¿Sí? ¿Y dónde está?
PAPÁ: Aquí, en la habitación. Lo miro mañana, después de la siesta.

Feature

NARRATOR: To improve its services, the "Hotel Miraflores" has decided to survey guests as they check in to find out what they like in a hotel.
PAULA: Señor. Perdón, ¿señor?
SEÑOR: Sí, señora.
PAULA: Usted acaba de llegar en este hotel, ¿verdad?
SEÑOR: Sí. Ahora mismo pido una habitación.
PAULA: Me llamo Paula Carrasco y trabajo en el Hotel Miraflores. ¿Puedo hacerle unas preguntas?
SEÑOR: Sí, cómo no.
PAULA: ¿A usted le gustan las camas duras o las camas suaves?
SEÑOR: Me gustan las duras.
PAULA: ¿Siempre pide una habitación con una bañera en el cuarto de baño?
SEÑOR: No. Si hay una ducha, no me importa si hay una bañera.
PAULA: Finalmente, ¿qué hace primero cuando llega al hotel?
SEÑOR: Primero me baño y luego llamo a la oficina y pido el desayuno en la habitación para la próxima mañana. Si llego muy tarde, me acuesto primero y me baño el próximo día.
PAULA: Muchas gracias, señor.
SEÑOR: De nada.
NARRATOR: Paula needs to interview many different people for her survey. Now she is talking to Julio and Luisa Montes, who are on vacation with their parents.
PAULA: Luisa, ¿prefieres las camas duras o las camas suaves?
LUISA: Prefiero las suaves.
JULIO: ¡Yo también!
PAULA: ¿Y siempre piden habitaciones con una bañera en el cuarto de baño?
JULIO: Sí, siempre pedimos una habitación con bañera. Nos gustan mucho las bañeras.
PAULA: ¿Qué hacen primero cuando llegan al hotel?
LUISA: Primero, me lavo la cara y descanso un poco.
JULIO: Yo voy al restaurante y pido algo de comer. Luego voy a la habitación, me baño y miro la televisión. A veces, juego a las damas con Luisa.
PAULA: ¡Uf! ¡Haces mucho! ¿A qué hora se acuestan?
JULIO: Yo me acuesto a las once y media pero no me duermo hasta la medianoche. No me gusta dormir mucho.
LUISA: Yo me acuesto temprano y me duermo rápidamente. ¡Con un hermano así, siempre tengo sueño!
PAULA: Bueno, muchas gracias, muchachos. Ahora voy a hablar con sus papás.
JULIO: ¡De nada!
LUISA: ¡Adiós!

UNIDAD 8

¡Hablemos!

(See textbook, pages 172–173.)
Students will also hear these conversations:
—¿Podemos cambiar dinero en este banco?
—Sí, señores. Hay una ventanilla abierta a la derecha.

—¿Qué vas a pedir al cajero?
—Billetes de cien pesos.
—Yo voy a pedir monedas para el autobús.
—Hay dos ventanillas abiertas a la izquierda.

(See textbook, pages 176–177.)
Students will also hear these conversations:
—¿Te gusta el restaurante?
—Sí, me gusta.
—¿Por qué?
—Me gusta el menú.

—¿Vas a pedir la cuenta?
—Sí, voy a pedir la cuenta.
—El camarero es muy simpático, ¿no?
—Sí. Voy a darle una buena propina.

¡A conversar y a leer!

*(See **Resource and Activity Book,** Master 161.)*

Tapescripts / Lesson Cassettes

Preguntas

1. **P:** ¿Qué hora es?
   R: Es la hora del almuerzo.
2. **P:** ¿Quién es Pablo?
   R: Pablo es un amigo de Alonso y Leticia y también es un camarero en el restaurante peruano.
3. **P:** ¿Por qué Pablo les va a servir rápido a Leticia y Alonso?
   R: Porque es su amigo.
4. **P:** ¿Qué quieren Alonso y Leticia para el almuerzo?
   R: Alonso y Leticia quieren una limonada y unas arepas con queso y tomate.
5. **P:** ¿Qué tiene Pablo?
   R: Tiene hambre.

Conversations

Conversation 1

NARRATOR: School is out and Juan's friend is happy that he has a summer job.
AMIGO: Juan, ¡por fin tengo un trabajo de verano!
JUAN: ¿De veras? ¿Dónde vas a trabajar?
AMIGO: En el banco. Voy a ayudar a los cajeros.
JUAN: Entonces, vas a conocer a mi mamá. Ella es cajera y trabaja en el banco también.
AMIGO: ¿Le gusta el trabajo a tu mamá?
JUAN: Sí, pero no le gusta trabajar los sábados. Prefiere trabajar de lunes a viernes.
AMIGO: Bueno, le puedo decir esto a mi papá. Él le puede cambiar su horario.
JUAN: ¿Cómo?
AMIGO: Bueno...¡mi papá es el presidente del banco!

Conversation 2

NARRATOR: Martín, María, and José are waiting in line at the bank.
MARTÍN: No me gusta hacer fila.
MARÍA: A mí tampoco, Martín. Me da un dolor de cabeza.
MARTÍN: Es que siempre tengo que hacer fila cuando voy al banco, porque nunca están abiertas todas las ventanillas.
MARÍA: Y cuando llego a la ventanilla tengo que esperar porque el cajero siempre cuenta los billetes y las monedas dos veces.
JOSÉ: Bueno chicos, mañana ustedes no tienen que hacer fila ni esperar en el banco.
MARÍA and MARTÍN: ¿Por qué?
JOSÉ: ¡Porque mañana es domingo y el banco está cerrado!

Feature

NARRATOR: Susana, Luis, and Gregorio want to go out for dinner tonight. First, they must decide where to go.
GREGORIO: Conozco un restaurante fantástico. Podemos ir allí.
SUSANA: ¿Cómo se llama?
GREGORIO: Se llama "Casa Paco."
SUSANA: ¿Y qué sirven?
GREGORIO: Comida española. La paella es estupenda.
LUIS: Está bien. Vamos.
CAMARERA: Buenas noches y bienvenidos a "Casa Paco." ¿Cuántos son?
GREGORIO: Somos tres.
CAMARERA: Por aquí, por favor...¿Les gusta esta mesa?
GREGORIO: Sí, está muy bien.
CAMARERA: Ahora mismo el camarero les trae el menú.
SUSANA: Y un vaso de agua, por favor.
CAMARERA: Sí, sí, y agua.
NARRATOR: The friends take some time to look at the menu. When the waiter arrives, they give him their orders.
CAMARERO: Bueno, ¿qué van a tomar?
GREGORIO: ¿Nos puede preparar paella a los tres?
CAMARERO: ¡Claro que sí! ¿Quieren pedir algo más?
GREGORIO: Sí, ¿me trae una ensalada?
CAMARERO: Bien. ¿Y ustedes?
SUSANA: ¿Me puede decir qué es "gazpacho"?
CAMARERO: El gazpacho es una sopa fría, de tomates. Es muy bueno.
SUSANA: Muy bien. Lo pruebo.
LUIS: Yo también voy a probar el gazpacho.
CAMARERO: ¡Perfecto! ¿Quieren beber algo?
GREGORIO: Sí, por favor. Tres limonadas.
SUSANA: ¿Y también me da otro vaso de agua, por favor?
CAMARERO: Sí, señorita, ahora mismo.
NARRATOR: After their first course, the waiter brings a huge dish of paella to the table.
CAMARERO: ¡Buen provecho!
SUSANA: ¡Oh, Gregorio, la paella es enorme! ¿Nos vamos a comer todo esto?
GREGORIO: No hay problema. La podemos llevar a casa.
SUSANA: Camarero, por favor. Otro vaso de agua.

CAMARERO: Sí, señorita.
NARRATOR: After eating as much as they can, Susana, Luis, and Gregorio decide to skip dessert.
SUSANA: No es posible comer más.
LUIS: No, no. ¿Le pedimos la cuenta al camarero?
GREGORIO: Sí, pero hoy les quiero invitar.
SUSANA and LUIS: Gracias, Gregorio.
LUIS: Pero Susana y yo le dejamos una buena propina al camarero.
GREGORIO: De acuerdo. Camarero, ¿me da la cuenta, por favor?
CAMARERO: Sí, aquí tiene usted. ¿Quieren llevar la paella a casa?
GREGORIO: Sí, gracias.
CAMARERO: Y usted, señorita, ¿quiere llevar más agua a casa también?
TODOS: ¡Ja, ja, ja!

UNIDAD 9

¡Hablemos!

(See textbook, page 192.)
Students will also hear these conversations:
—Te busco en la plaza a las cuatro.
—Pero, ¿dónde?
—Me puedes buscar cerca de la escultura, delante del museo.
—De acuerdo. Hasta las cuatro.

—¿Dónde te busco?
—Me puedes buscar cerca del monumento.
—Pero, ¿dónde?
—El monumento está en la plaza, cerca de la alcaldía.
—Bueno. ¡Hasta luego!

(See textbook, page 196.)
Students will also hear these conversations:
—¿Hay un supermercado cerca de tu colegio?
—Sí, está cerca de la estación del metro y la sinagoga.

—¿Qué otros lugares interesantes hay en la comunidad?
—Hay un estadio y un zoológico.
—¿Están cerca de tu colegio?
—No, están lejos.

¡A conversar y a leer!

*(See **Resource and Activity Book,** Master 162.)*

Preguntas

1. **P:** ¿Qué hay en el centro de casi todas las ciudades antiguas de América Latina?
   R: Hay una plaza central.
2. **P:** ¿El Zócalo es el nombre de la plaza central de Lima?
   R: No. La plaza central de Lima se llama la Plaza de Armas.
3. **P:** ¿Puedes encontrar edificios alrededor de una plaza central?
   R: Sí, muchas veces puedes encontrar la catedral principal y la alcaldía.
4. **P:** ¿Hay barrios modernos en las ciudades antiguas?
   R: Sí, hay barrios muy modernos en las ciudades antiguas.
5. **P:** ¿Qué puedes encontrar en los patios de casas antiguas?
   R: Puedes encontrar fuentes y jardines.

Conversations

Conversation 1

NARRATOR: Julio and Carla Gómez are in the town square, trying to round up some friends to go to the zoo.
JULIO: ¿Dónde está Pepe? No lo veo en la plaza.
CARLA: Pues, no está en la plaza. Está visitando el museo con Miguel.
JULIO: ¿Por qué no están Alicia y María cerca del monumento?
CARLA: ¿No las ves? Están allí, detrás de la fuente.
JULIO: ¿No va a venir Enrique?
CARLA: No, no puede. Hoy tiene que trabajar en el supermercado.
JULIO: ¿Ves a Isabel y Alejandro?
CARLA: ¡Sí! Están esperando allí, delante de la escultura.
JULIO: ¡Perfecto! Nos vamos entonces, pero no veo el autobús.
CARLA: No hay autobús. Vamos en metro al zoológico.

Conversation 2

NARRATOR: Susana's little sister is very interested in knowing why some people feel the way they do.
HERMANITA: ¿Por qué está nervioso Miguel?

SUSANA: Está nervioso porque hoy tiene cinco exámenes.
HERMANITA: ¿Y por qué está tan cansado nuestro hermano?
SUSANA: Nuestro hermano está cansado porque trabaja muchas horas en la alcaldía.
HERMANITA: ¿Sabes por qué la maestra está enojada?
SUSANA: Pienso que está enojada porque los alumnos no saben la lección.
HERMANITA: ¿Y por qué está contenta María?
SUSANA: María está contenta porque hoy se va al zoológico con sus padres.
HERMANITA: Y tú, ¿por qué estás confundida?
SUSANA: Estoy confundida porque no comprendo por qué me haces estas preguntas.

Feature

NARRATOR: José is surprised to see his friend Carmen in the town square.
JOSÉ: ¡Hola, Carmen! ¿Qué haces aquí? ¿Y por qué estás tan triste?
CARMEN: Hola, José. Estoy esperando a Tomás. Pero no estoy triste—estoy enojada porque no lo veo. Y estoy cansada también. Estoy esperando desde la una y ya son casi las dos.
JOSÉ: ¡Ah! Pero yo acabo...
CARMEN: No veo a Tomás aquí en la plaza. Ni está delante de la escultura, ni cerca de la fuente, ni detrás del monumento.
JOSÉ: Sí, pero acabo...
CARMEN: No está en la alcaldía tampoco, ni cerca de la iglesia, así que...
JOSÉ: Pero Carmen, ¡acabo de ver a Tomás! Está esperando delante del museo.
CARMEN: ¿Delante del museo? Voy a buscarlo ahora mismo. ¿Vienes conmigo?
JOSÉ: Sí. ¿Qué piensan hacer esta tarde?
CARMEN: Vamos al estadio. Hoy juegan los Tigres y los Osos.
JOSÉ: Yo también voy al estadio. Voy a ir con Rosario. Podemos ir juntos, si quieres.
CARMEN: Muy bien. Allí está Tomás. ¡Hola, Tomás! ¡Tú, esperando aquí! José también va al estadio.
TOMÁS: ¡Perfecto!
JOSÉ: Sí, pero primero tengo que buscar a Rosario. Está trabajando en el supermercado hasta las dos.
TOMÁS: Ya son las dos y cuarto.
JOSÉ: ¿Vamos a buscarla?
SUSANA and TOMÁS: Sí.
NARRATOR: After a short walk, the three friends get to the supermarket.
JOSÉ: No la veo. ¿Dónde puede estar?
TOMÁS: Es un poco tarde. ¿Piensas que te está esperando en la entrada del metro? ¿Miramos allí?
JOSÉ: Vamos, entonces. ¡Rosario! ¿Por qué estás esperando aquí y no en el supermercado?
ROSARIO: Ya no trabajo en el supermercado, José. Trabajo en este edificio de apartamentos que está cerca del metro. Acabo de salir del trabajo y...
JOSÉ: Bueno, por lo menos estamos todos y ya podemos ir al estadio juntos.
CARMEN: Sí, ¡a ver si nos están esperando los Tigres y los Osos!

UNIDAD 10

¡Hablemos!

(See textbook, pages 214–215.)
Students will also hear these conversations:
—¿Dónde está el paso de peatones?
—Está en la esquina.

—¿Dónde está tu casa?
—Mi casa está cuatro manzanas al oeste del colegio.

—Perdón, señora. ¿A cuántas cuadras está la iglesia de aquí?
—Está lejos de aquí. Tienes que caminar ocho cuadras más al sur.

—¿A cuántas cuadras está tu edificio de apartamentos de aquí?
—No está lejos. Tenemos que caminar tres manzanas más.

(See textbook, pages 218–219.)
Students will also hear these conversations:
—Perdón, señora. ¿Queda adelante o atrás el zoológico?
—El zoológico queda atrás.
—Gracias, señora.
—De nada, hijo. Es fácil. No vas a perderte.

—Perdón, señor. ¿Dónde está el metro, adelante o atrás?
—¿El metro? Bueno, el metro queda adelante.
—Gracias, señor.
—Pero, ¡cuidado! El tráfico va rápido aquí.

¡A conversar y a leer!

(*See* ***Resource and Activity Book,*** *Master 163.*)

Preguntas

1. **P:** ¿Qué usa Marcos para buscar la plaza Bolívar?
   R: Marcos usa un mapa para buscar la plaza Bolívar.
2. **P:** ¿Quién ayuda a Marcos?
   R: Jorge ayuda a Marcos.
3. **P:** ¿Está el museo al norte o al sur?
   R: Está al norte.
4. **P:** ¿Qué calle tiene que cruzar Marcos?
   R: Tiene que cruzar la calle Pilar.
5. **P:** ¿En cuál ciudad están Jorge y Marcos?
   R: Jorge y Marcos están en Aguaslimpias.

Conversations

Conversation 1

NARRATOR: Poor Alfredo! He is always getting lost.
ALFREDO: Por favor, señora. Siempre me pierdo en la ciudad. ¿A cuántas cuadras está la biblioteca de aquí?
SEÑORA: ¡Ay! Está muy lejos. Primero dobla a la derecha y sigue adelante cinco cuadras...
ALFREDO: ¿Y así encuentro la biblioteca?
SEÑORA: Pues, no. Luego camina tres cuadras al norte, dobla a la izquierda, luego sigue la calle Central hasta...
ALFREDO: ¿Hasta encontrarme delante de la biblioteca?
SEÑORA: ¡No, muchacho! Camina por la calle Central hasta la parada de autobús. ¡El autobús número doce te lleva hasta la biblioteca!

Conversation 2

NARRATOR: Juan is staying at his uncle's house, but finds it difficult to do anything.
JUAN: ¿Puedo pasar la aspiradora?
TÍO: ¡No pases la aspiradora! Quiero escuchar el radio.
JUAN: ¿Abro las ventanas?
TÍO: ¡No abras las ventanas! Tengo mucho frío.
JUAN: Bueno...¿Preparo la cena?
TÍO: ¡No! No prepares la cena. No tengo hambre.
JUAN: ¿Puedo usar el teléfono?
TÍO: ¡No! No uses el teléfono. Estoy esperando una llamada importante.
JUAN: ¿Puedo salir entonces?
TÍO: Claro, ¡pero vuelve pronto!
JUAN: ¿Por que?
TÍO: Porque tienes que pasar la aspiradora, preparar la cena, abrir las ventanas...

Feature

NARRATOR: Marta is babysitting her little brother. They have been in the park and are now ready to have dinner.
MARTA: Camina más rápido, Paquito. ¿No tienes hambre?
PAQUITO: Sí, tengo hambre. ¿Dónde queda el restaurante de las hamburguesas?
MARTA: Dobla aquí. No, no Paquito, no dobles a la derecha, dobla a la izquierda. Pienso que está en la próxima manzana.... Sí, allí está. ¿Lo ves?
PAQUITO: Ah, sí.
MARTA: ¿Qué quieres, Paquito?
PAQUITO: Pide dos hamburguesas con queso, unas papas fritas, una ensalada, una limonada grande y un helado de fresa y otro de chocolate.
MARTA: ¿Eso es todo?
PAQUITO: Bueno, pide una sopa de pollo también.
MARTA: ¡No me gastes todo el dinero!
PAQUITO: Bueno, entonces, no voy a tomar dos helados. Pide solo uno, de fresa.
MARTA: Está bien.
NARRATOR: After dinner they go home, and Marta tells her brother she has homework to do.
PAQUITO: ¿Y yo qué hago ahora?
MARTA: Lava los platos.
PAQUITO: ¿Por qué? Ya están todos limpios.
MARTA: Bueno, recoge las cosas en tu dormitorio.
PAQUITO: Mi dormitorio está muy limpio.
MARTA: Entonces, mira la televisión.
PAQUITO: Pero no me gustan los programas de los martes.
MARTA: Lee un libro, Paquito.
PAQUITO: Tú sabes que todavía no sé leer bien.
MARTA: Pinta algo. ¡Pero no pintes en las paredes!
PAQUITO: Bueno, voy a pintarte algo.

NARRATOR: After a while, Paquito returns and shows Marta his picture.
MARTA: Es muy bonito, Paquito. ¿Qué es?
PAQUITO: Es un barco que se pierde en el lago...pero aquí viene otro barco con policías.
MARTA: Muy interesante. ¿No tienes que acostarte ya? Son casi las nueve y media.
PAQUITO: ¿Me lees un libro primero?
MARTA: Sí, te leo uno de tus libros, pero antes, cepíllate los dientes y lávate la cara con jabón.
PAQUITO: ¿Me cepillo los dientes con jabón?
MARTA: ¡No! No te cepilles los dientes con jabón. Lávate la cara con jabón.
PAQUITO: Muy bien. Te espero.

UNIDAD 11

¡Hablemos!

(See textbook, pages 234–235.)
Students will also hear these conversations:
—¿Qué piensas comprar?
—Tengo que comprar un regalo para mi abuela.
—¿A tu abuela le gustan las joyas?
—Sí, ¡por supuesto! ¡Vamos a una joyería!

—¿Qué piensas comprar?
—Tengo que comprar un regalo para mi papá.
—¿A tu papá le gustan los llaveros?
—¡Buena idea! Podemos comprar un llavero en la joyería.

(See textbook, pages 238–239.)
Students will also hear these conversations:
—¿Son baratas o caras las sandalias?
—¿Qué dice el zapatero?
—Dice que cuestan treinta dólares.
—Entonces, son caras.

—¿Es caro o barato el cinturón?
—Es barato.
—¿Qué dice la zapatera?
—Dice que cuesta ocho dólares.
—Tienes razón. Es barato.

—Vamos a la tienda de discos.
—¿Vas a comprar un nuevo disco compacto?
—Sí, y pienso comprar un casete también.

¡A conversar y a leer!

*(See **Resource and Activity Book,** Master 164.)*

Preguntas

1. **P:** ¿Dónde compró la blusa Elisa?
   R: Compró la blusa en el mercado al aire libre.
2. **P:** ¿Para quién compró Elisa un regalo?
   R: Elisa compró un regalo para su abuelita.
3. **P:** ¿Qué miró Elisa cuando encontró la blusa?
   R: Elisa sólo miró el precio cuando encontró la blusa.
4. **P:** ¿Tiene botones la blusa?
   R: No, no tiene botones.
5. **P:** ¿Qué va a hacer Elisa ahora?
   R: Ahora Elisa va a volver al mercado al aire libre.

Conversations

Conversation 1

NARRATOR: María is telling Rosalía what she bought yesterday.
ROSALÍA: ¿Qué compraste ayer?
MARÍA: Compré unos regalos para mi familia.
ROSALÍA: ¿Qué le compraste a tu mamá?
MARÍA: Primero entré en una joyería y le compré un brazalete y un collar muy bonitos.
ROSALÍA: ¡Las joyas son caras! ¿Pagaste mucho?
MARÍA: Le pagué al joyero cincuenta dólares.
ROSALÍA: ¿Le compraste algo a tu papá?
MARÍA: Sí. Le compré un llavero.
ROSALÍA: ¿Y qué le compraste a tu hermano?
MARÍA: Bueno, entré en la tienda de discos y miré muchos casetes y discos compactos. Por fin le compré un casete del grupo "Naranjas."
ROSALÍA: Pero a tu hermano no le gusta este grupo...
MARÍA: ¡Pero a mí me gusta muchísimo!

Conversation 2

NARRATOR: When Mrs. Guzmán goes to the store, she has a lot of people to shop for.
MUCHACHO: Entré en la zapatería la semana pasada y me encontré con la señora Guzmán.
MUCHACHA: ¿Y qué compró la señora Guzmán?
MUCHACHO: Bueno, primero compró unas sandalias rojas, ¡y luego compró seis cinturones—uno para cada hijo!
MUCHACHA: ¿Y qué más?

MUCHACHO: Le preguntó al zapatero si ya llegaron las bolsas de verano.
MUCHACHA: ¿Y qué le contestó el zapatero?
MUCHACHO: Que sí...y entonces ella compró seis bolsas de verano—una para cada hija.
MUCHACHA: ¿Y qué más?
MUCHACHO: Luego compró trece zapatos...
MUCHACHA: ¿Trece?
MUCHACHO: Sí, dos para cada hijo....¡y tres para el hijo más pequeño, que siempre pierde uno!

Feature

NARRATOR: Have you ever dreamed of going on a shopping spree? Well, three people are given just that chance on a new game show. The only catch is that they can't spend more than a certain amount. Whoever comes closest to that amount, without going over, is the winner. Let's go to the *Vivavisión* studios where the show is about to start.
ANDRÉS: Buenas tardes y bienvenidos a nuestro programa, "No gastes más." Soy Andrés Agulló y todos mis invitados son alumnos del Colegio Goya. La primera es Alicia Camacho. Hola, Alicia.
ALICIA: Hola, Andrés.
ANDRÉS: Alicia, ¿qué haces en tu tiempo libre?
ALICIA: Bueno, Andrés, me gusta sacar fotos, montar a caballo y leer. ¡Y también me encanta ir de compras!
ANDRÉS: Muy bien. Mi segundo invitado es Miguel Suárez. Miguel, ¿cómo pasas tus momentos libres?
MIGUEL: Me gustan todos los deportes, Andrés. El año pasado jugué al fútbol en el equipo del colegio.
ANDRÉS: ¡Formidable, Miguel! Y ahora vamos a conocer a Marta Gómez. Marta, cuéntanos algo de ti.
MARTA: Tengo tres hermanos y dos hermanas. Me gusta la música y algún día quiero ser profesora de historia.
ANDRÉS: Muy bien. Ustedes ya saben jugar "No gastes más," así que primero voy a darles un papel con el nombre de una tienda.
NARRATOR: Andrés passes out a card with the name of a store on it to each of the contestants. Let's see where they will go shopping.
ANDRÉS: A ver, Alicia, ¿adónde vas de compras?
ALICIA: Voy a la tienda de discos.
ANDRÉS: ¿Y tú, Miguel?
MIGUEL: A la zapatería.
ANDRÉS: ¿Marta?
MARTA: A la joyería.
ANDRÉS: Ustedes van a las tiendas que tenemos aquí en el estudio y pueden comprar todo...¡Ah, pero sin gastar más dinero de esto: ciento cincuenta dólares! No pueden gastar más de ciento cincuenta dólares. Y saben que solo tienen noventa segundos para hacer sus compras. ¿Listos?
TODOS: ¡Sí!
NARRATOR: During a break for commercials, the contestants have ninety seconds to run through the stores set up in the studio and make their purchases.
ANDRÉS: ¿Ya acabaron? A ver qué compraron en estos segundos. Primero, Miguel. ¿Qué encontraste?
MIGUEL: Pues, encontré mucho, pero solo compré estos zapatos, unas sandalias, tres bolsas y seis cinturones.
ANDRÉS: Miguel, pagaste ciento cuarenta y cinco dólares. Muy bien. No gastaste más de ciento cincuenta dólares. ¿Y Marta?
MARTA: Andrés, compré muchos regalos: tres collares, dos brazaletes y cinco llaveros.
ANDRÉS: Pero Marta, pagaste ciento sesenta dólares. Lo siento, Marta, ¡gastaste más! A ver qué gastó Alicia en la tienda de discos.
ALICIA: Compré estos tres discos compactos, este casete y nueve discos.
ANDRÉS: ¡Alicia! ¡Alicia! ¿Sabes cuánto pagaste?
ALICIA: No sé—pero no pagué más de ciento cincuenta dólares.
ANDRÉS: ¡Pagaste exactamente ciento cincuenta dólares! ¡Y ganaste todo lo que compraste en la tienda de discos, Alicia! ¡Felicitaciones!
ALICIA: ¡Gracias, Andrés! ¡Muchas gracias!
ANDRÉS: Bueno, señoras y señores. Volvemos en dos minutos, con más compras en "No gastes más."

UNIDAD 12

¡Hablemos!

(See textbook, pages 256–257.)
Students will also hear these conversations:
—¿Qué cosas traes a la playa?
—Bueno, traigo un salvavidas.
—¿Qué traes a la playa?
—Bueno, traigo la crema de broncear. No me gusta estar quemado.

—¿Qué te gusta hacer en la playa?
—Me gusta nadar.
—A mí me gusta tomar el sol.

—¿Qué haces en la playa?
—Me gusta jugar al volibol.
—A mí tambien.

(See textbook, pages 260–261.)
Students will also hear these conversations:
—¿Qué te gusta hacer en el mar?
—¡Me gusta bucear!

—¿Qué te gusta hacer en el mar?
—Me gusta flotar en las olas.

—¿Qué te gusta hacer en el mar?
—Me gusta buscar caracoles y conchas.
—¿Sí, a mí también.

¡A conversar y a leer!

*(See **Resource and Activity Book,** Master 165.)*

Preguntas

1. **P:** ¿Dónde puedes ir para esquiar en las montañas y nadar en el mar?
   R: Puedes ir a Santa Bárbara de los Arcos.
2. **P:** ¿Hay lugares culturales en Santa Bárbara de los Arcos?
   R: Sí, hay museos y sitios históricos.
3. **P:** ¿Son muy grandes todas las olas?
   R: No. Hay playas donde el mar es tranquilo.
4. **P:** ¿Qué hicieron el Sr. Rodríguez y su familia?
   R: Su hijo nadó en la playa, su hija esquió en las montañas, su esposa buceó en el mar y él tomó el sol.
5. **P:** ¿Es deliciosa la comida según el Sr. Rodríguez?
   R: Sí. Él dice que la comida es muy deliciosa.

Conversations

Conversation 1

NARRATOR: Marcos tells Isabel about some useful things he and his friends learned at the beach.
ISABEL: ¿Cómo pasaron ustedes el día en la playa?
MARCOS: Lo pasamos muy bien, gracias. Todos aprendimos mucho.
ISABEL: ¿Qué aprendieron ustedes?
MARCOS: Bueno, primero Juanita aprendió a flotar sin salvavidas.
ISABEL: ¿Qué aprendieron Lola y Luis?
MARCOS: Ellos aprendieron los nombres de las conchas.
ISABEL: ¿Aprendió algo Carlos?
MARCOS: Sí. Carlos aprendió a bucear. Ahora le gusta muchísimo.
ISABEL: Y tú, ¿qué aprendiste?
MARCOS: Aprendí algo para la próxima vez.
ISABEL: ¿Qué es?
MARCOS: Aprendí a llevar la crema de broncear porque ahora estoy muy quemado.

Conversation 2

NARRATOR: Ana and Marta are spending a day on the beach.
ANA: ¿Quién es la chica tan bronceada?
MARTA: ¿Esa chica con los anteojos azules?
ANA: ¡No! Aquella chica con las sandalias rojas.
MARTA: ¡Oh! Es mi prima Olga. Viene para practicar el esquí acuático con mis hermanitos.
ANA: ¿No hay peligro si hay muchas olas?
MARTA: Si las olas son muy grandes, no pueden practicar este deporte. Pero hoy no hay olas y van a salir en la lancha de papá.
ANA: ¿Sales con ellos?
MARTA: ¡No! No quiero practicar los deportes. Las vacaciones son para descansar.

Feature

NARRATOR: Ana was looking forward to her afternoon at the beach, but her cousin Pedro is not always the best company.
ANA: Pedro, camina más rápido, por favor.
PEDRO: Es que no puedo, Ana. Tengo mucha arena en los zapatos, y es muy difícil caminar.
ANA: Pues, ¡quítate los zapatos!

Tapescripts / Lesson Cassettes

PEDRO: Ay, no. La arena está muy caliente y me quema los pies.
ANA: Bueno, entonces podemos caminar en el agua.
PEDRO: A ver...Brrrr. El agua está muy fría.
NARRATOR: Ana and Pedro finally find a place to sit down.
PEDRO: ¿Por qué no nos sentamos aquí?
ANA: Bueno, está bien.
PEDRO: ¿Me ayudas a abrir la sombrilla?
ANA: ¡Pero Pedro, esta sombrilla es enorme!
PEDRO: Sí. Es para tres o cuatro personas. A mí no me gustan las pequeñas, como aquella sombrilla roja. Prefiero las grandes.
ANA: Pero a mí no me gusta estar debajo de una sombrilla. Prefiero tomar el sol.
PEDRO: Es que yo siempre me quemo.
ANA: ¿Por qué no te pones una crema de broncear para no quemar? Esta crema es muy buena.
PEDRO: No me gusta usarlas.
ANA: Ya, ya comprendo.
NARRATOR: Both Ana and Pedro sit quietly on the beach for a while—Pedro under his sun umbrella, of course.
PEDRO: Ana.
ANA: ¿Sí?
PEDRO: Estoy aburrido.
ANA: ¿Por qué no lees algo?
PEDRO: Ayer perdí mis anteojos.
ANA: ¿Nadamos entonces?
PEDRO: Bueno, la verdad es que nunca aprendí a nadar...ni aprendí a flotar muy bien.
ANA: Bueno, si no quieres nadar, ¿quieres buscar conchas?
PEDRO: No gracias. Ayer corrí veinte kilómetros y me dolieron las piernas toda la noche. Necesito descansar.
ANA: ¿Veinte kilómetros? ¿A qué hora saliste de casa?
PEDRO: Salí a las siete de la mañana.
ANA: ¿Y cuándo volviste?
PEDRO: Volví a las cinco de la tarde.
ANA: ¡Pedro! ¿Corriste diez horas?
PEDRO: No, corrí tres horas. Luego, esperé a mis papás por siete horas. ¡Es que salí de casa sin mis llaves! ¡Y mis padres no volvieron hasta las cinco!
ANA: ¡Ay, Pedro! ¿Qué voy a hacer contigo?

Tapescripts / Song Cassette

The songs that have been selected and written for the ***¡Viva el español!*** textbook series include traditional music forms and standard tunes from Spanish-speaking countries, as well as original songs that reflect the students' world with humor and grace, while exposing them to the varied musical rhythms prevalent in Latin American and Spanish music.

All the songs—the music and lyrics—in this section have been recorded on the ***¡Adelante!*** Song Cassette. The songs not only represent the diversity of music in Hispanic cultures but also reflect the themes or language of the units in the textbook. The following chart lists the songs and serves as a guide for you to incorporate them in your classroom activities throughout the school year.

Songs	***Units***
"Cielito lindo"	Repaso
"El torero"	Unidad 1
"San Serení"	Unidad 2
"Al pasar el barco"	Unidad 4
"Si comunicamos"	Unidad 4
"Guantanamera"	Unidad 5
"Mi habitación"	Unidad 7
"Laredo"	Unidad 8
"Mañanitas tapatías"	Unidad 8
"Rin, rin"	Unidad 9
"¿Adónde voy?"	Unidad 10
"Tu globo azul"	Unidad 11
"Las gaviotas"	Unidad 12

Cielito lindo

Traditional, Mexico
Arrangement by Patti Lozano

1. De la sierra morena,
   Cielito lindo, vienen bajando
   Un par de ojitos negros,
   Cielito lindo, de contrabando.

Chorus:
¡Ay, ay, ay, ay!
Canta y no llores,
Porque cantando se alegran,
Cielito lindo, los corazones.

2. Una flecha en el aire,
   Cielito lindo, lanzó Cupido.
   Y como fue jugando,
   Cielito lindo, yo fui el herido.

(Repeat chorus.)

3. Ese lunar que tienes,
   Cielito lindo, junto a la boca,
   No se lo des a nadie,
   Cielito lindo, que a mí me toca.

(Repeat chorus.)

El torero

Words and music by Patti Lozano

No quiero jugar al tenis,
Y no me invitan a jugar al volibol.
El fútbol me parece muy peligroso y
No me interesa el béisbol . . . Pero quiero ser—

¡Torero!
Más valiente que el vaquero.
Con mi capa y sombrero,
¡Amado por el mundo entero!
¡Torero!
Nombre grande en letrero.
Hombre guapo y ligero,
¡Ganando siempre más dinero!

No quiero cultivar plantas.
Tocar un instrumento no es nada fácil.
Ir de pesca es muy aburrido.
Sacar fotos es difícil . . . Pero quiero ser—

¡Torero!
Más valiente que el vaquero.
Con mi capa y sombrero,
¡Amado por el mundo entero!
¡Torero!
Nombre grande en letrero.
Hombre guapo y ligero,
¡Ganando siempre más dinero!
¡Olé!

San Serení

San Serení de la buena, buena vida,
Hacen así, así los zapateros.
Así, así, así, así me gusta a mí.

To create subsequent verses, substitute other professions: *las policías, los empleados, las secretarias, los bomberos,* etc.

Al pasar el barco

Folk song, Spain
Arrangement by Patti Lozano

1. Al pasar el barco,
Me dijo el barquero:
"Las niñas bonitas
No pagan dinero."

Al volver el barco,
Me volvió a decir:
"Las niñas bonitas
No pagan aquí."

2. "Yo no soy bonita
Ni lo quiero ser:
Las niñas bonitas
Se echan a perder."

"Como soy tan fea
Yo le pagaré:
Allí va el barco
De Puerto Isabel."

Si comunicamos

Words and music by Patti Lozano

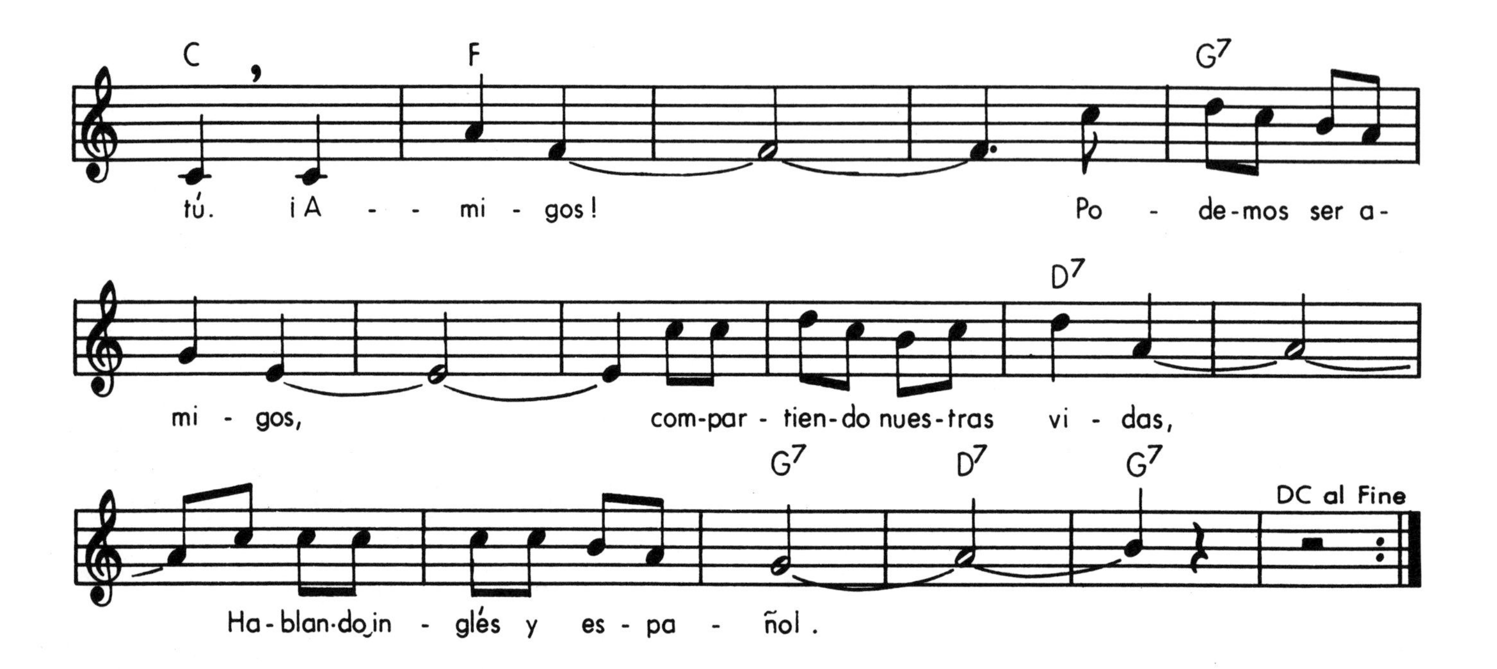

Chorus:
Somos iguales en muchas maneras.
Somos distintos también.
Viviendo en muchos países.
Nacidos de muchas raíces.
Si comunicamos, nos entendemos bien.

Argentina, Ecuador, Bolivia y Paraguay,
Canadá, Honduras, España y Perú.
Venezuela, Guatemala, Panamá y Uruguay,
México y Cuba,
Personas como tú.

¡Amigos!
Podemos ser amigos,
Compartiendo nuestras vidas,
Hablando inglés y español.

(Repeat chorus.)

Guantanamera

Words by José Martí

Chorus:
Guantanamera, guajira, guantanamera,
Guantanamera, guajira, guantanamera.

1. Yo soy un hombre sincero
De donde crece la palma.
Yo soy un hombre sincero
De donde crece la palma.
Y antes de morirme quiero
Echar mis versos del alma.

(Repeat chorus.)

2. Mi verso es de un verde claro
Y de un carmín encendido.
Mi verso es de un verde claro
Y de un carmín encendido.
Mi verso es un cierro herido
Que busca en el monte amparo.

(Repeat chorus.)

3. Con los pobres de la tierra
Quiero yo mi suerte echar.
Con los pobres de la tierra
Quiero yo mi suerte echar.
El arroyo de la sierra,
Me complace más que el mar.

(Repeat chorus.)

Mi habitación

Words and music by Patti Lozano

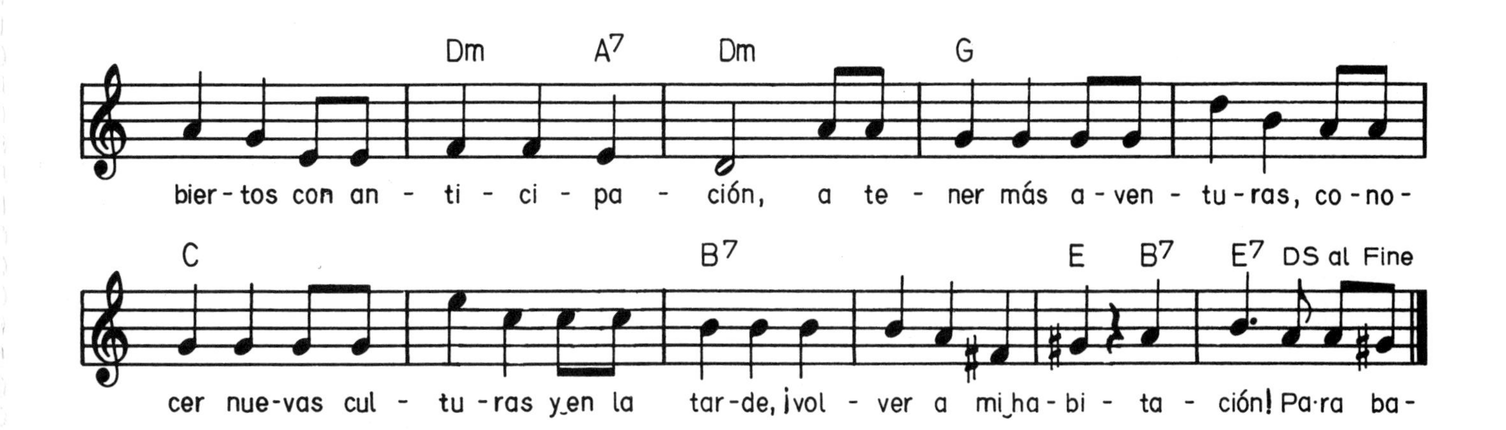

1. ¡Cómo me duelen las piernas
   De tanto andar en mi vacación!
   Y es interesante
   Y sigo adelante,
   Pero ya quiero ver mi habitación.

2. Todo el día he admirado
   El arte antiguo con concentración.
   Aunque soy lista,
   Sólo soy turista
   Y ya quiero ver mi habitación.

Chorus:
Quiero bañarme, lavarme el pelo,
Pedir un refresco con mucho hielo,
Usar las toallas y el perfumado jabón,
Escribir tarjetas postales en el sillón.

3. Mañana voy a despertarme,
   Ojos abiertos con anticipación,
   A tener más aventuras,
   Conocer nuevas culturas
   Y en la tarde, ¡volver a mi habitación!

Chorus:
Para bañarme, lavarme el pelo,
Pedir un refresco con mucho hielo,
Usar las toallas y el perfumado jabón,
Escribir tarjetas postales en el sillón.

Laredo

Traditional, adapted
Arrangement by Patti Lozano

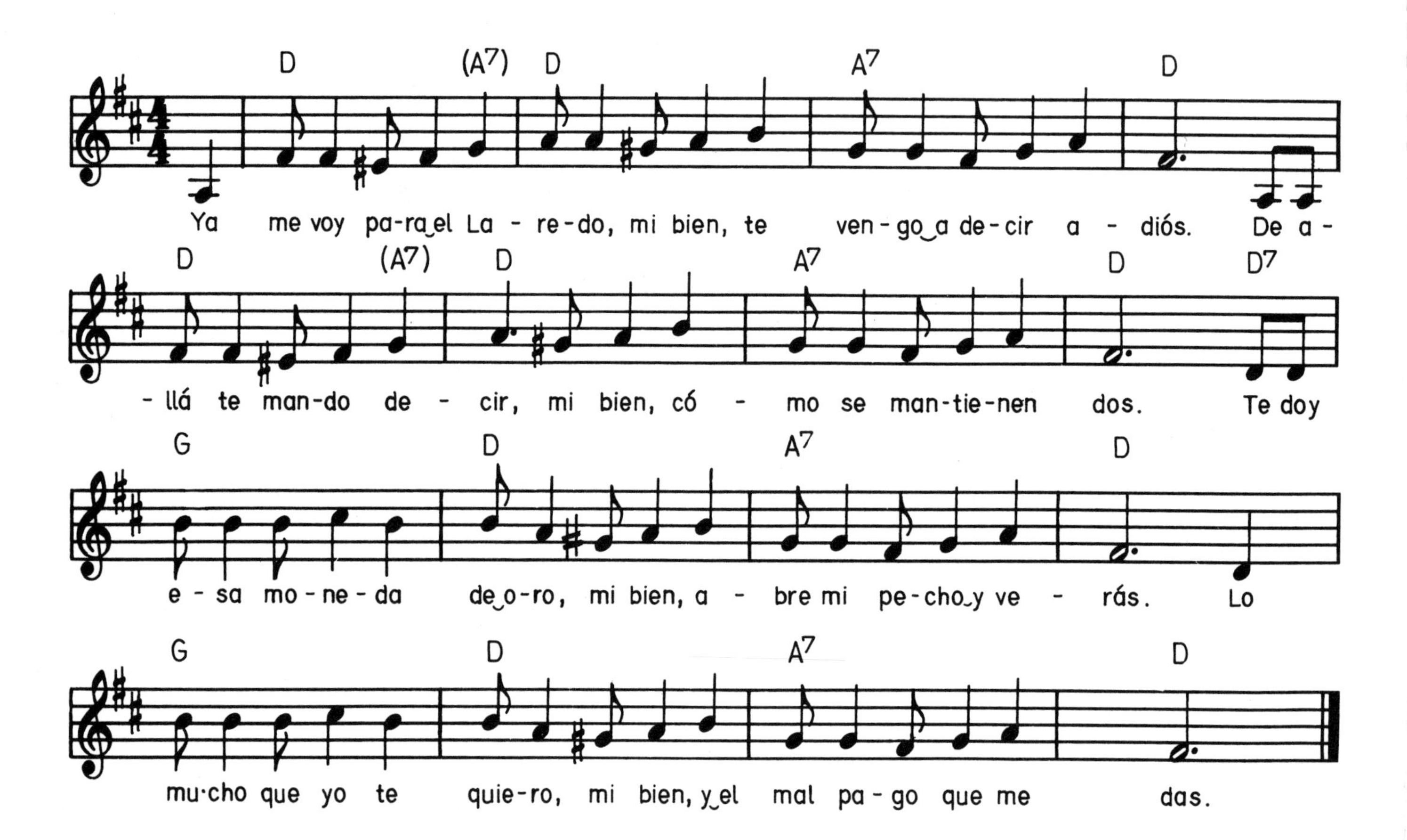
D (A7) D A7 D
Ya me voy pa-ra el La - re-do, mi bien, te ven - go a de-cir a - diós. De a -
D (A7) D A7 D D7
- llá te man-do de - cir, mi bien, có - mo se man-tie-nen dos. Te doy
G D A7 D
e - sa mo - ne - da de o-ro, mi bien, a - bre mi pe-cho y ve - rás. Lo
G D A7 D
mu·cho que yo te quie-ro, mi bien, y el mal pa - go que me das.

Chorus:
Ya me voy para el Laredo, mi bien,
Te vengo a decir adiós.
De allá te mando decir, mi bien,
Cómo se mantienen dos.

1. Te doy esa moneda de oro, mi bien,
   Abre mi pecho y verás
   Lo mucho que yo te quiero, mi bien,
   Y el mal pago que me das.

(Repeat chorus.)

2. Te doy esa cajita de oro, mi bien,
   Mira lo que lleva dentro.
   Lleva amores, lleva celos, mi bien,
   Y un poco de sentimiento.

(Repeat chorus.)

Mañanitas tapatías

Traditional, Mexico

1. Qué linda está la mañana
   En que vengo a saludarte;
   Venimos todos con gusto
   Y placer a felicitarte.

Chorus:
Ya viene amaneciendo,
Ya la luz del día nos dio,
Levántate de mañana,
Mira que ya amaneció.

2. Quisiera ser solecito
   Para entrar por tu ventana,
   Y darte los buenos días
   Acostadita en tu cama.

(Repeat chorus.)

Rin, rin

Traditional, Spain
Christmas song

Hacia Belén va una burra,
Rin, rin,
Yo me remendaba,
Yo me remendé,
Yo me eché un remiendo,
Yo me lo quité,
Cargada de chocolate.
Lleva su chocolatera,
Rin, rin,
Yo me remendaba,
Yo me remendé,
Yo me eché un remiendo,
Yo me lo quité,
Su molinillo y su anafre.

María, María,
Ven acá corriendo,
Que el chocolatillo
Se lo están comiendo.

En el Portal de Belén,
Rin, rin,
Yo me remendaba,
Yo me remendé,
Yo me eché un remiendo,
Yo me lo quité.
Han entrado los ratones
Y al bueno de San José,
Rin, rin,
Yo me remendaba,
Yo me remendé,
Yo me eché un remiendo,
Yo me lo quité,
Le han roído los calzones.

María, María,
Ven acá corriendo,
Que los calzoncillos
Los están royendo.

¿Adónde voy?

Words and music by Patti Lozano

Chorus:
¿Adónde voy? ¿Dónde estoy?
Vengo de mi pueblo y me pierdo en el centro.
¿Adónde voy? ¿Dónde estoy?
Por favor, ayúdame. No sé dónde me encuentro.

1. ¿Dónde está la tienda de piñatas?
¿Queda atrás o queda adelante?
¿Dónde está la joyería?
Si usted no sabe, pregunto a la policía.

(Repeat chorus.)

2. ¿Dónde está el museo de arte?
¿A una cuadra más al sur o una al norte?
¿Dónde está el parque con alberca?
¿Está a muchos kilómetros o está muy cerca?

(Repeat chorus.)

3. ¿Dónde está el Mercado del Sol?
¿En esta esquina o a la izquierda del farol?
¿Dónde está el Hotel Ixtapa?
¿Puede usted decirme dónde compro un mapa?

(Repeat chorus.)

Tu globo azul

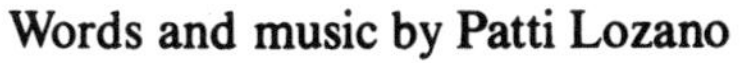

Me acuerdo del día que jugaste
Con tanto placer con tu globo azul.
Cuando se reventó, tanto lloraste,
Que me tocaste en el corazón.

Me acuerdo del día que andamos
En la playa a la orilla de las olas del mar.
No sé cuántas millas caminamos;
Aún tengo los tesoros que lograste encontrar.

Ya eres hombre alto y derecho.
Se queda no màs un suspiro de ayer.
Te veo con orgullo, pero aún tengo guardado
La memoria de ti con tu globo azul,
La memoria de ti con tu globo azul.

Me acuerdo de los monstruos que mataste,
Tan valiente, armado de imaginación—
A los tres años, un niño invencible,
Saltando de la cama, el pequeño campeón.

Ya eres hombre alto y derecho.
Se queda no más un suspiro de ayer.
Te veo con orgullo, pero aún tengo guardado
La memoria de ti con tu globo azul,
La memoria de ti con tu globo azul.

Las gaviotas

Arrangement by Patti Lozano

1. Las gaviotas tienden su vuelo,
   Abren sus alas para volar,
   Andan buscando nidos de amores,
   Nidos de amores encontrarán.

2. Cómo brilla tu negro pelo,
   Como las olas al reventar,
   Miles de conchas tiene la arena,
   Miles de perlas tiene la mar.

3. Ya me despido, querido joven,
   Ya me despido sin dilación;
   Pues te lo juro que aunque estés lejos,
   Nunca te cambio por otro amor.

¡HABLEMOS!

¿Qué quieres hacer?

el tenis

el baloncesto

el fútbol

el fútbol americano

el béisbol

el volibol

la jugadora

el jugador

el equipo

¿Cómo pasas el tiempo?

las damas

el ajedrez

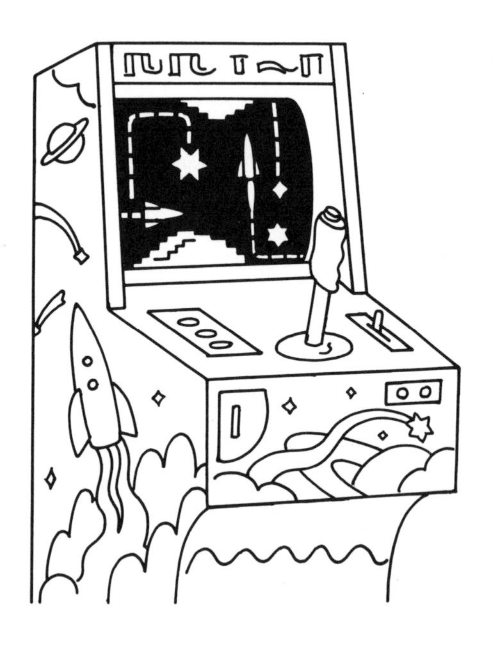

los juegos electrónicos

el dominó

ir de pesca

montar a caballo

tocar un instrumento

sacar fotos

ir en bicicleta

cultivar plantas

coleccionar
estampillas

¿Qué hacen las personas?

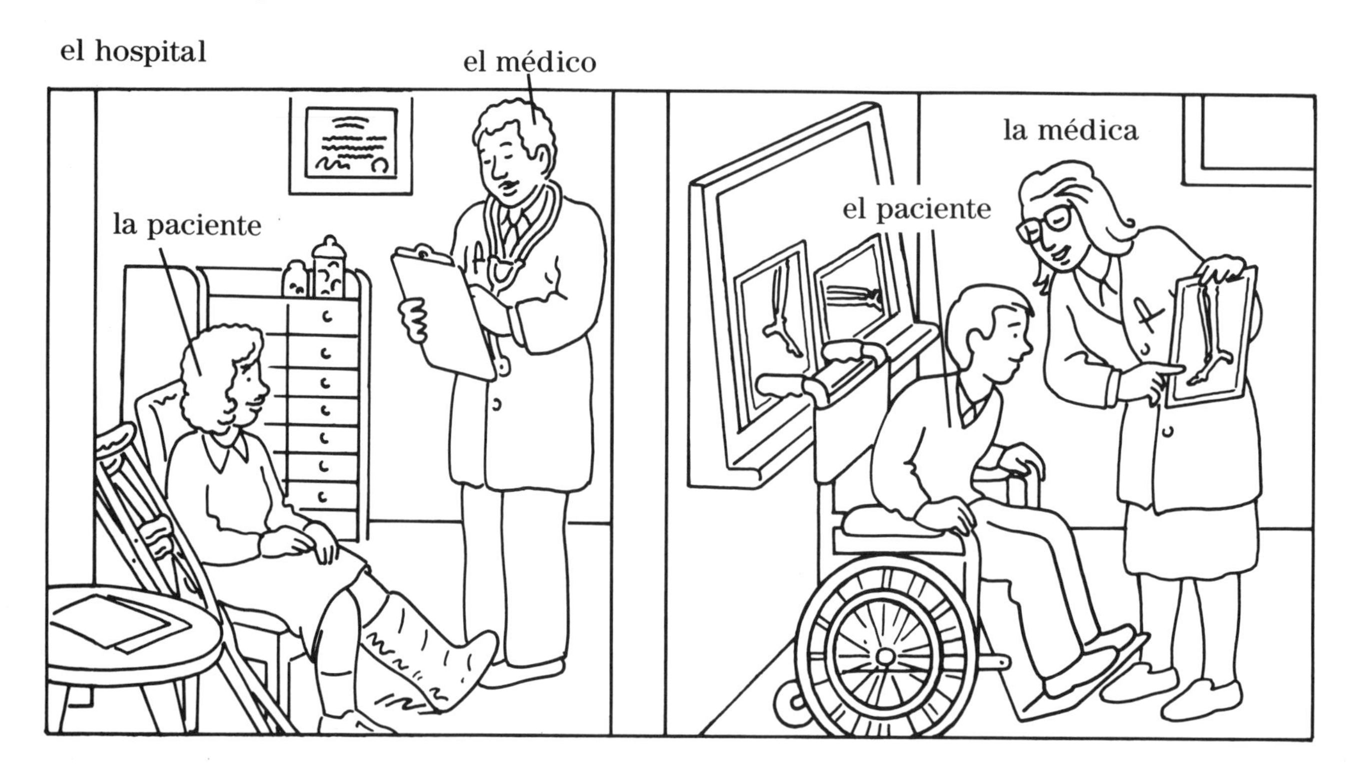

Los médicos examinan a los pacientes en el hospital.

Los bomberos apagan incendios.

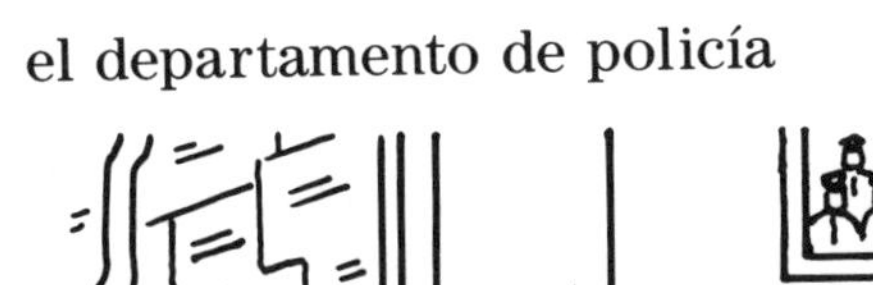

Los policías ayudan a la gente.

¿Qué quieres ser?

Los dueños son los directores de la compañía.
Los empleados trabajan en las oficinas.

Los vendedores venden ropa en el almacén.

Los obreros trabajan en la fábrica.

¿Cómo vamos a ir?

el autobús

la parada de autobús

el taxi

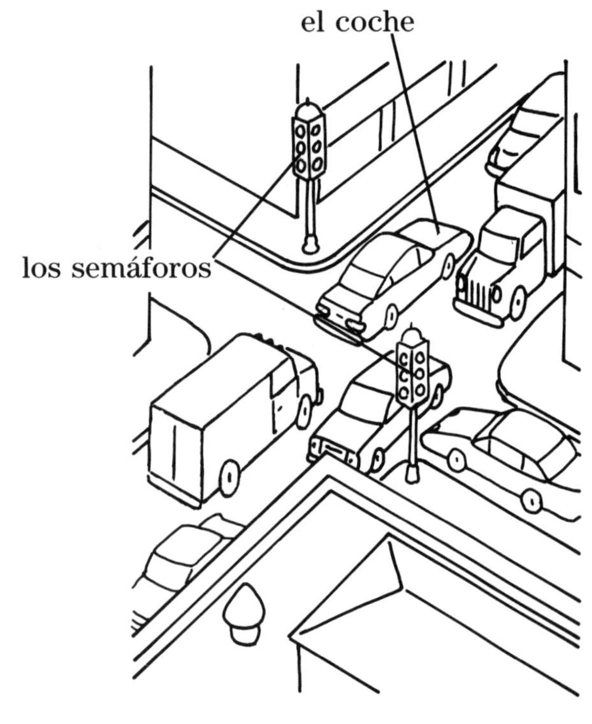

la avenida

abrochar los cinturones

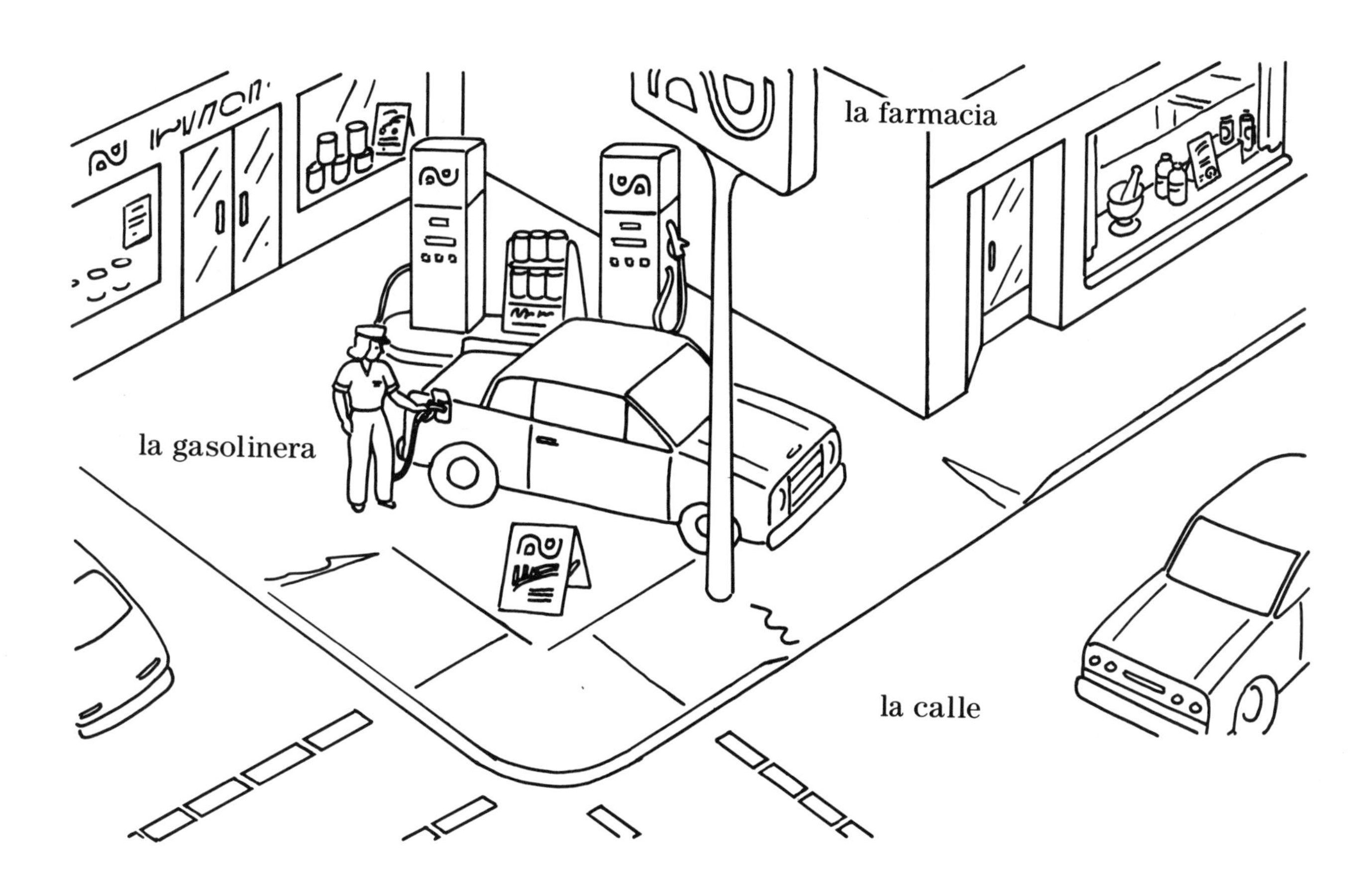
la farmacia
la gasolinera
la calle

¿Qué hay en el centro?

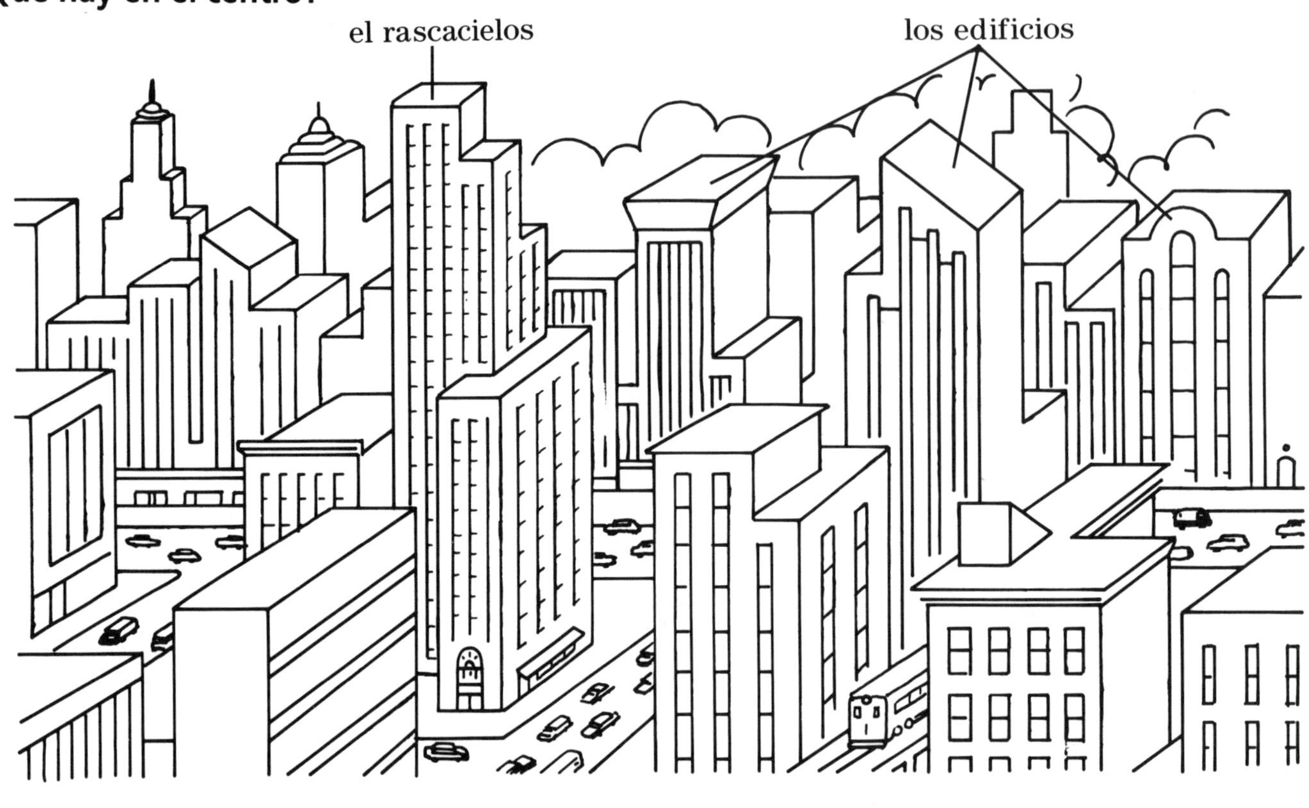

el centro

la plaza

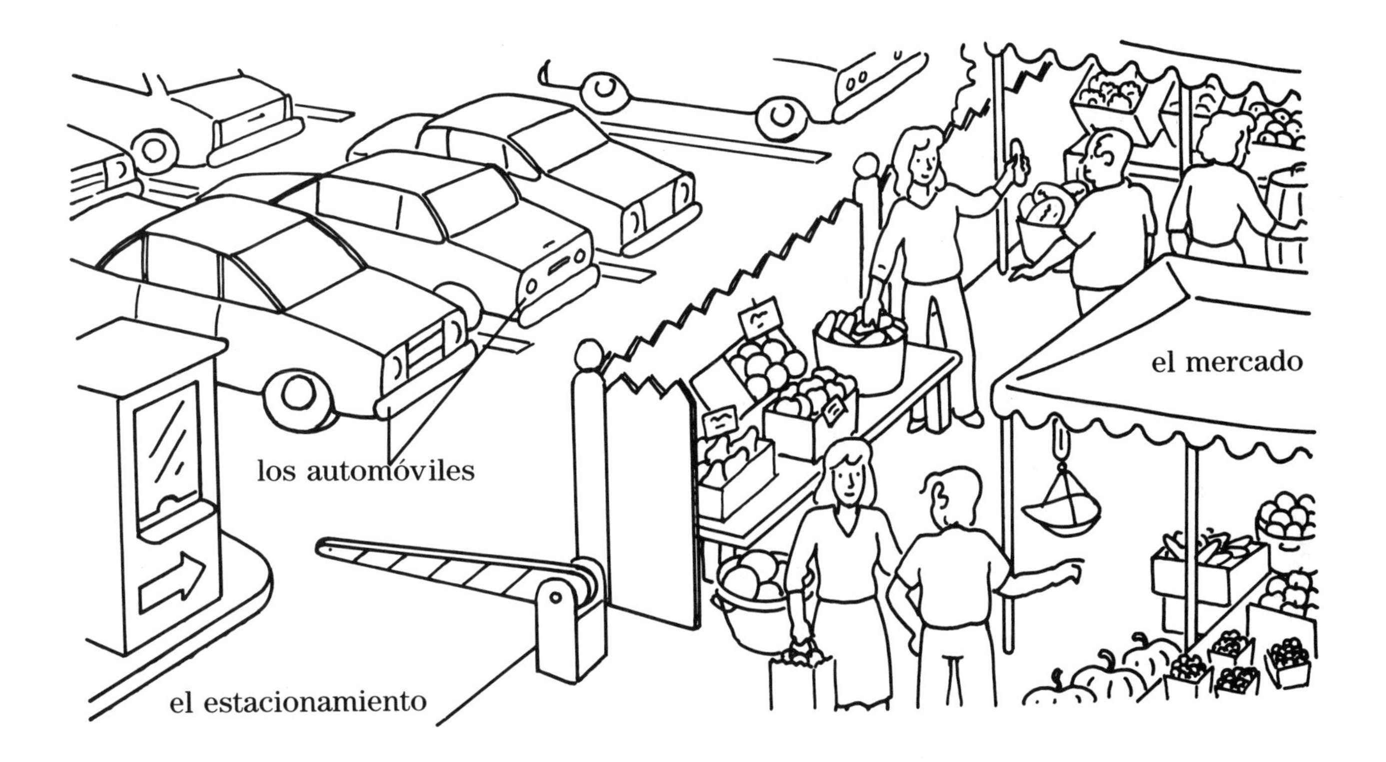
el mercado
los automóviles
el estacionamiento

¿Estás listo para salir?

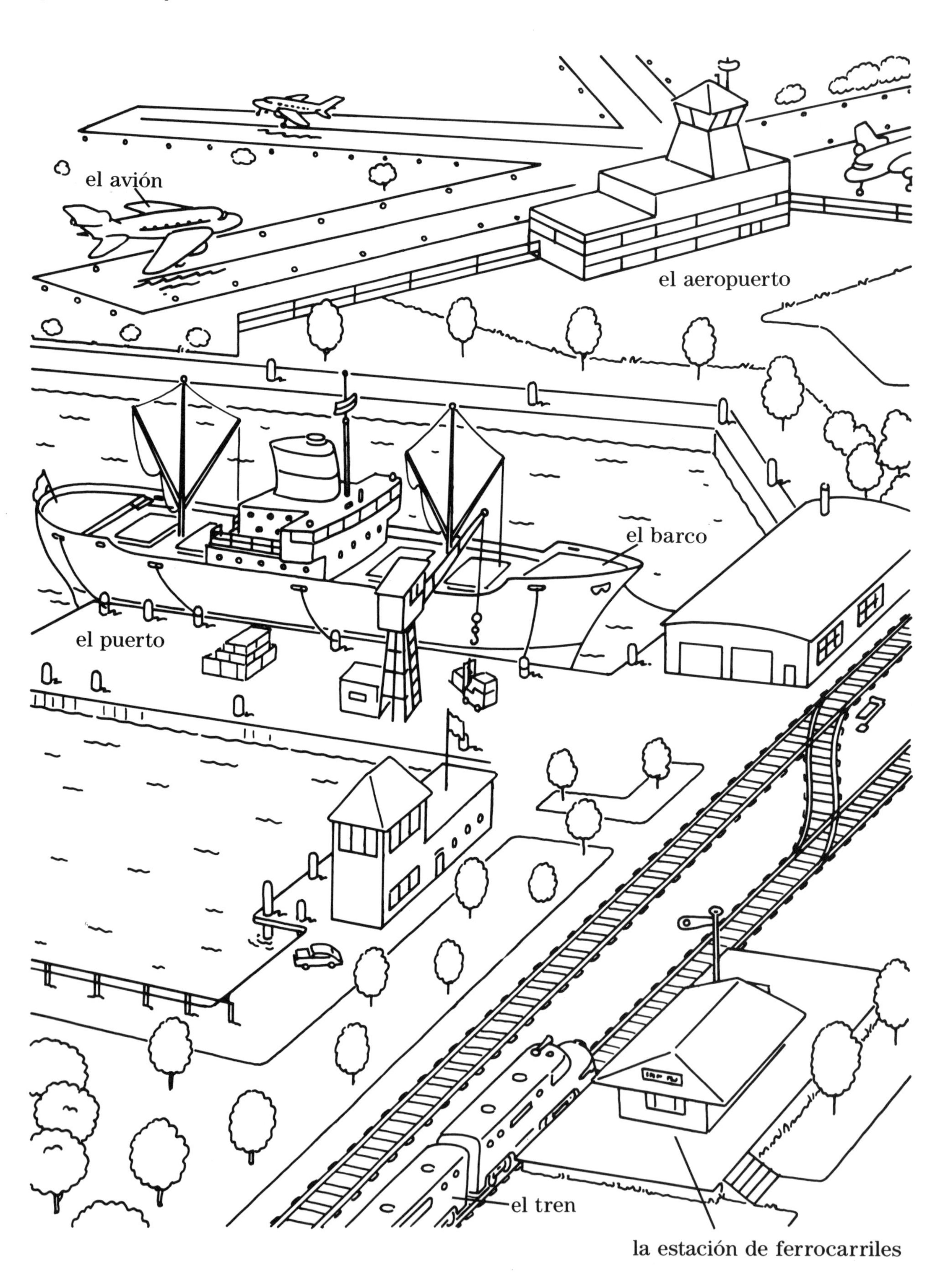

LA AMÉRICA DEL NORTE
Canadá
Estados Unidos
México

¿En qué países hablar

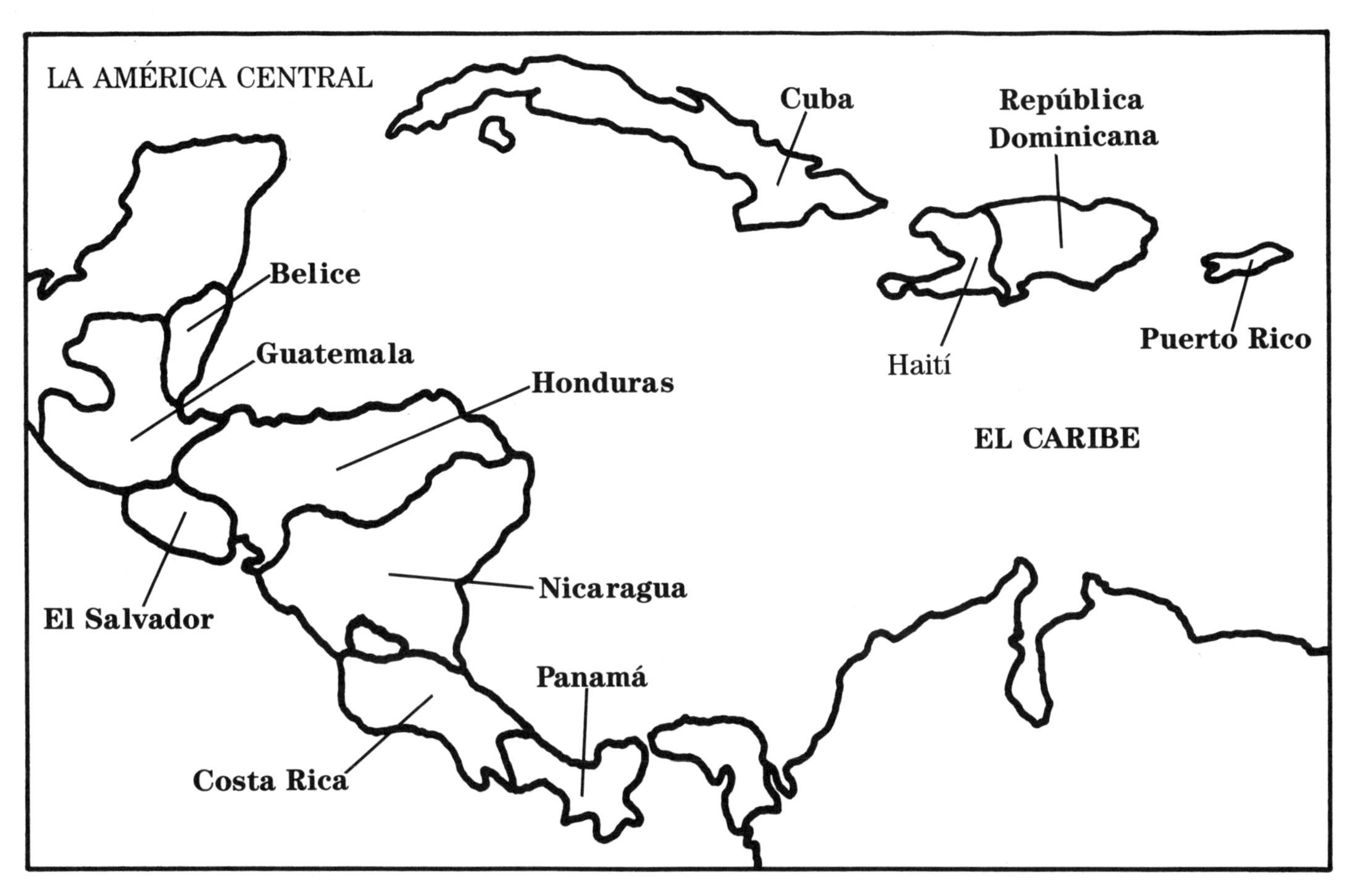
LA AMÉRICA CENTRAL
Cuba
República
Dominicana
Belice
Guatemala
Honduras
Haití
Puerto Rico
EL CARIBE
Nicaragua
El Salvador
Panamá
Costa Rica

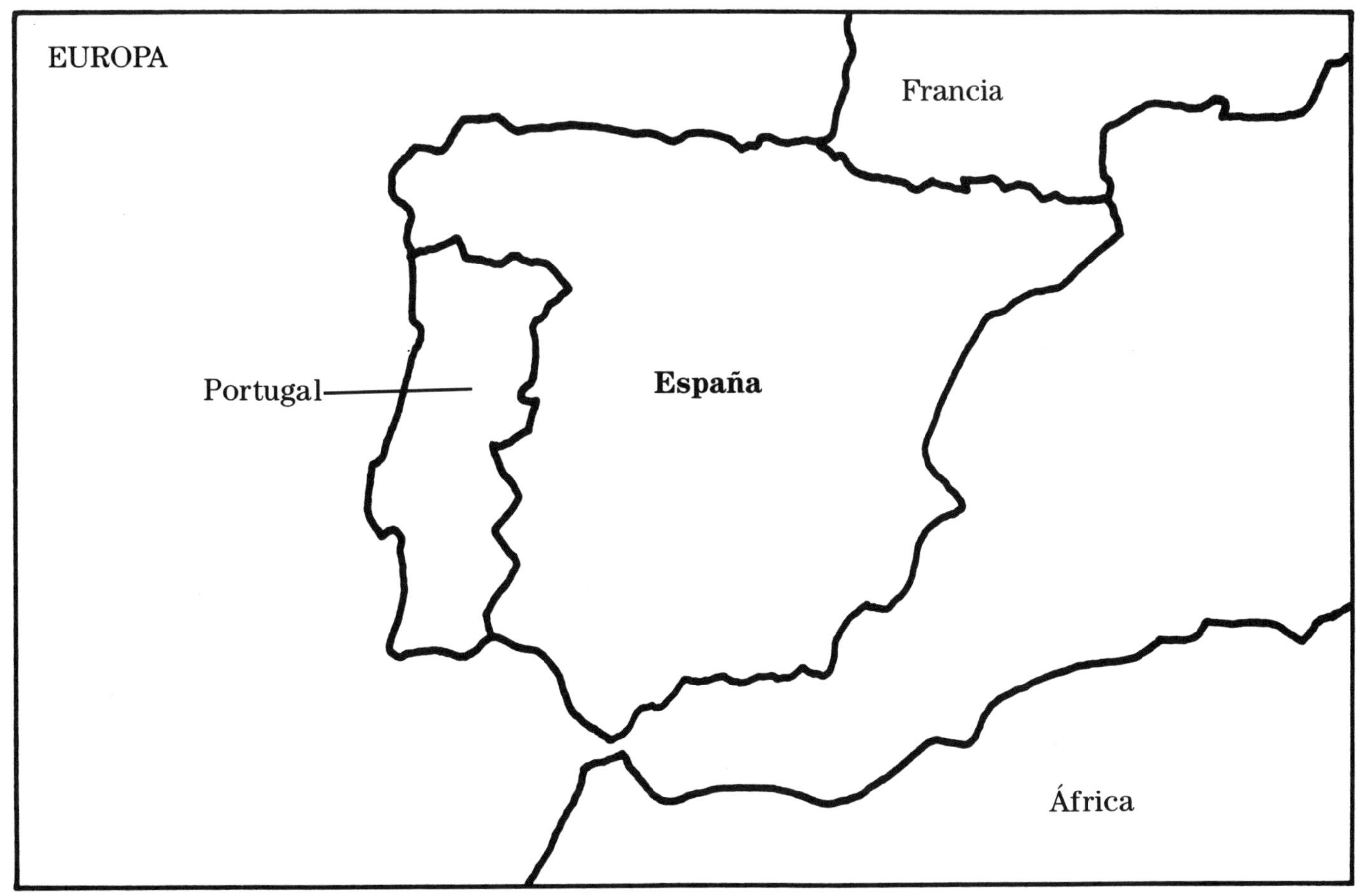
EUROPA
Francia
Portugal
España
África

¿Adónde vamos a viajar?

¿Cuánto cuesta el viaje?

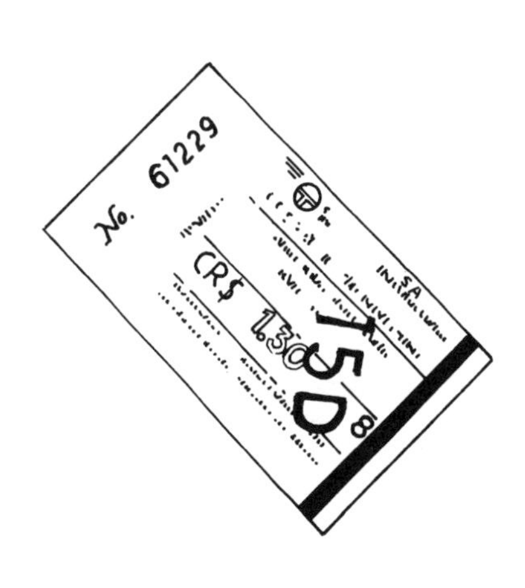

el billete

costar

pagar

¿Vas en esta línea aérea?

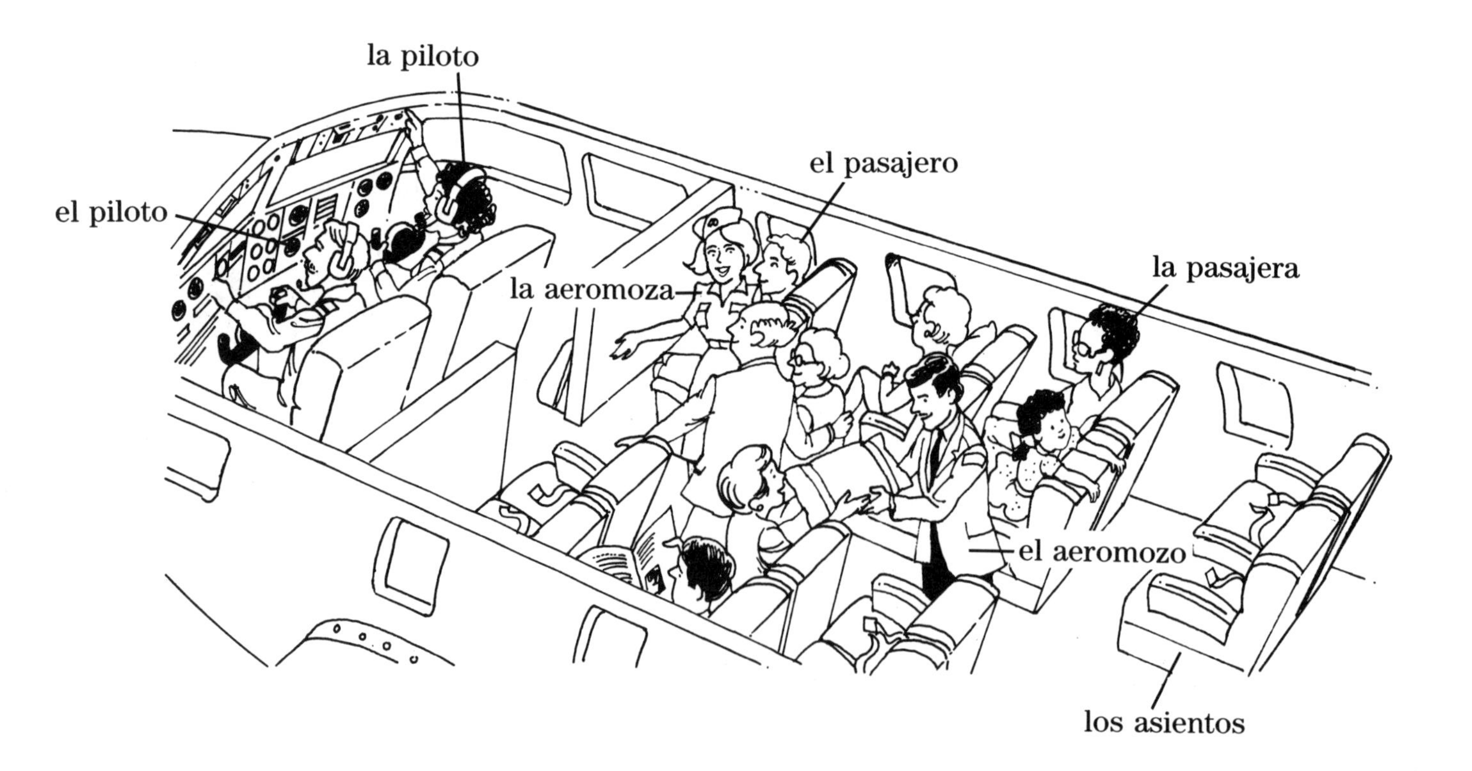

¿Llega a tiempo el vuelo?

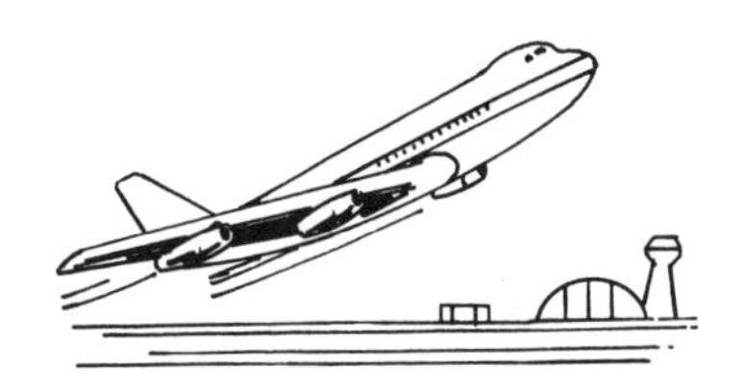

El avión despega.
(despegar)

El avión vuela.
(volar)

El avión aterriza.
(aterrizar)

El asiento es cómodo.

El asiento es incómodo.

Llegadas

Vuelos	Horas	Puertas
516 Madrid	1:45	F6
101 Paris	3:15	
265 Frankfurt	3:50	

Salidas

Vuelos	Horas	Puertas
753 Buenos Aires	2:15	G10
611 Dallas	2:35	G14
302 Miami	3:25	

El vuelo número cinco dieciséis llega a las dos menos quince.
El vuelo número seis once sale a las tres menos veinticinco.

¿Necesitan un cuarto?

¿Qué hay en la habitación?

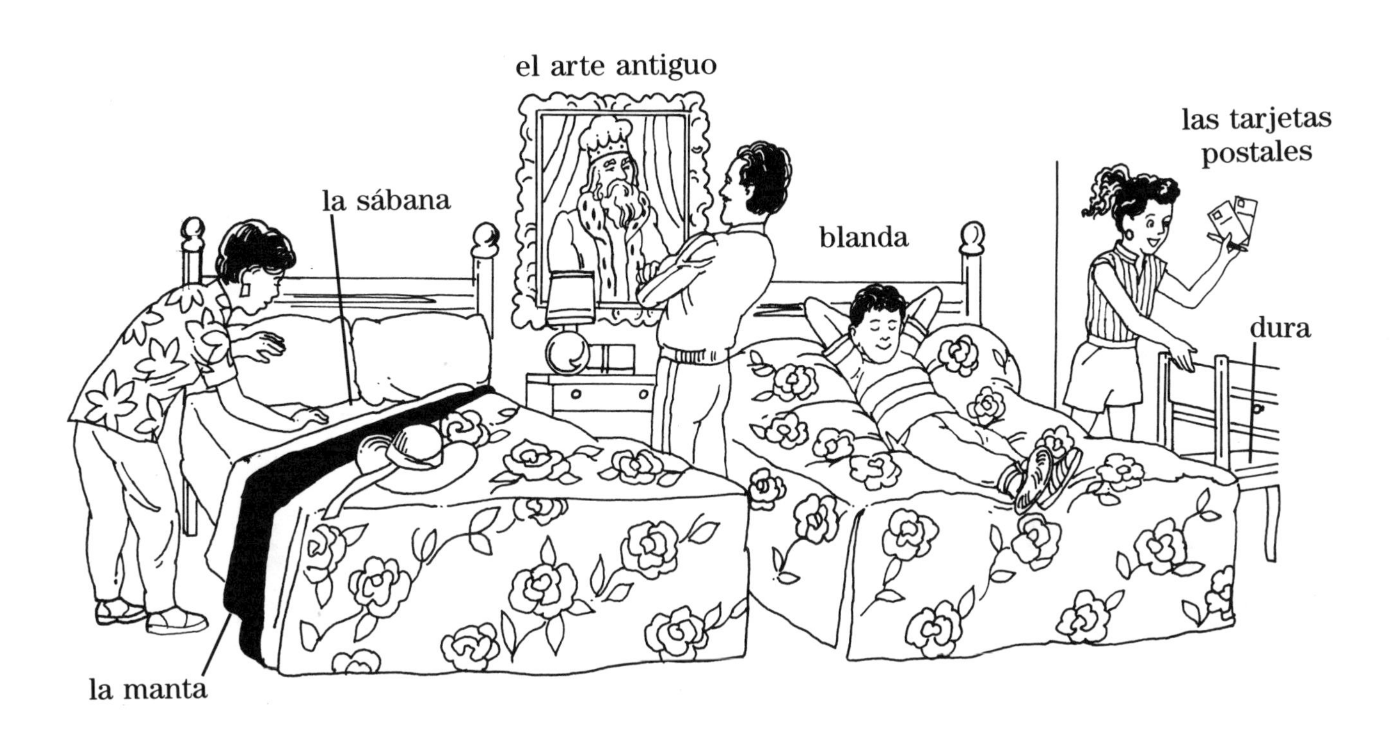

¿Vas a cambiar dinero?

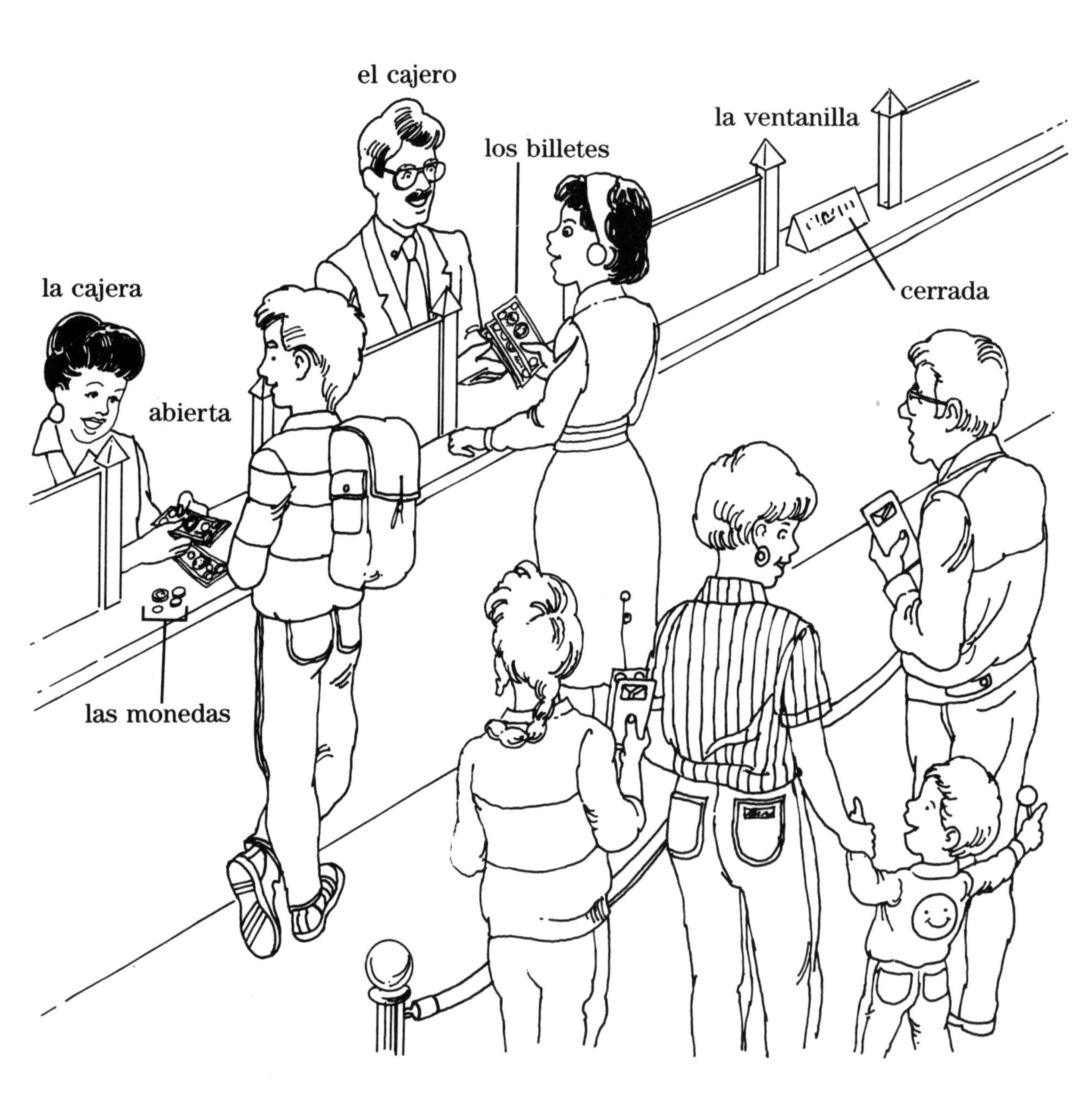

el banco

¿Te gusta el restaurante?

el restaurante

¿Dónde te busco?

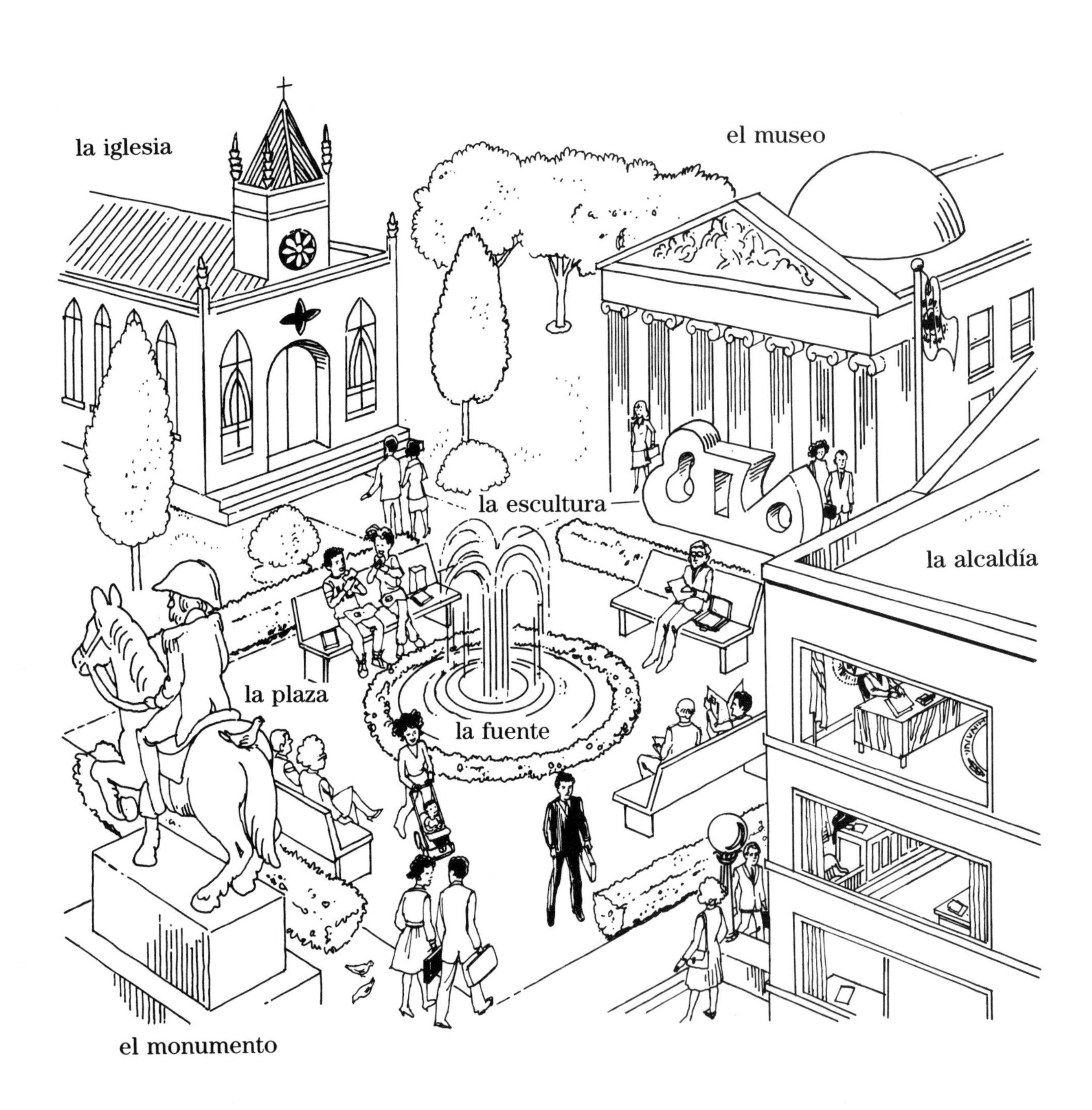

¿Qué otros lugares hay en la comunidad?

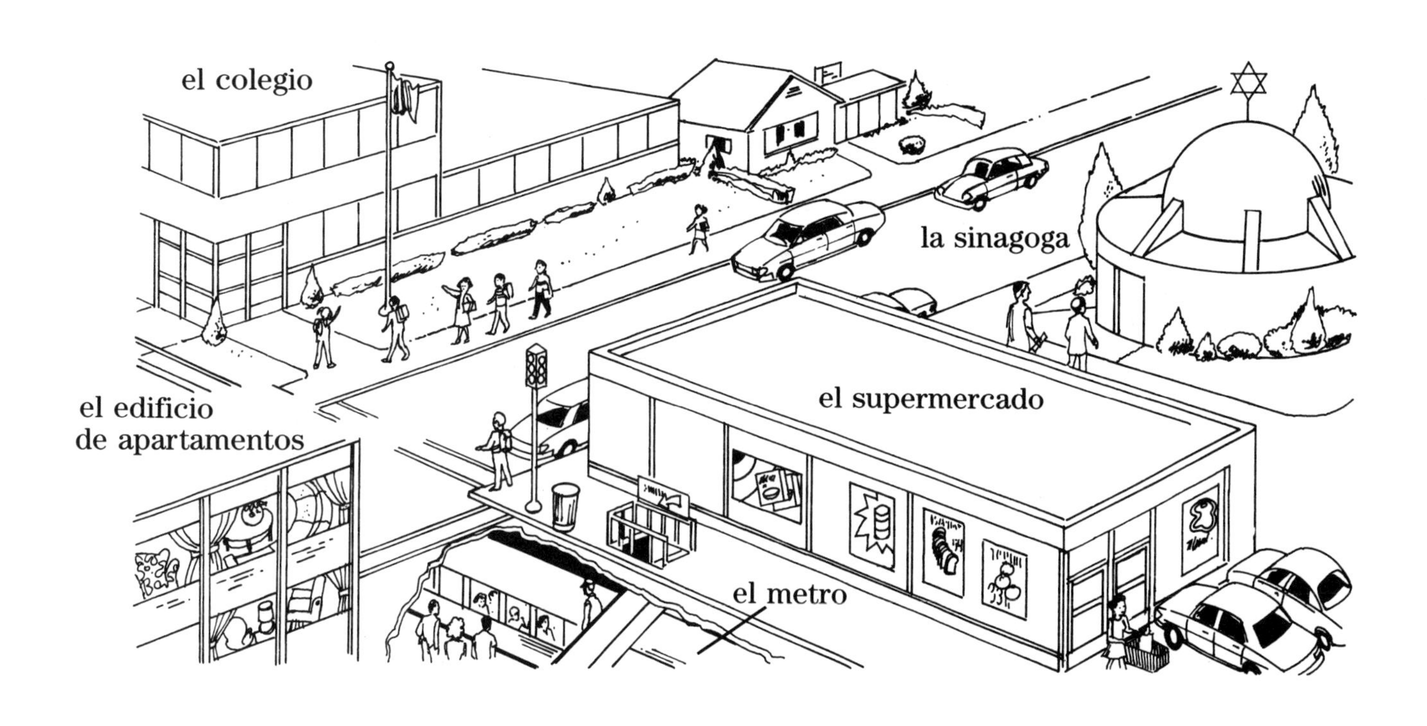

el zoológico

el estadio

el mercado al aire libre

¿Dónde está tu casa?

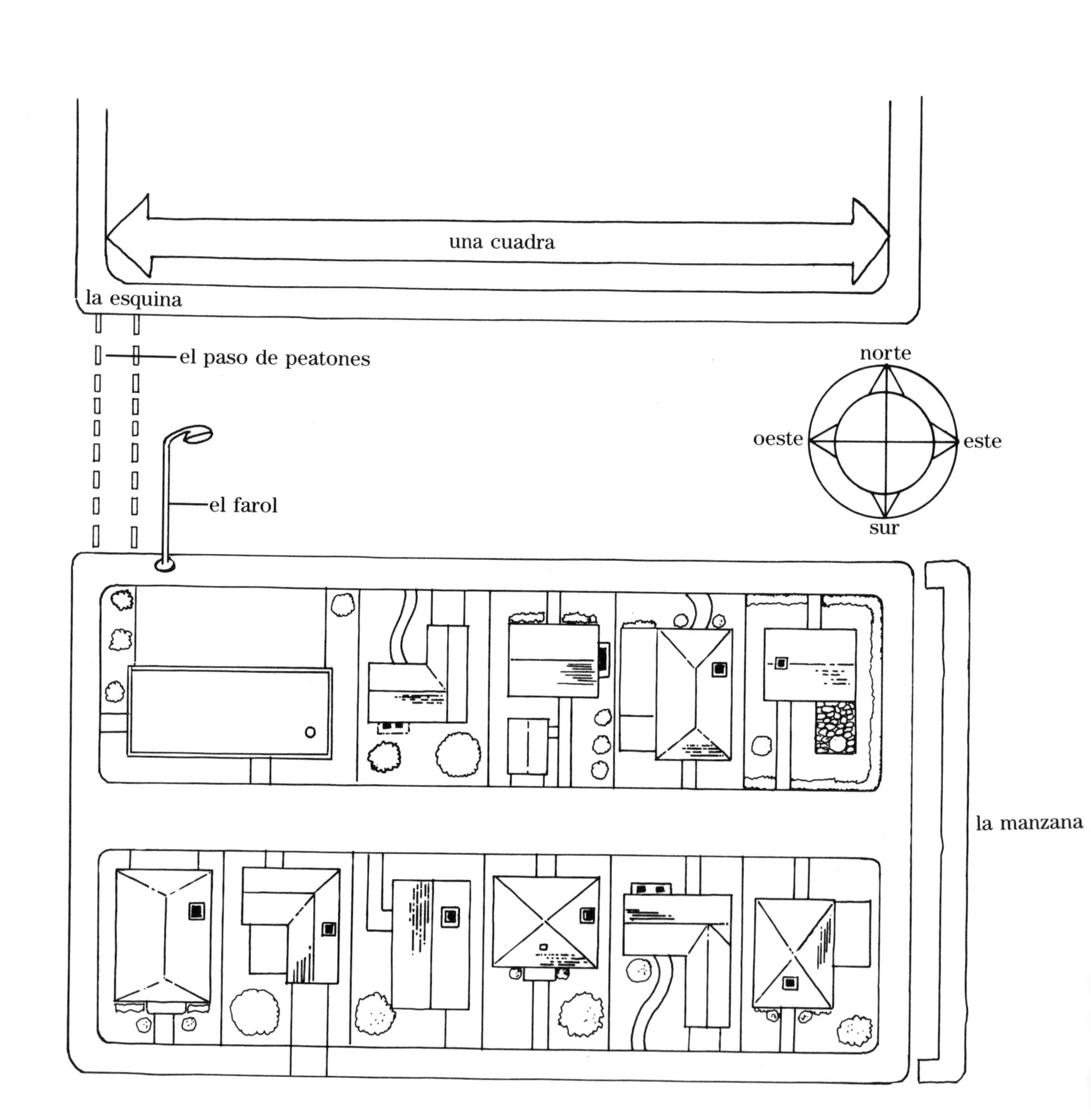

¿Queda adelante o atrás?

Va rápido.

Va despacio.

Queda adelante.

Queda atrás.

perderse

encontrarse

¿Qué piensas comprar?

la joyería

¿Son baratos o caros los zapatos?

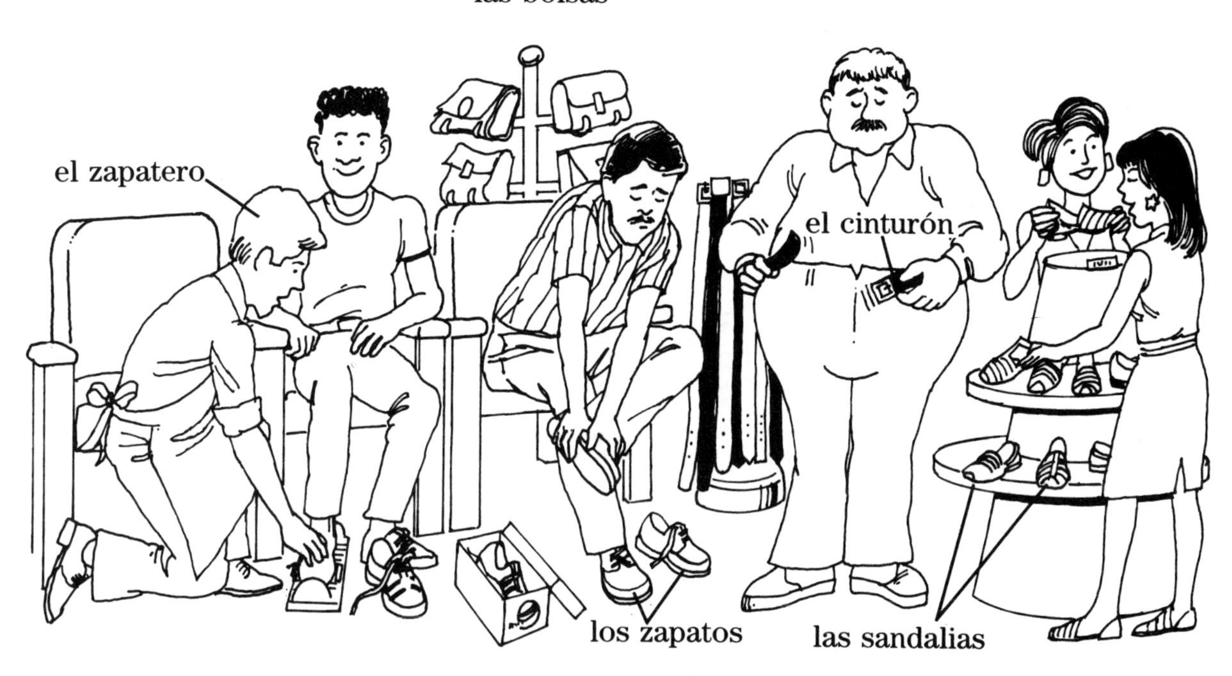

la zapatería

la tienda de discos

¿Qué haces en la playa?

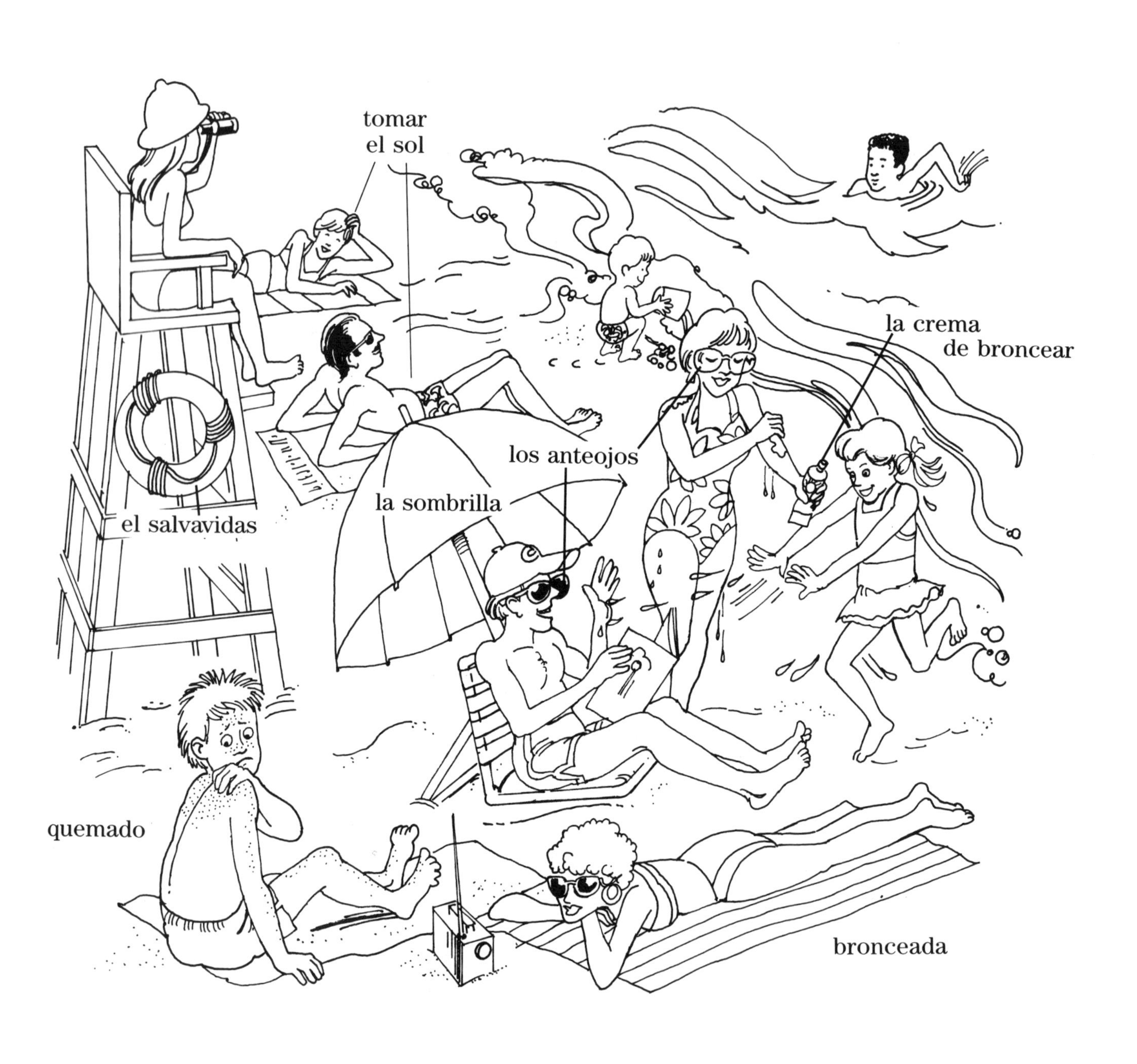

¿Qué te gusta hacer en el mar?

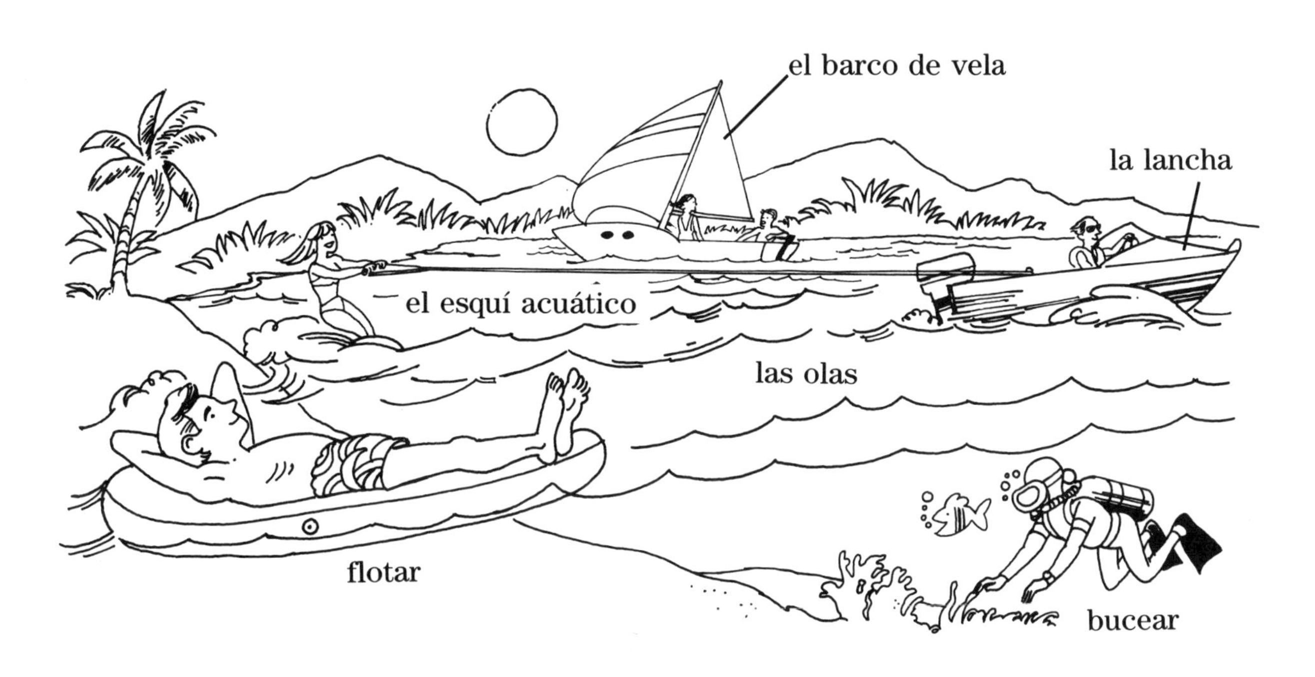

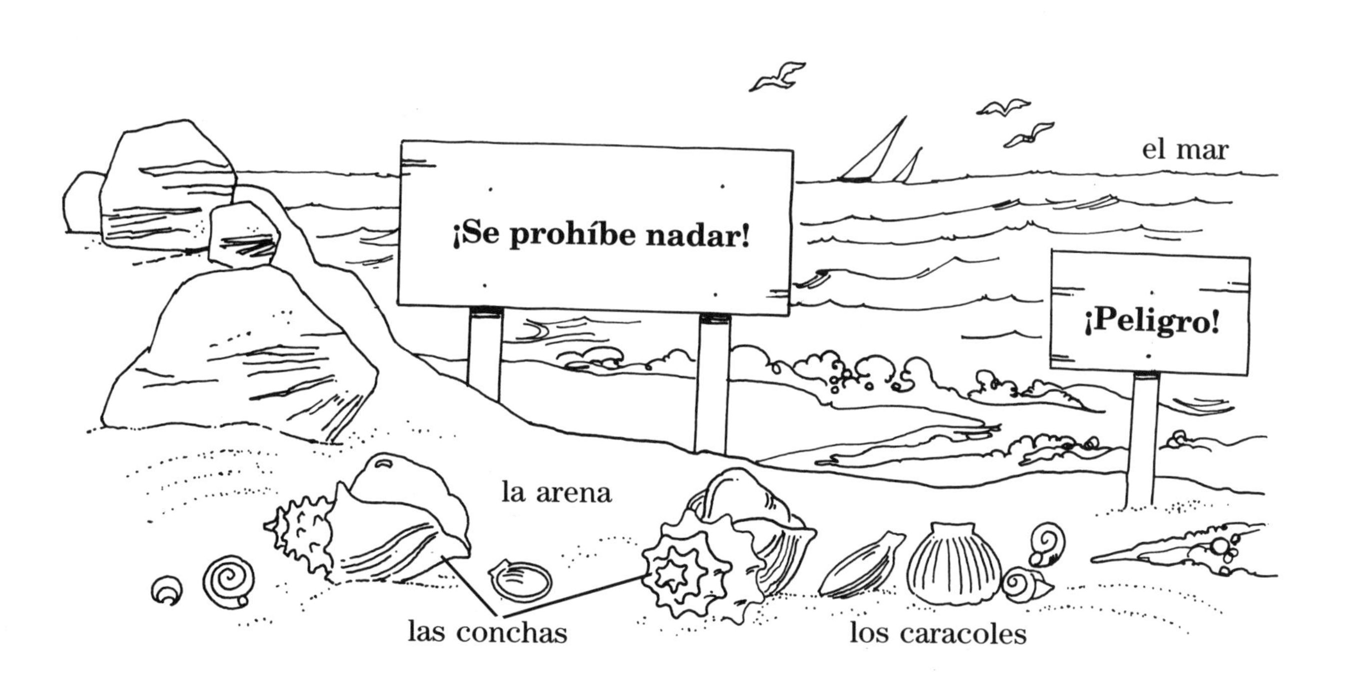

VOCABULARY CARDS

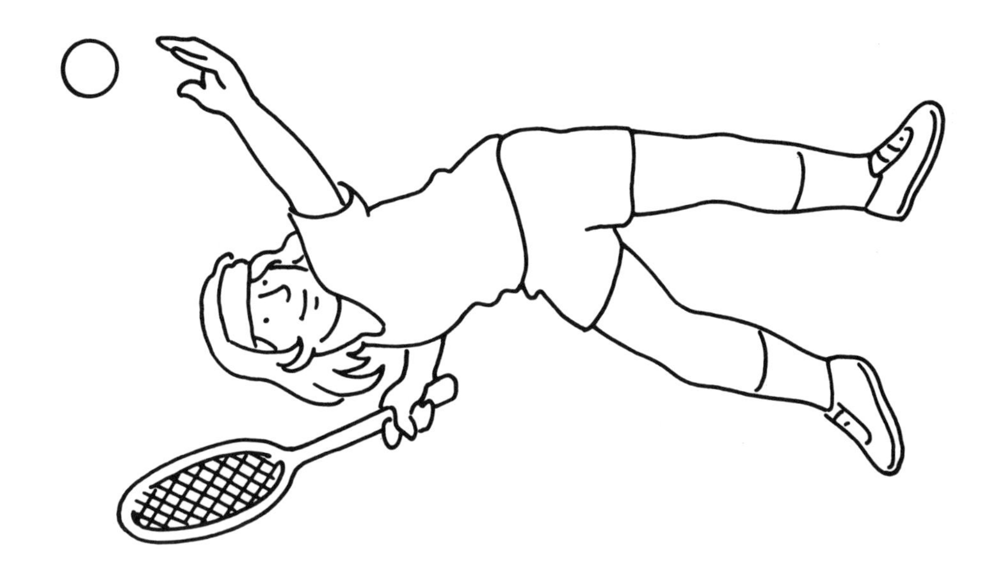

55

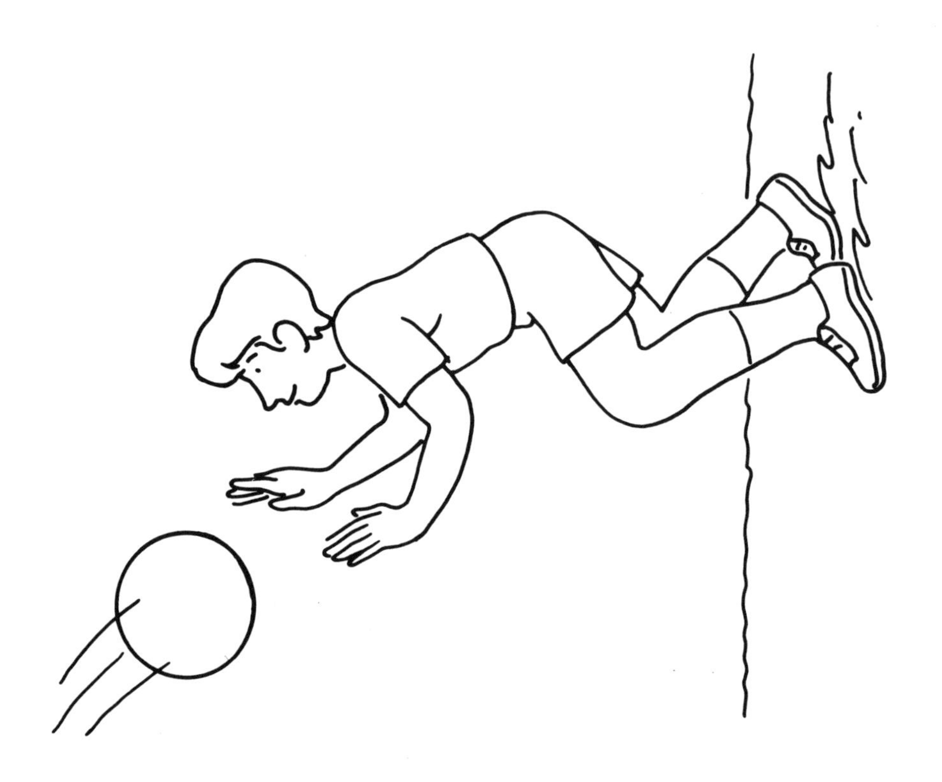

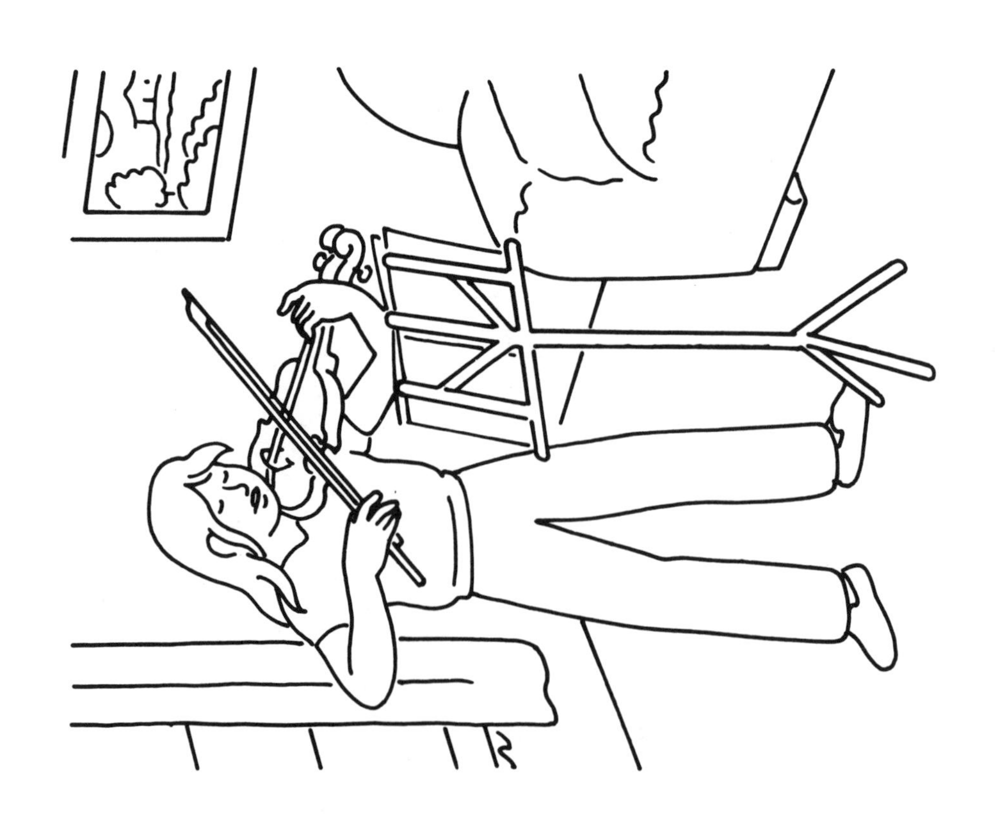

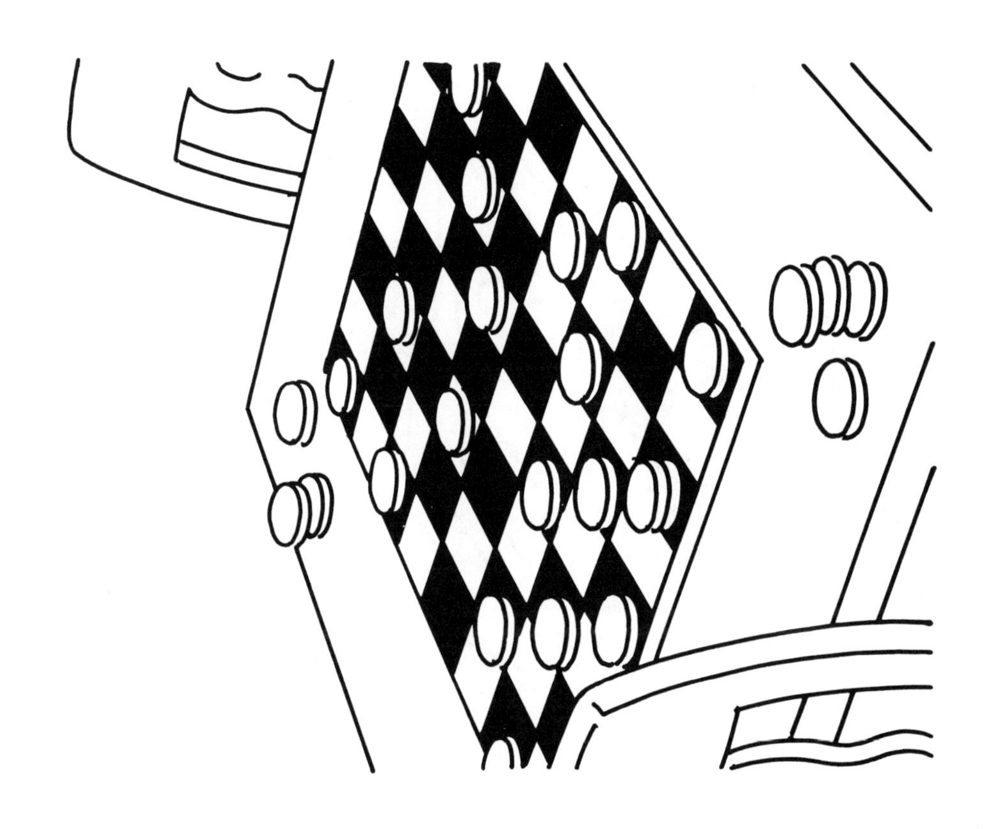

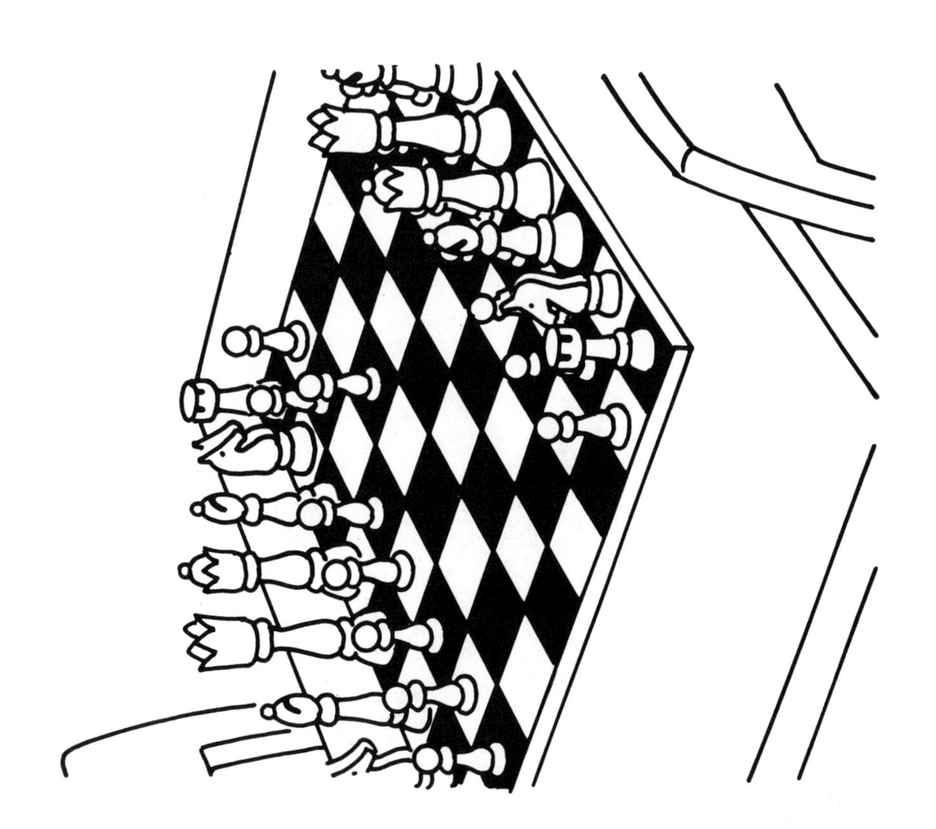

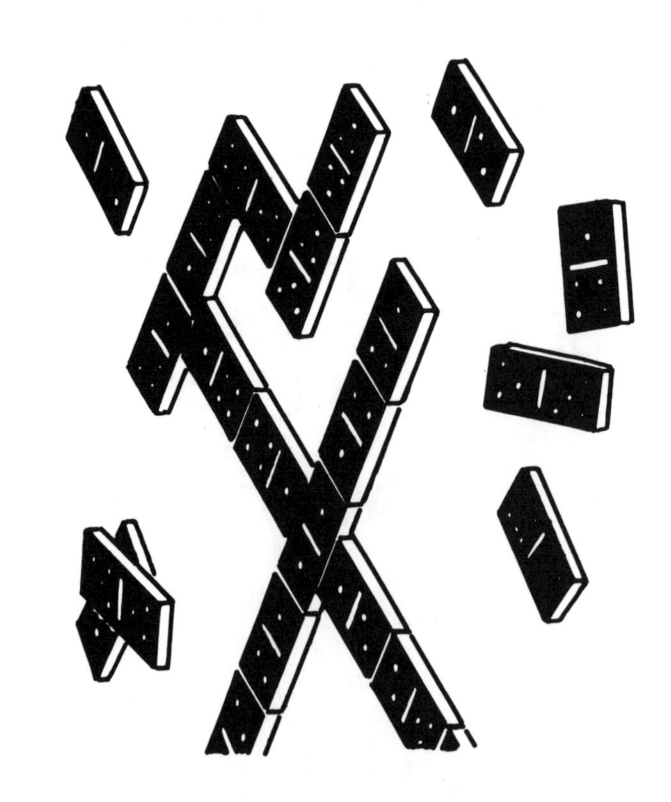

¡ADELANTE!

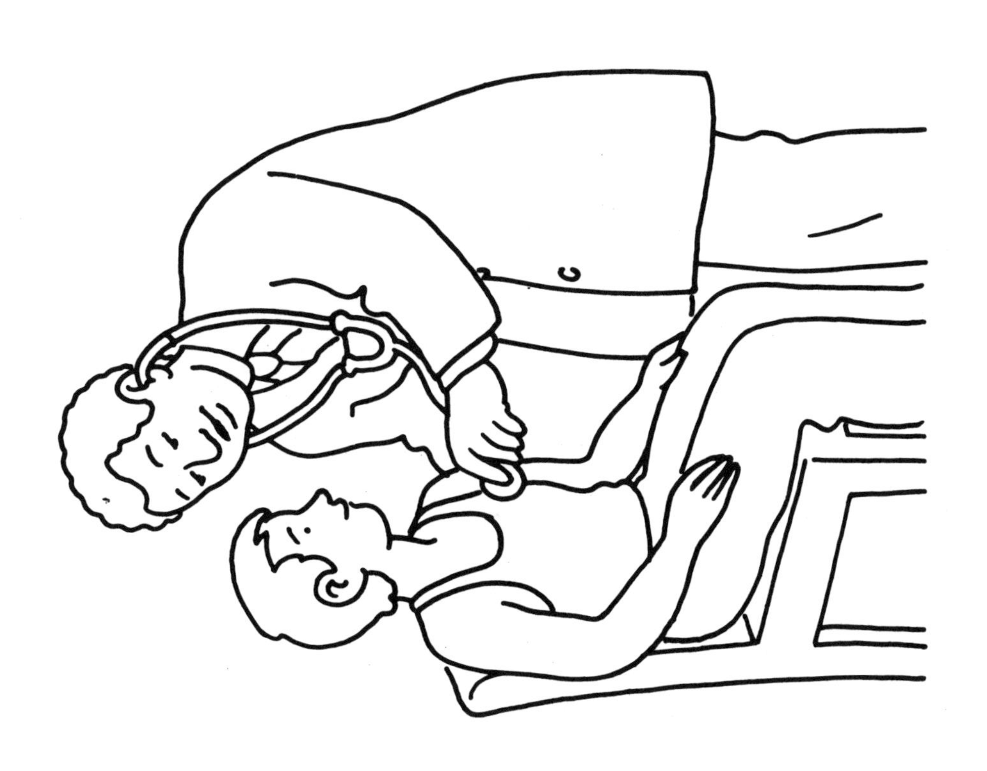

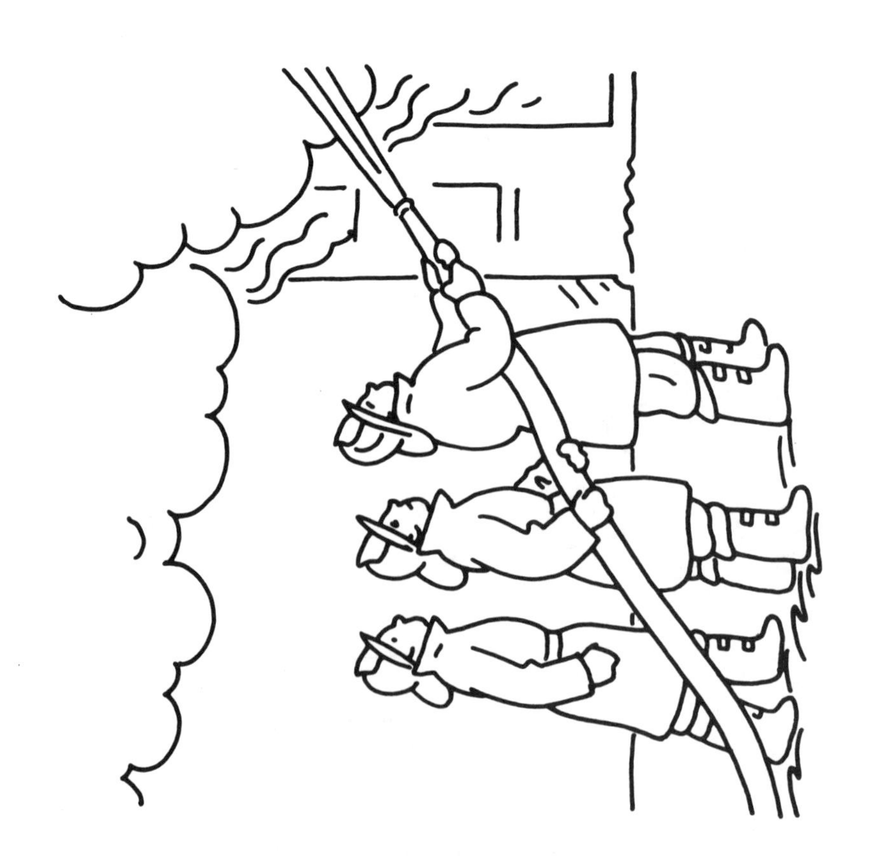

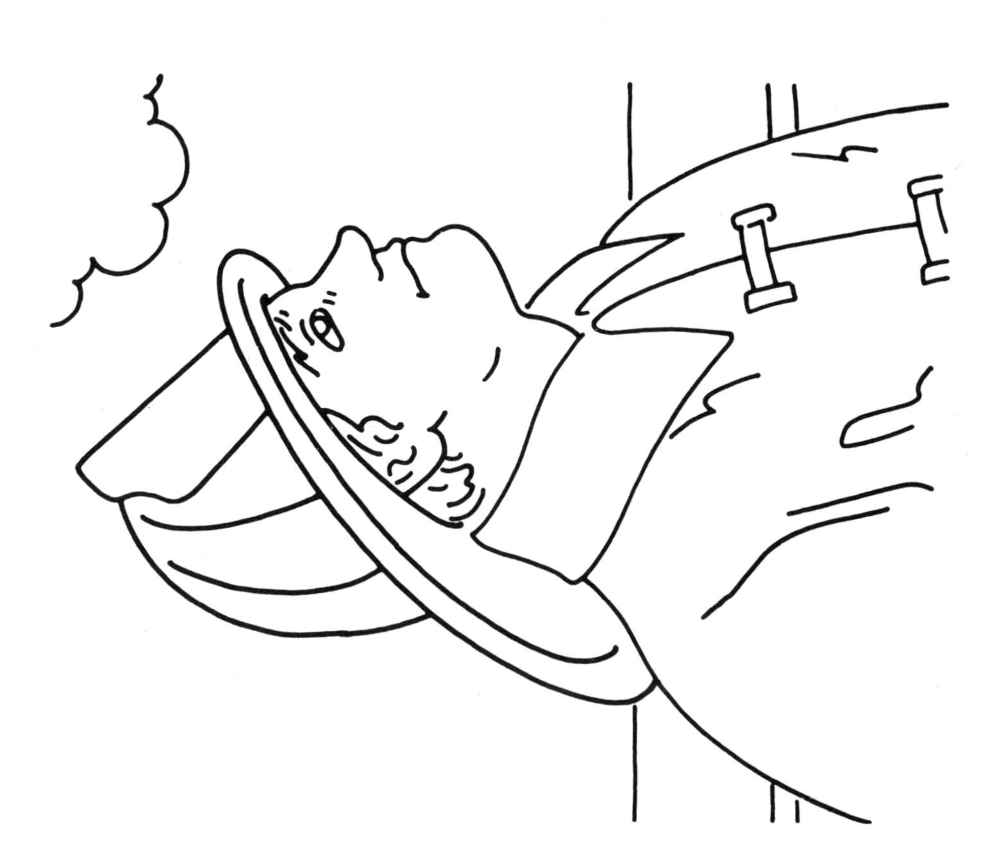

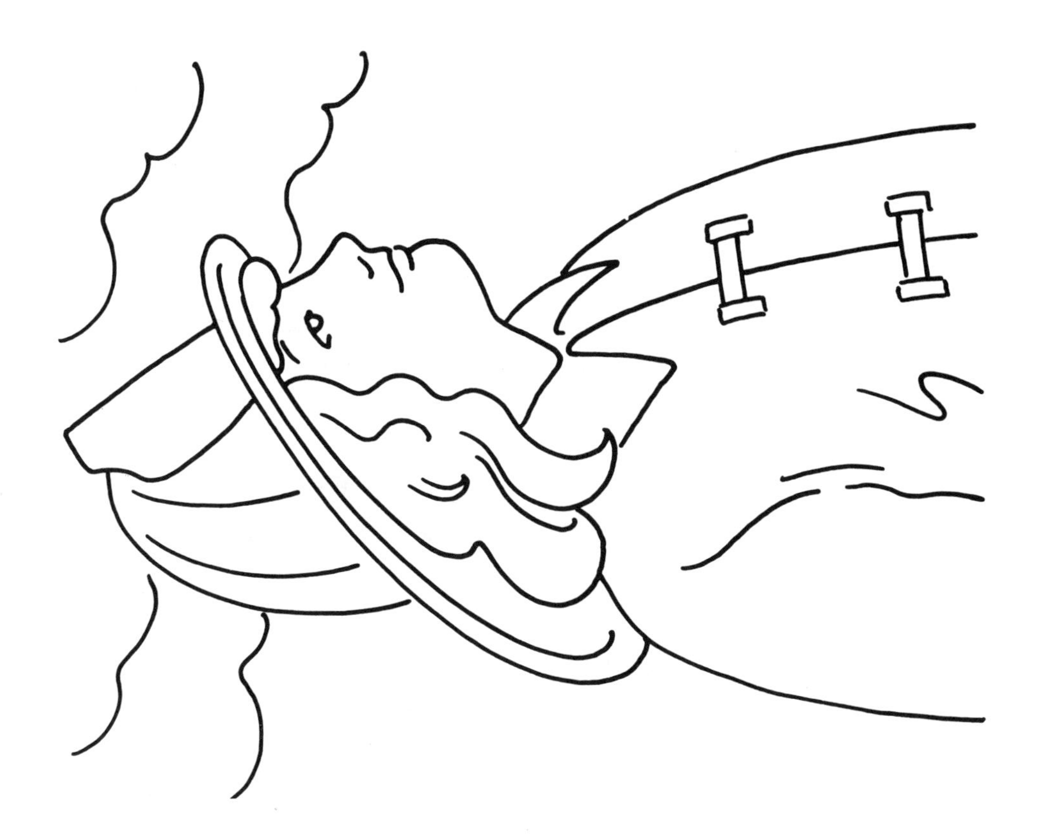

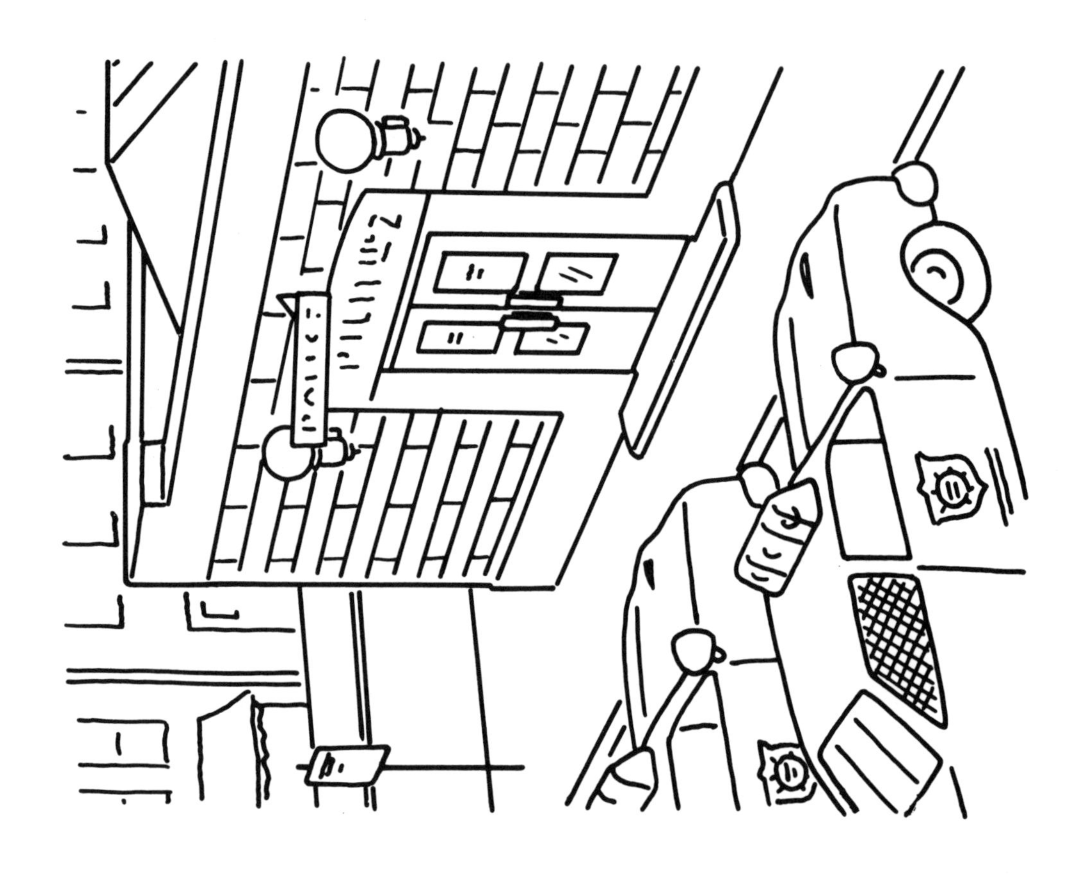

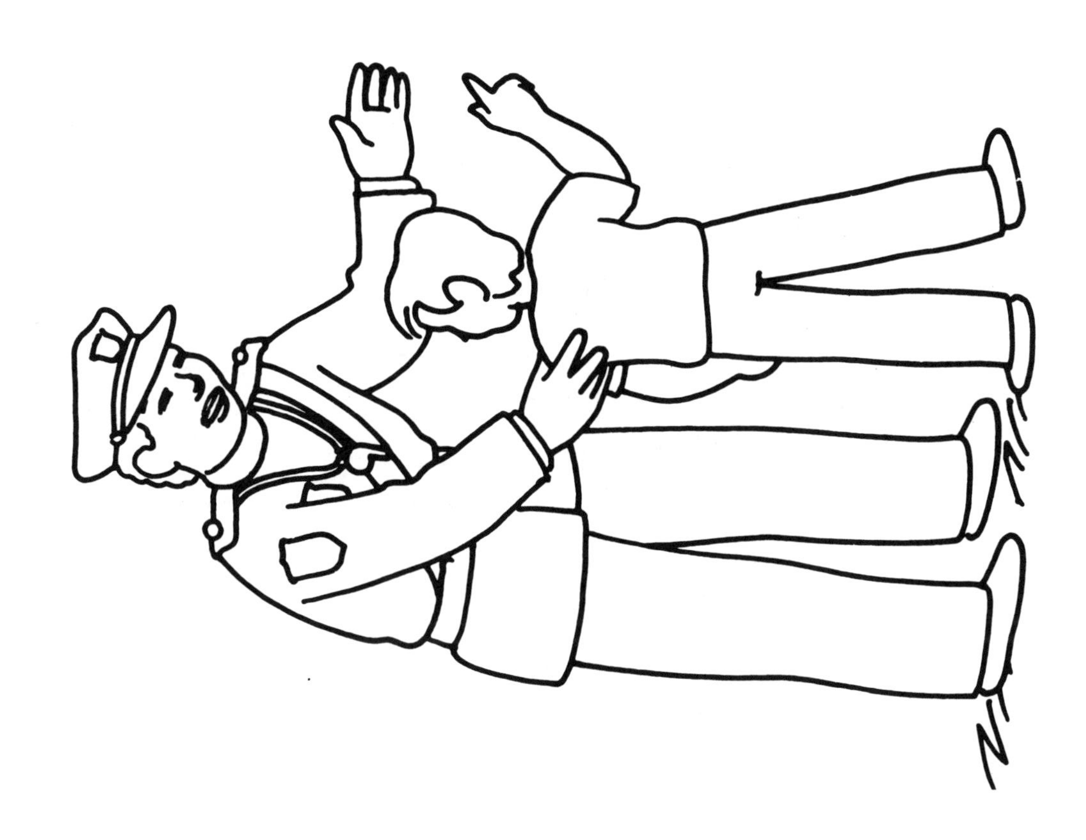

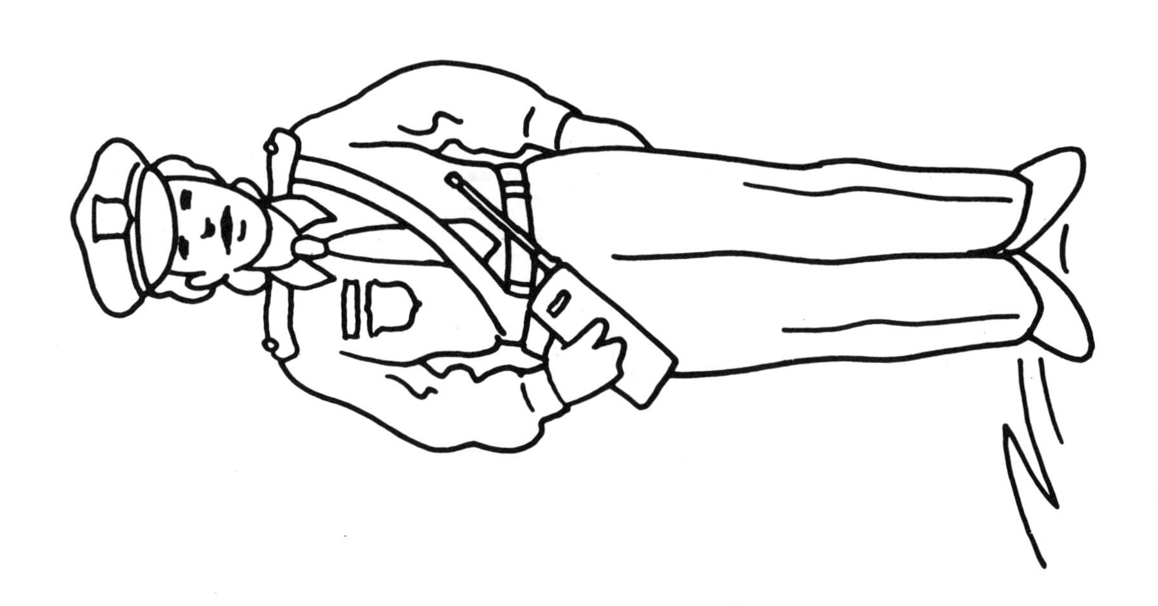

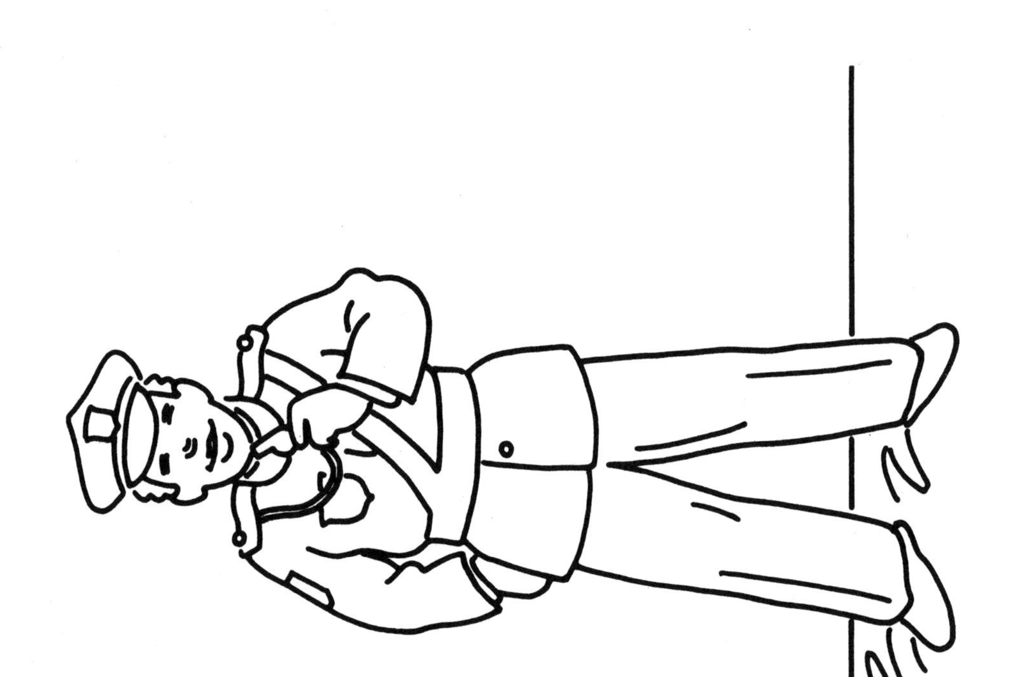

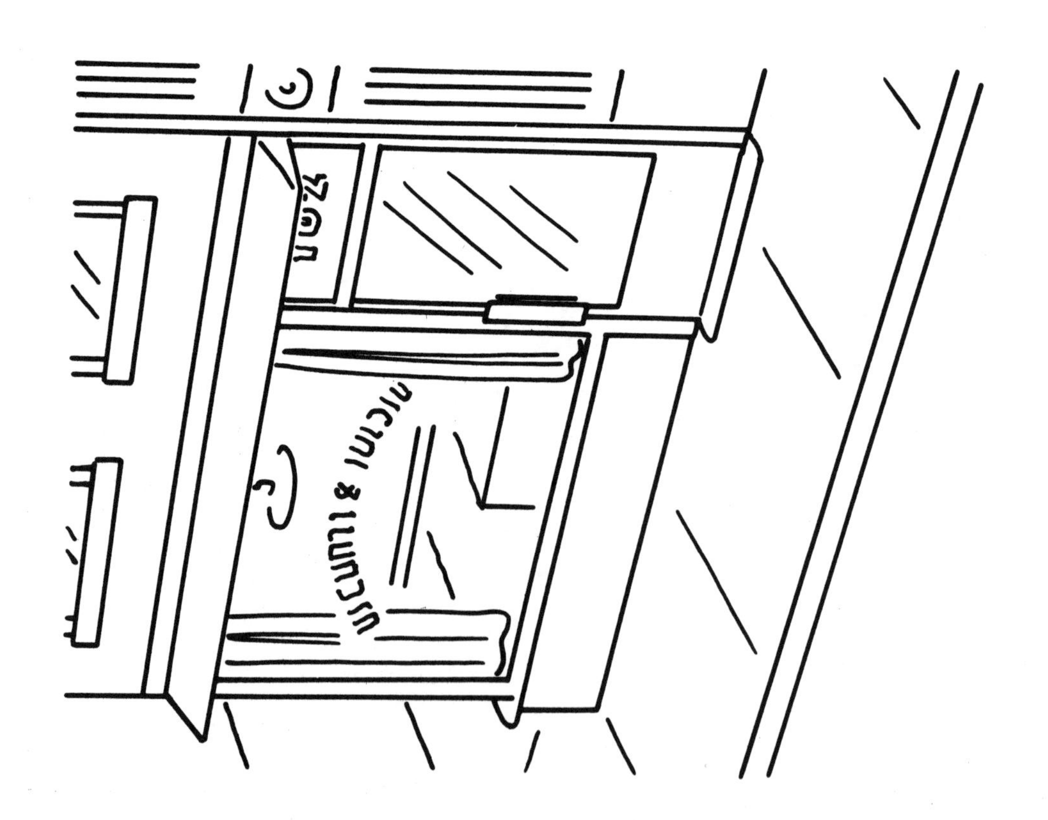

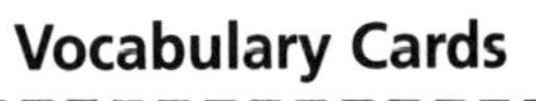

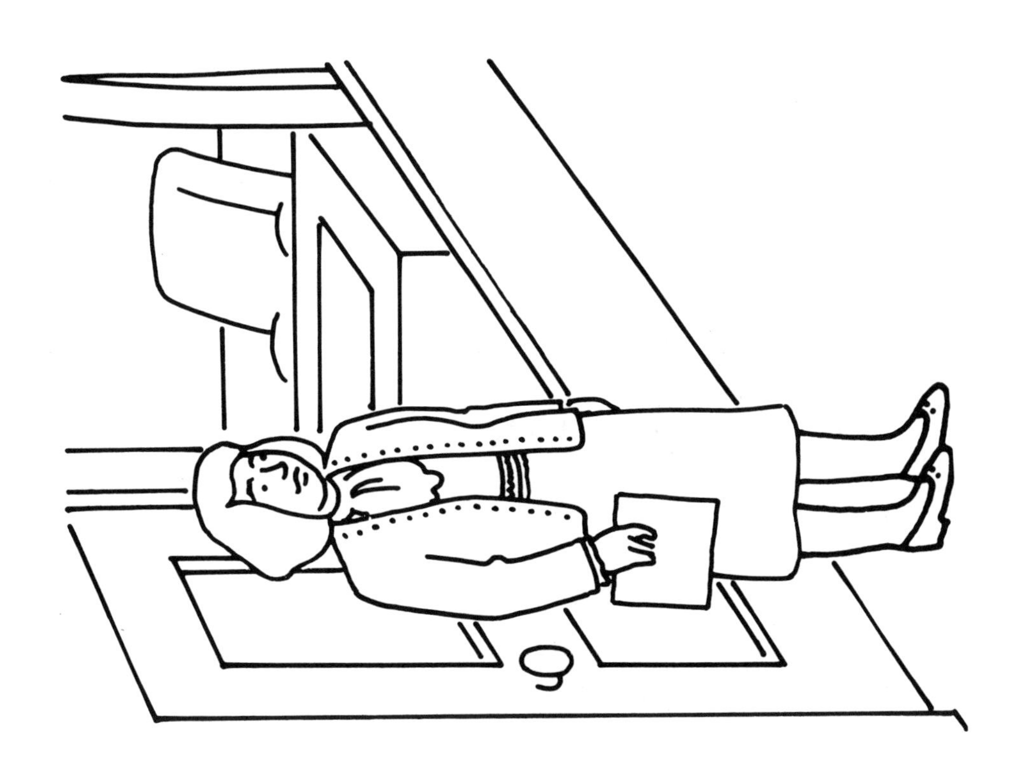

¡ADELANTE!

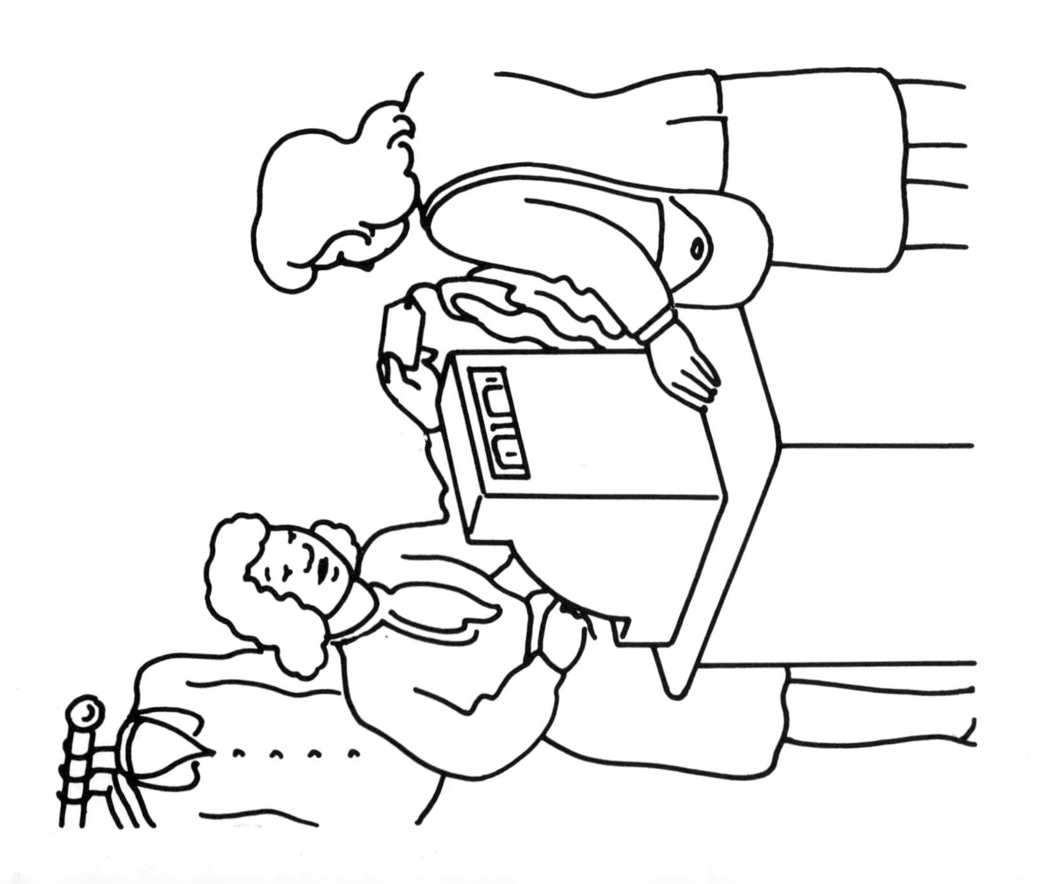

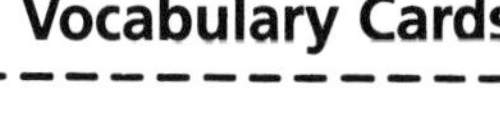

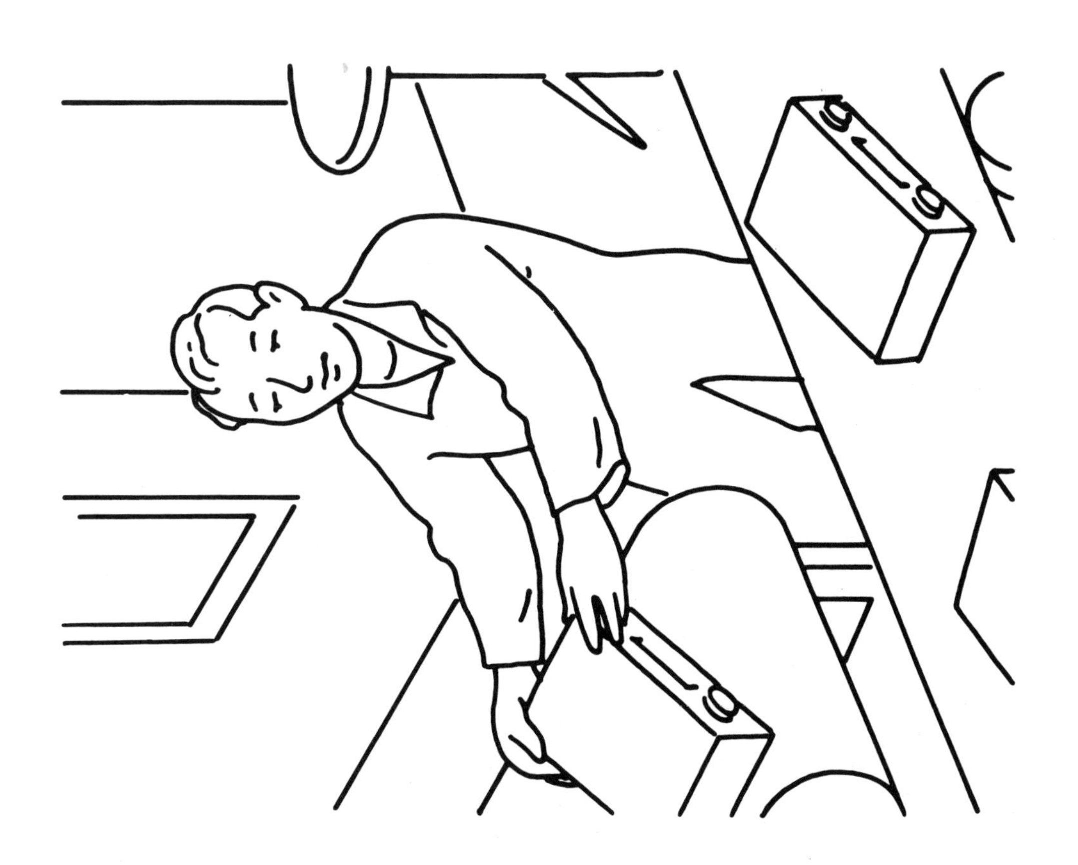

¡ADELANTE!

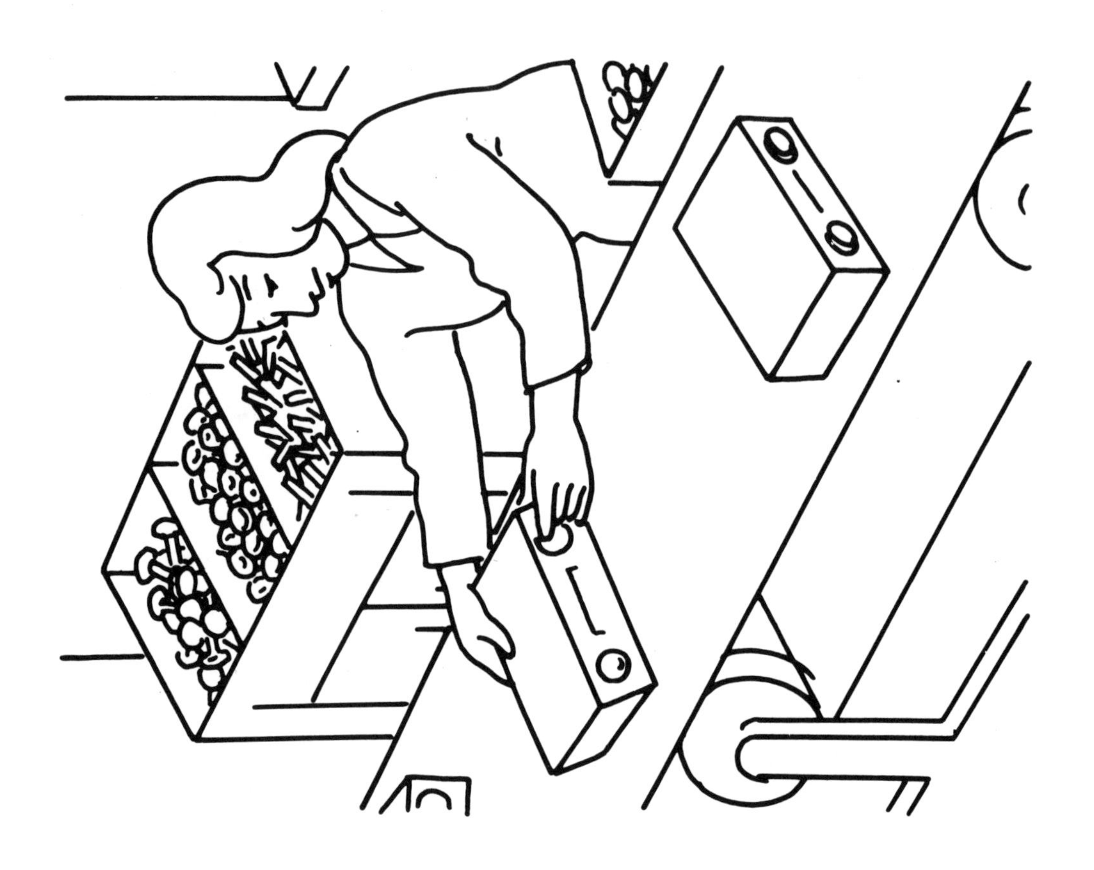

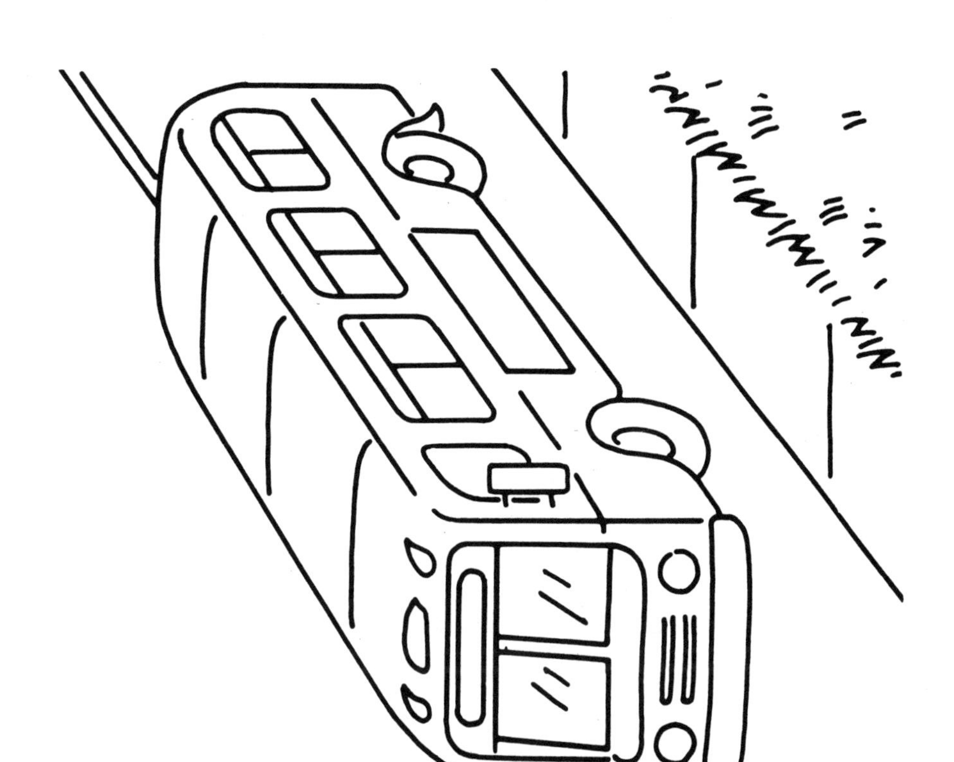

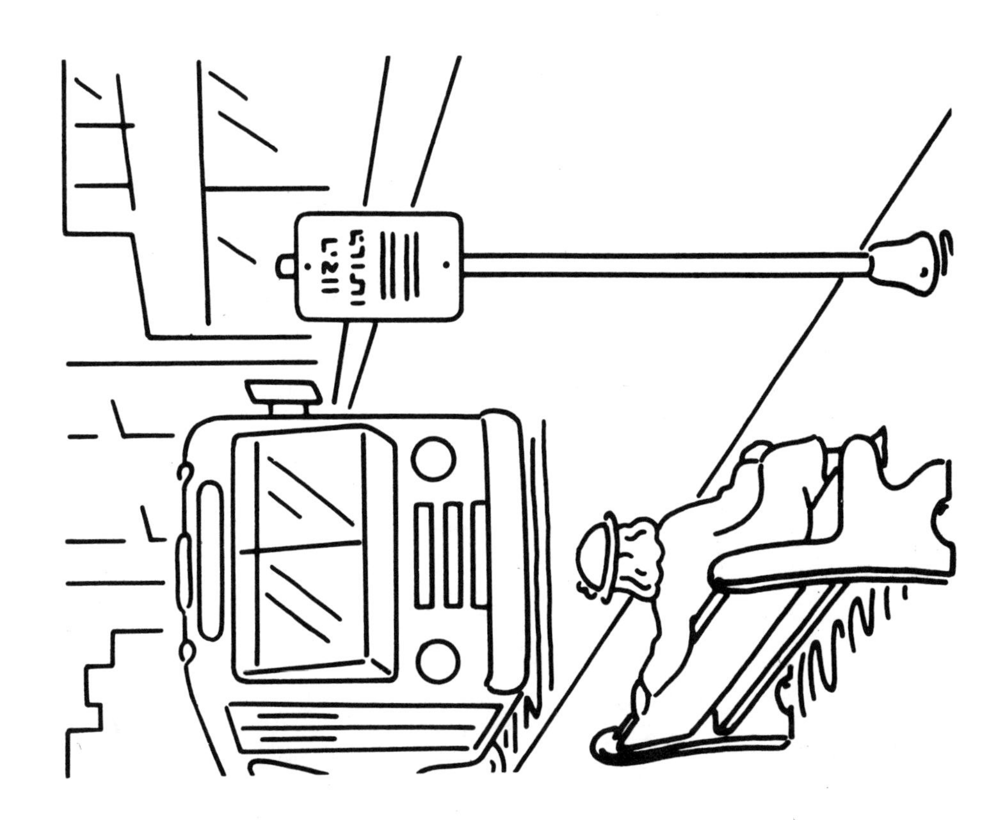

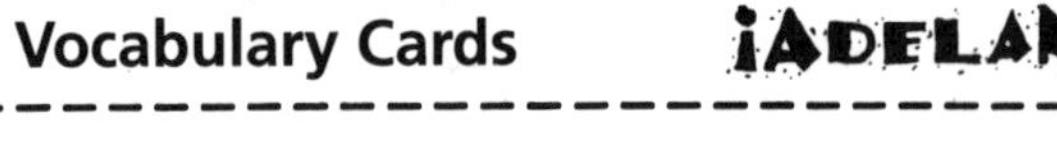

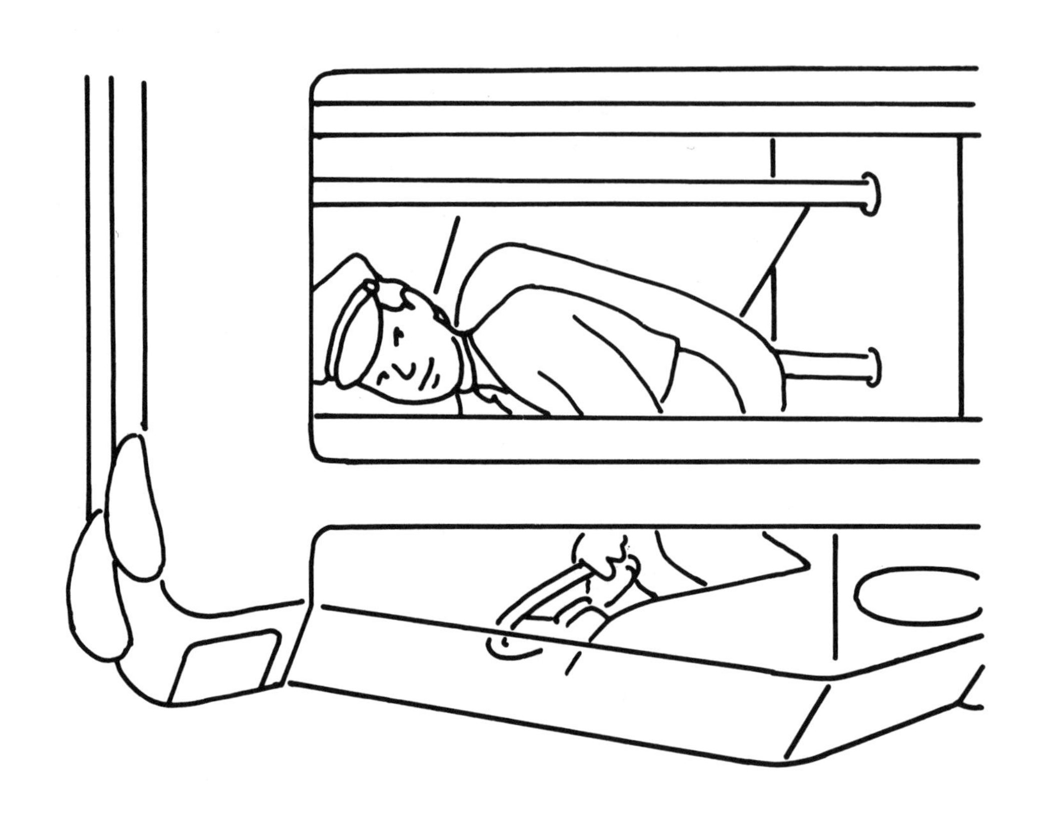

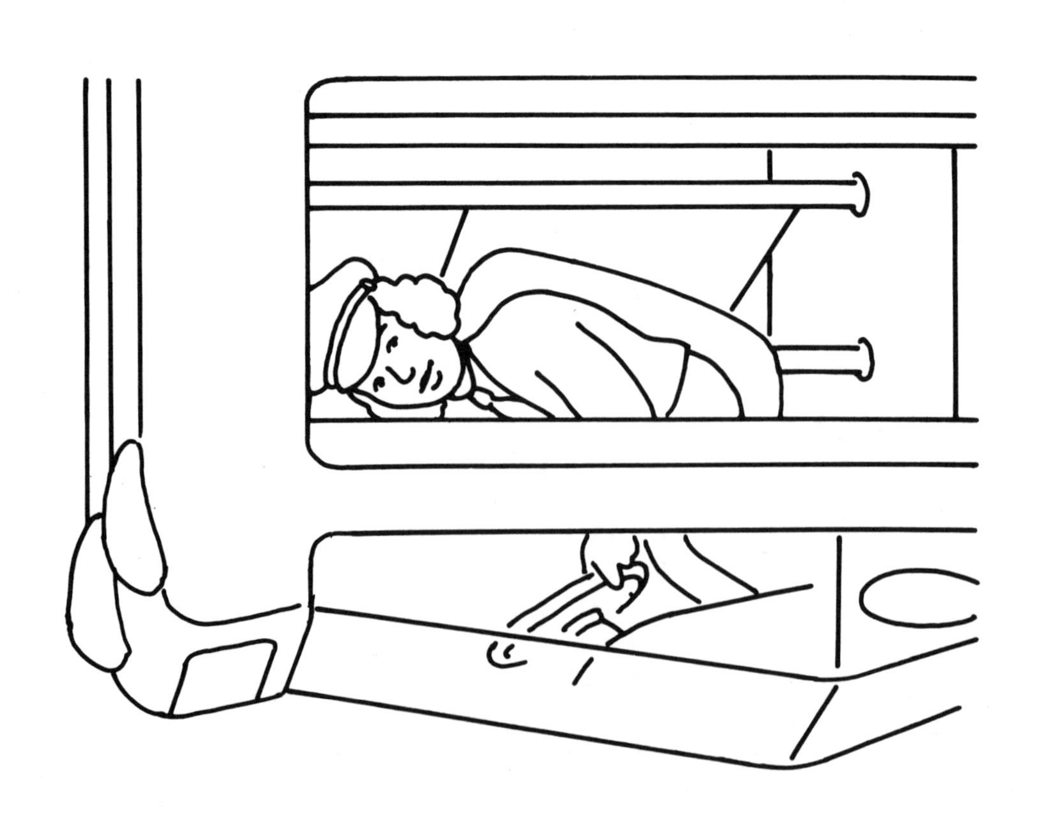

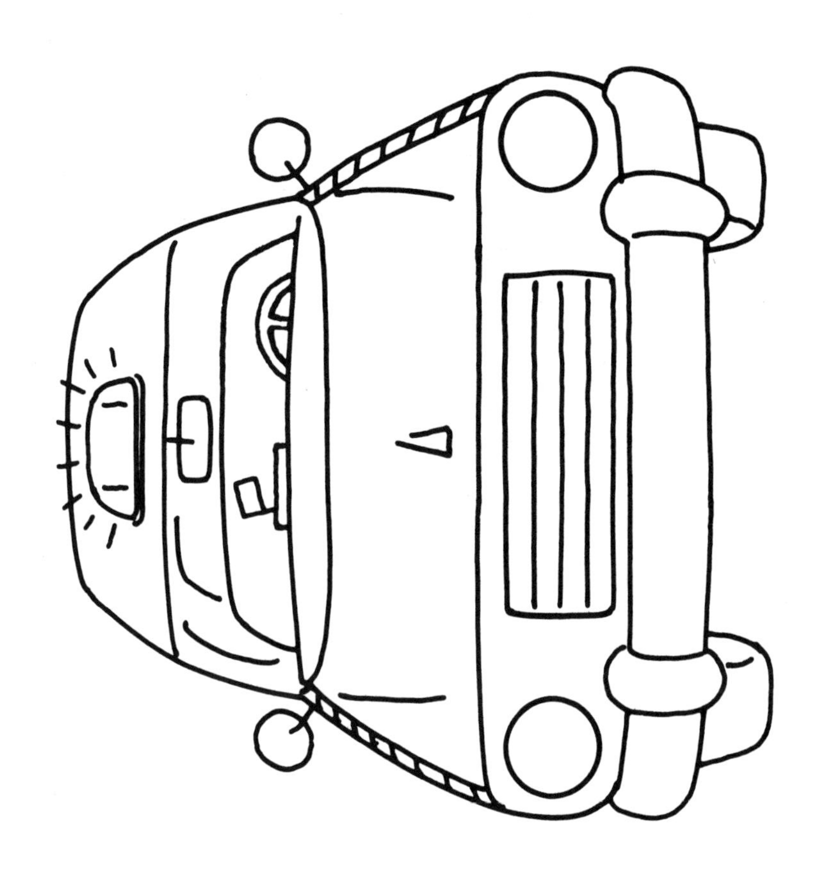

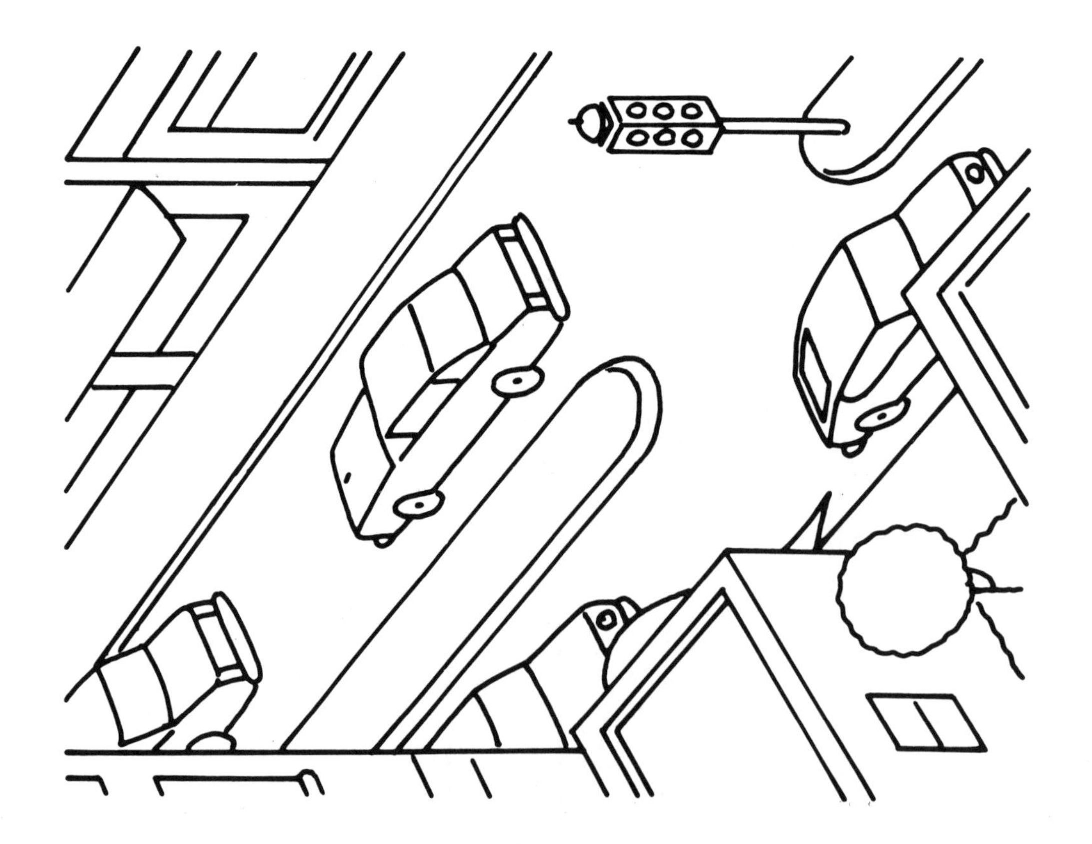

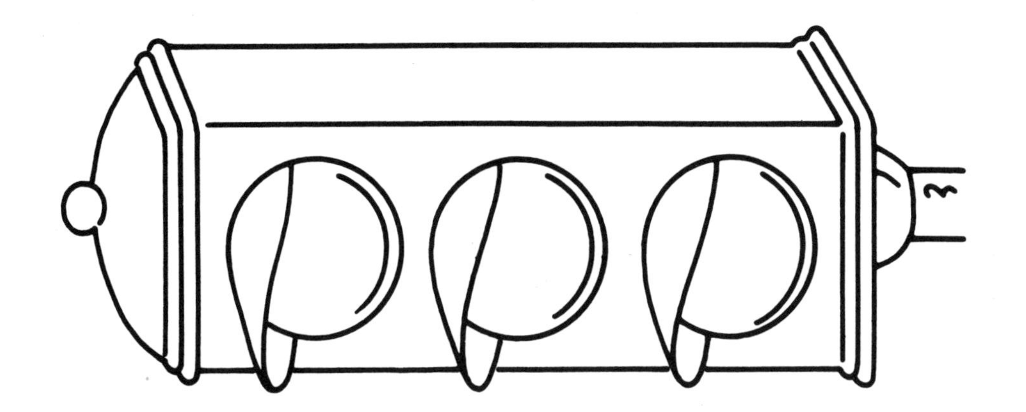

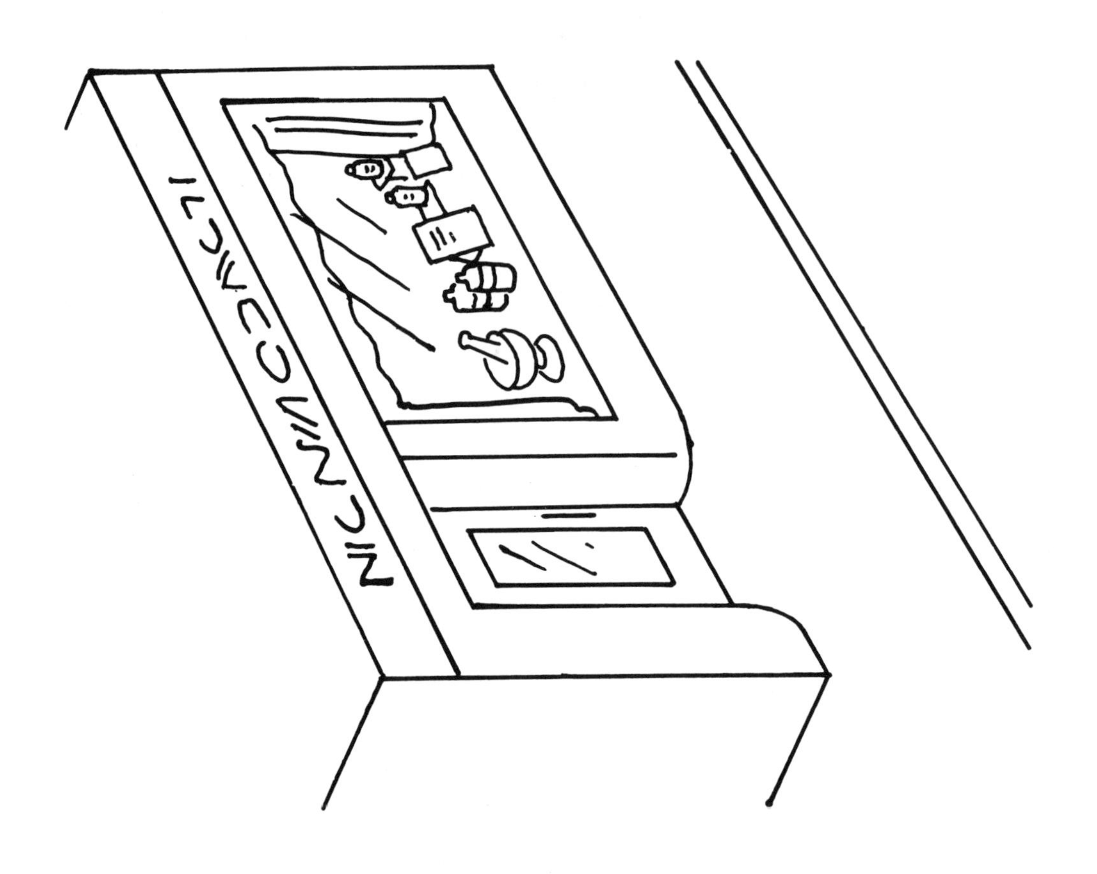

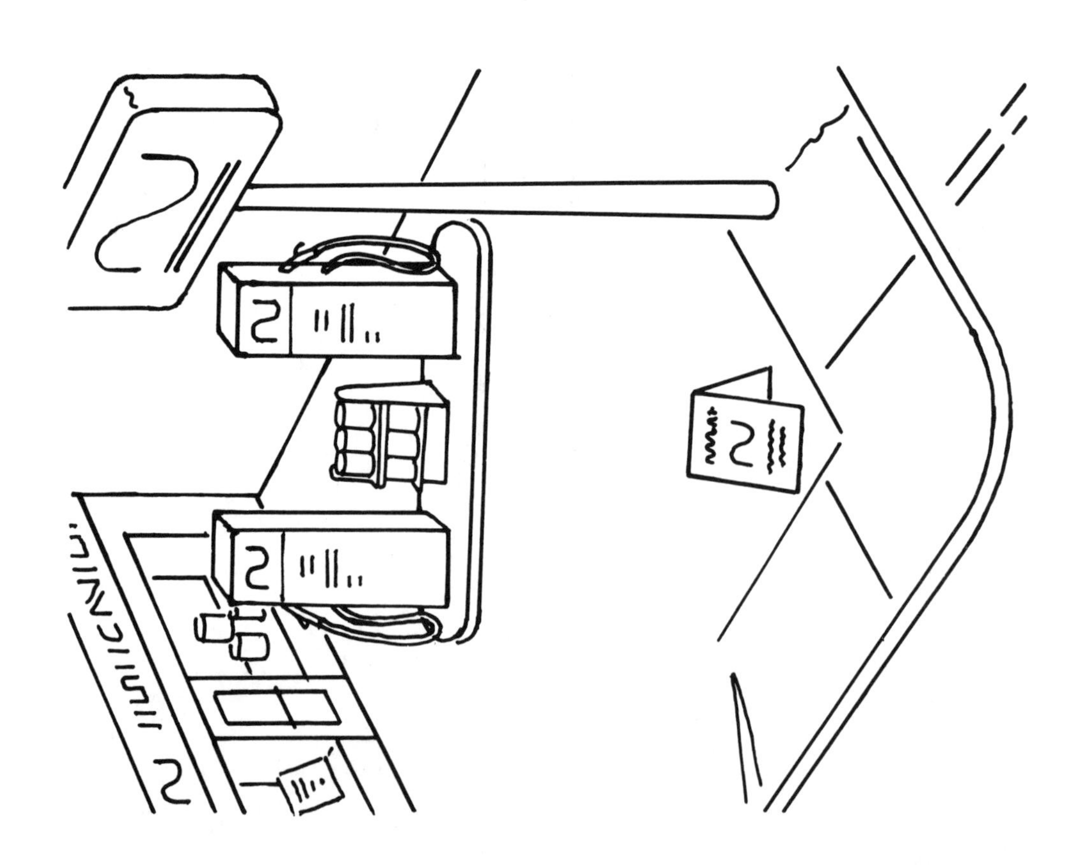

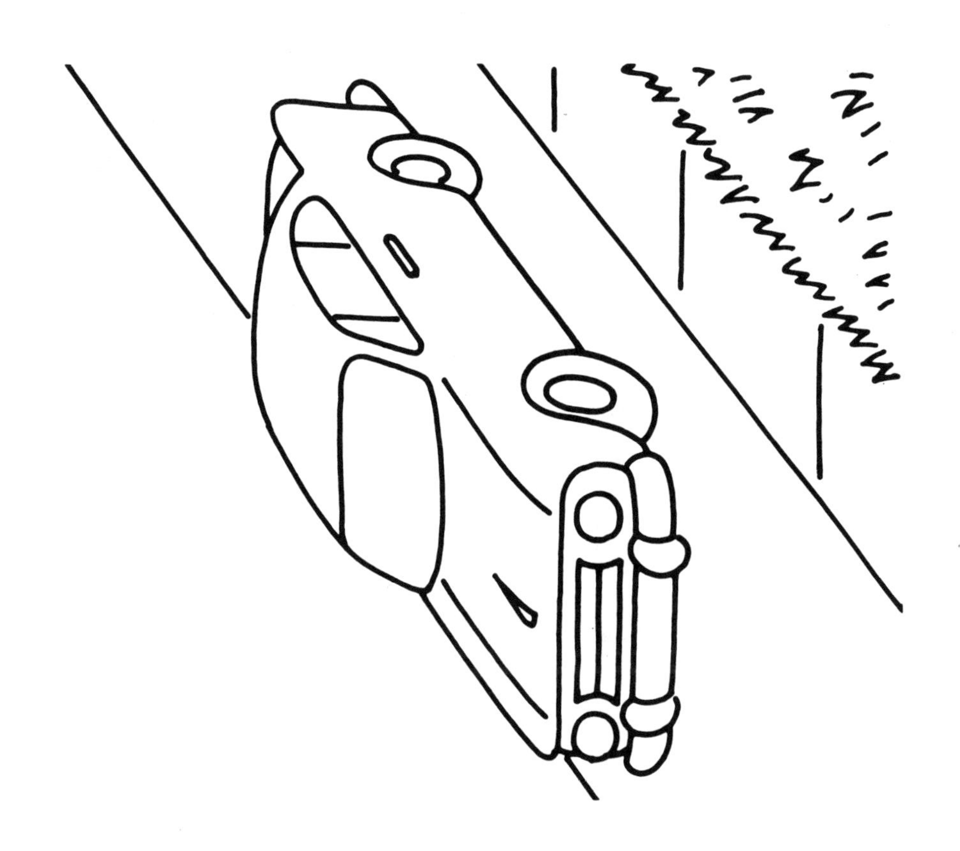

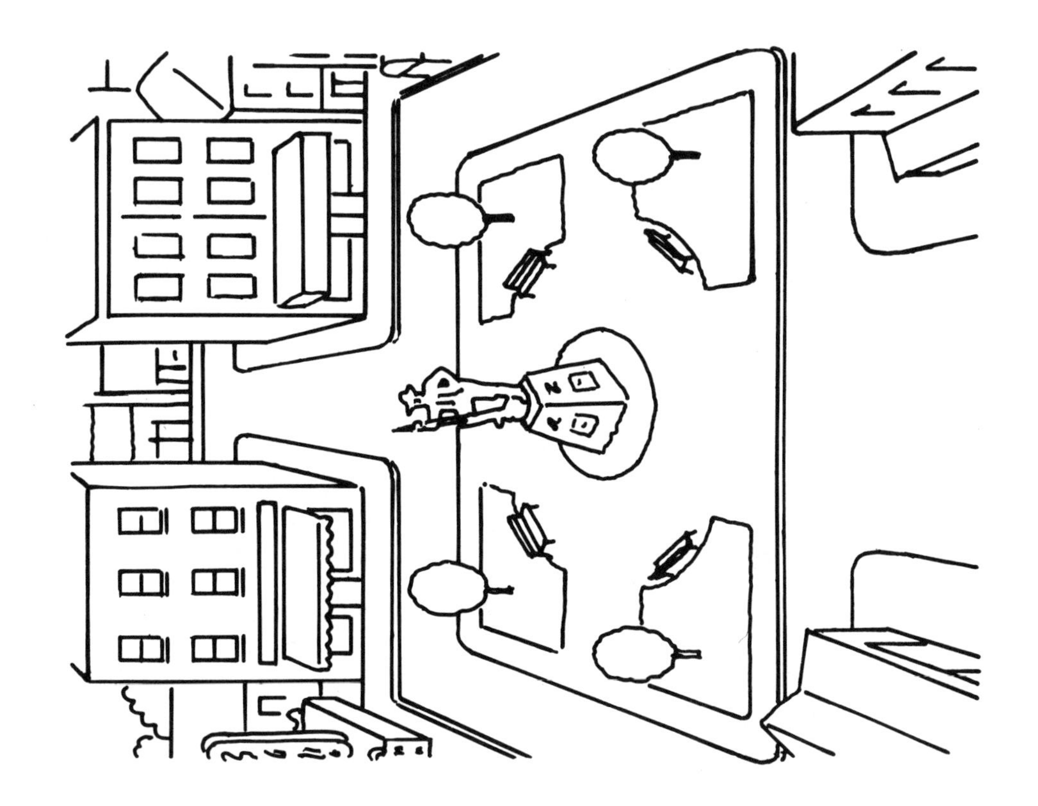

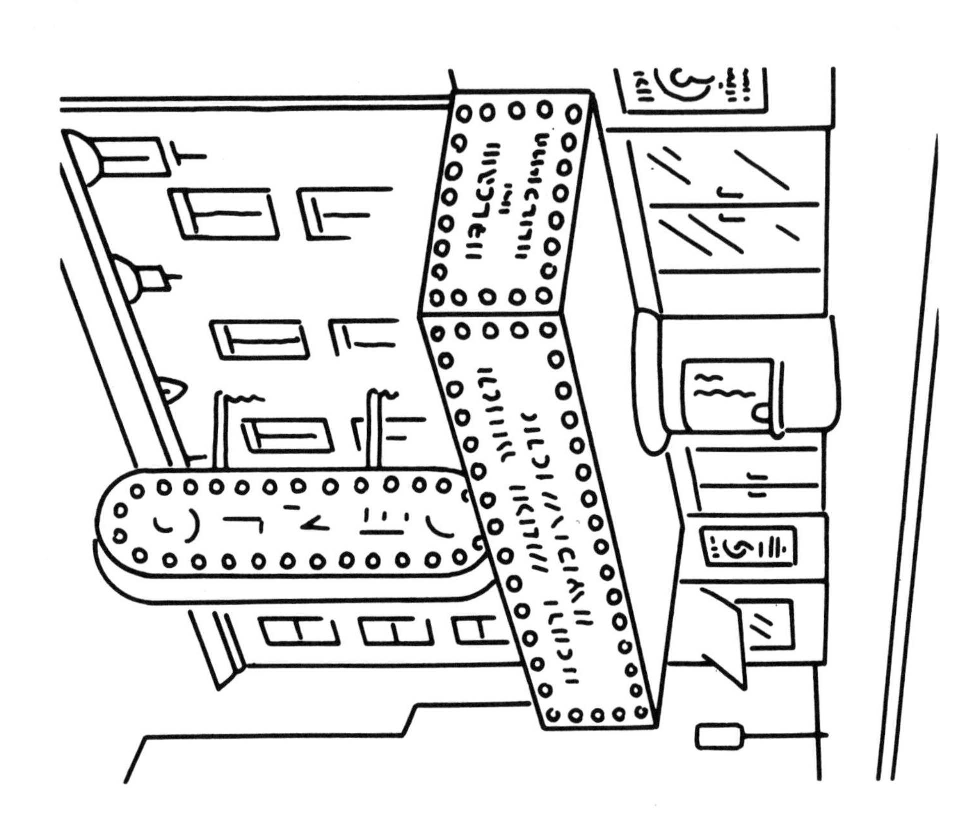

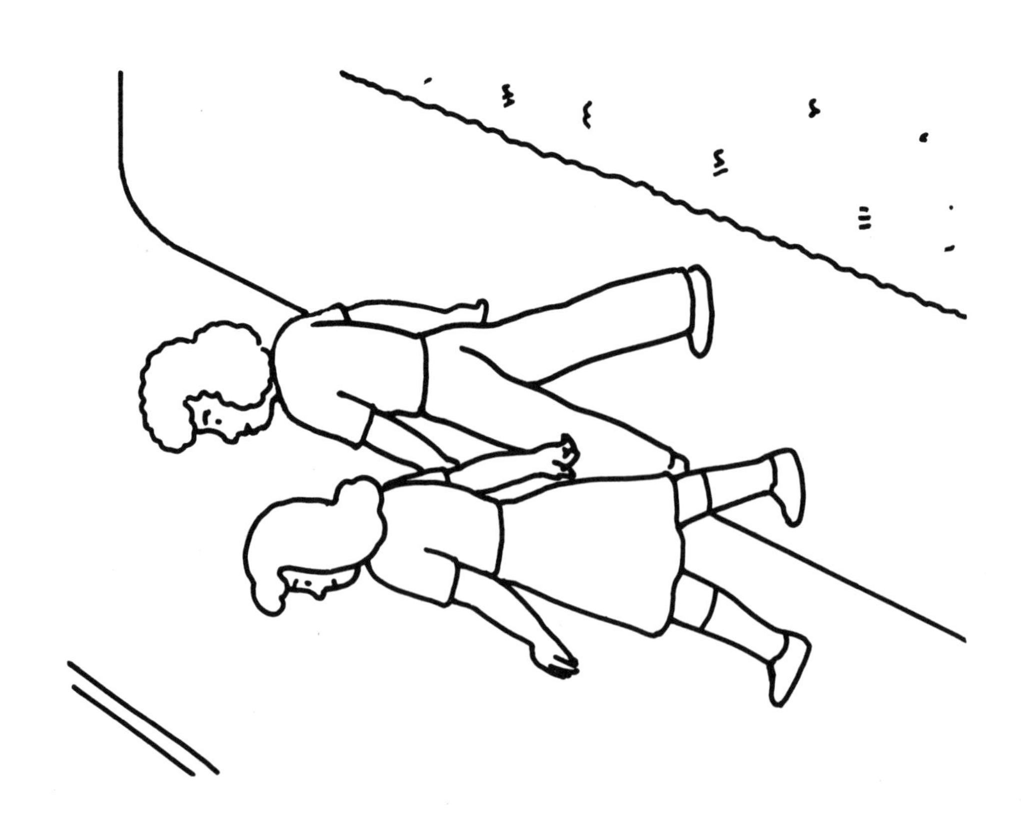

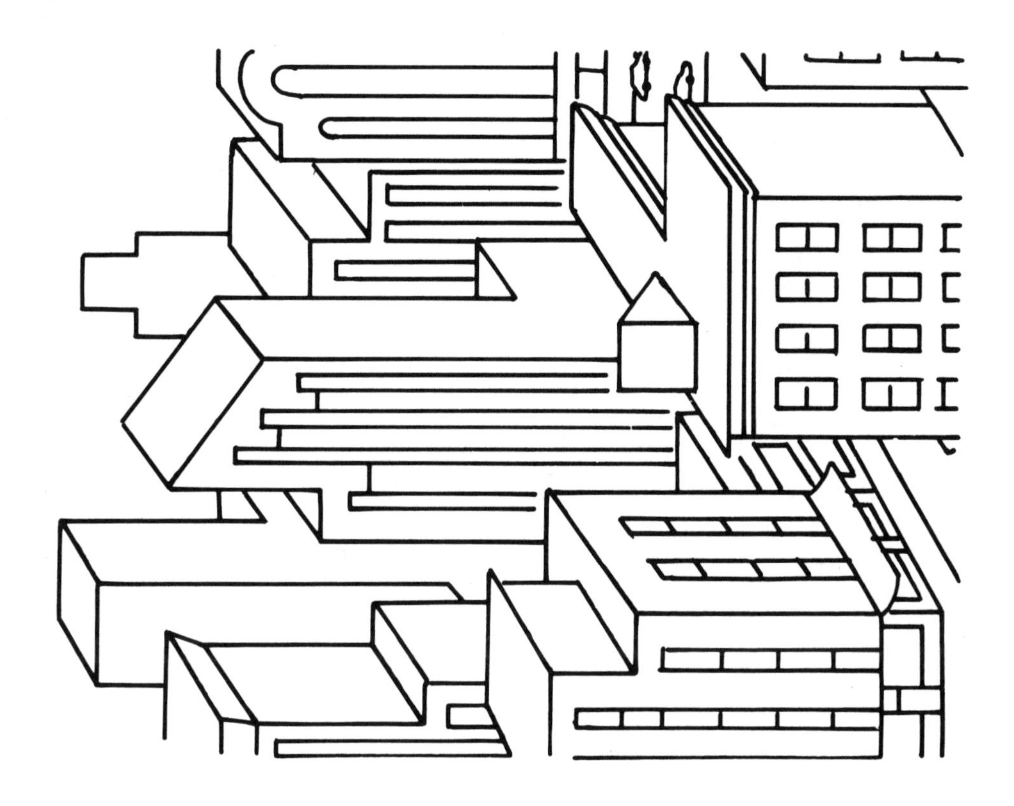

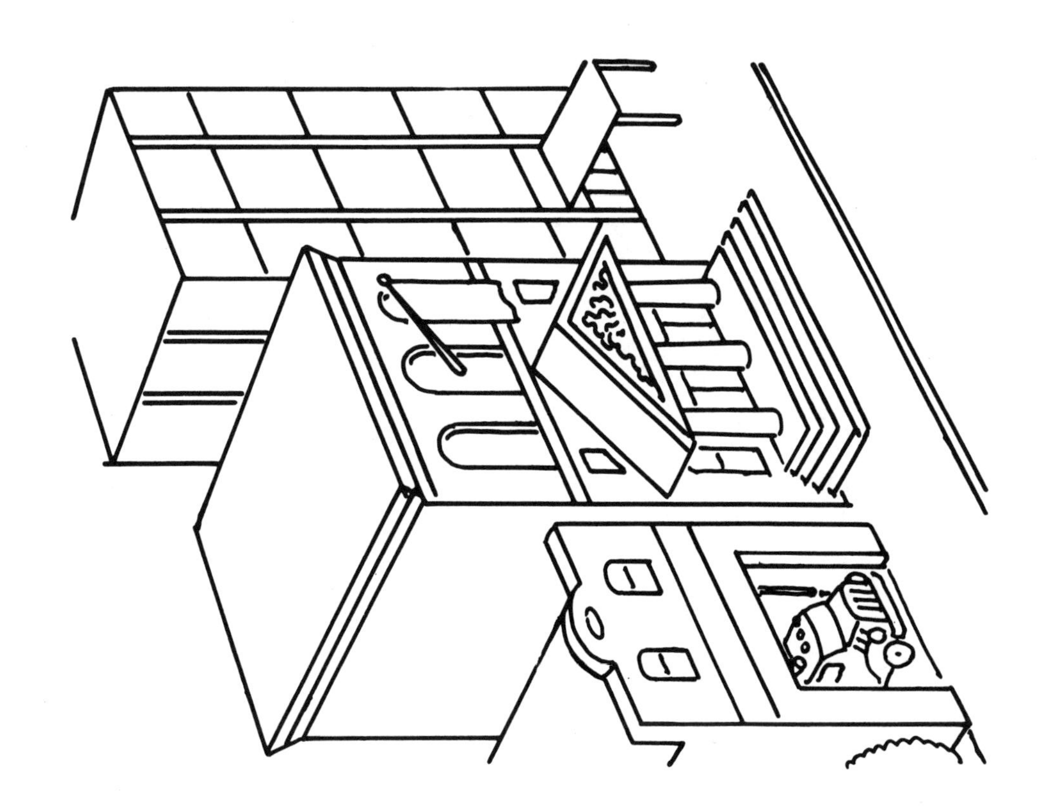

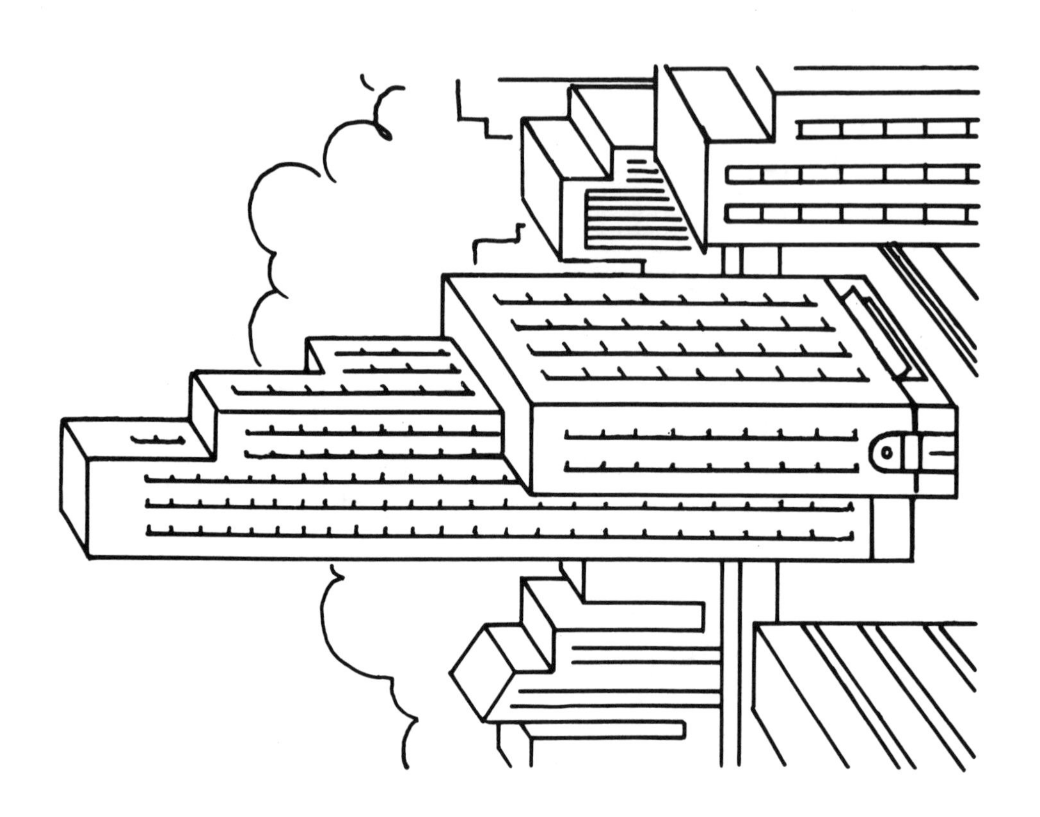

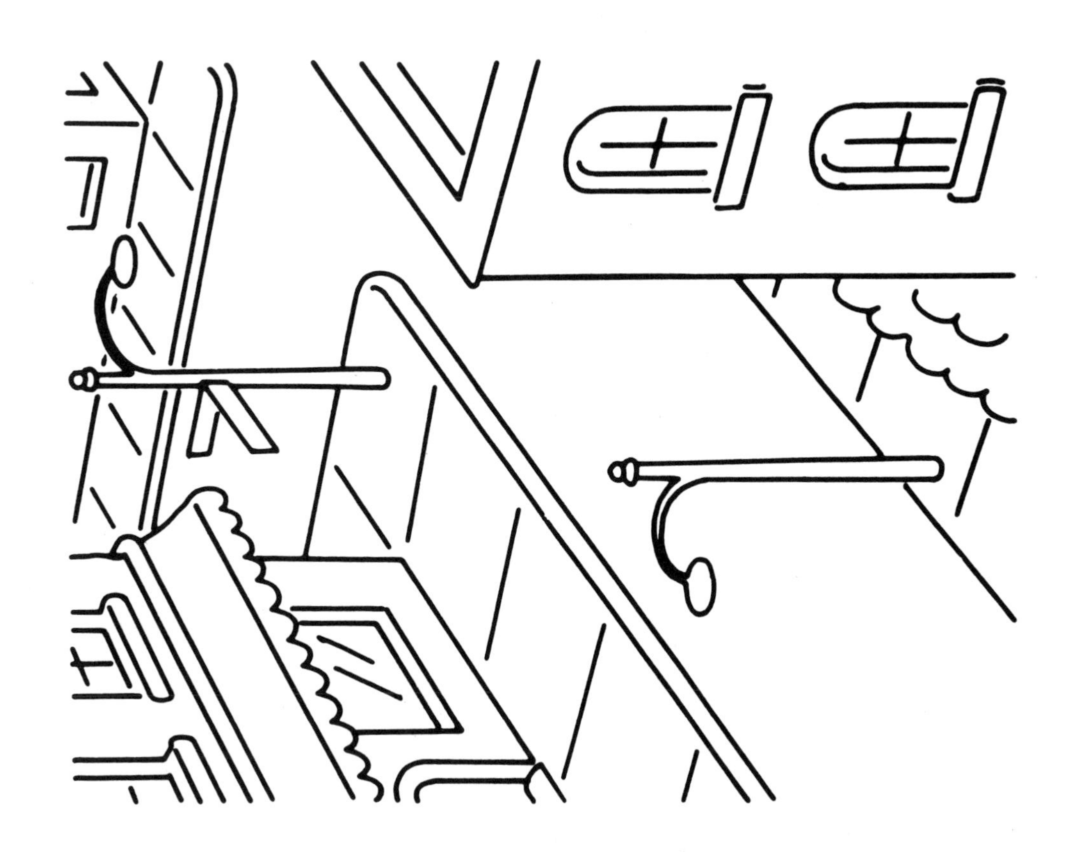

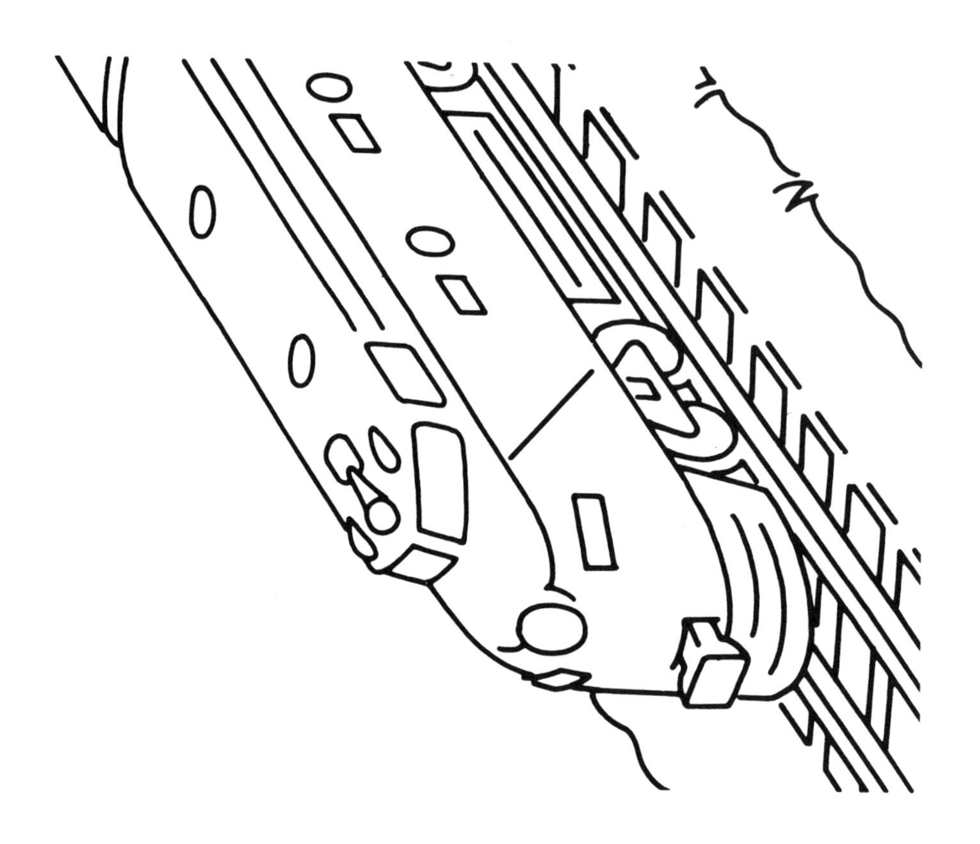

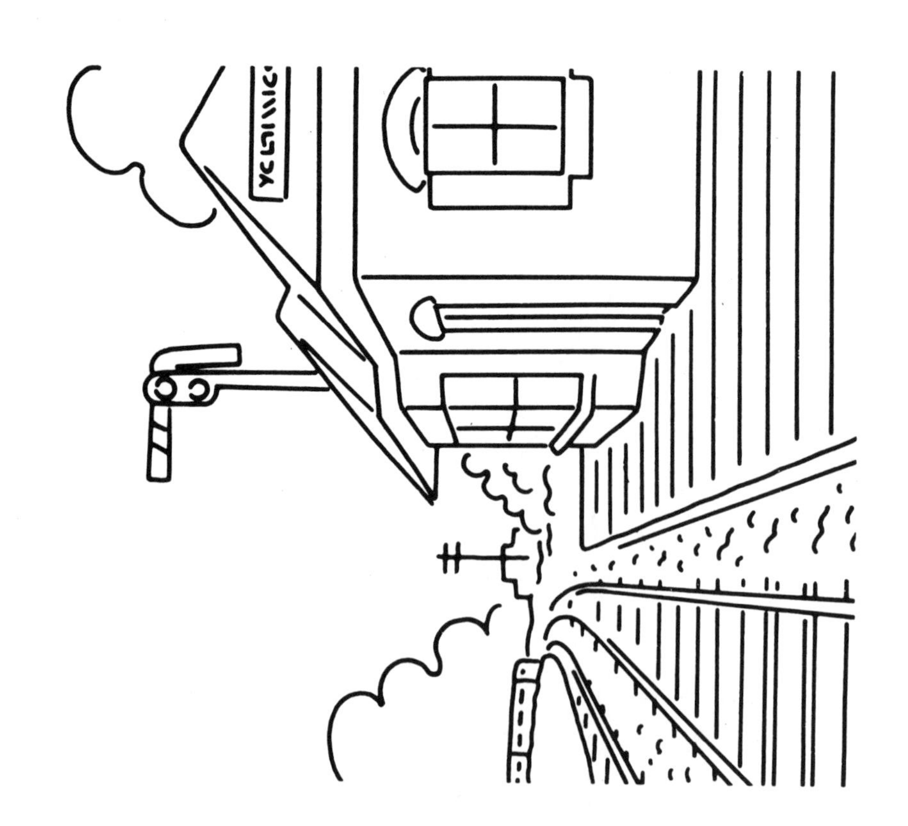

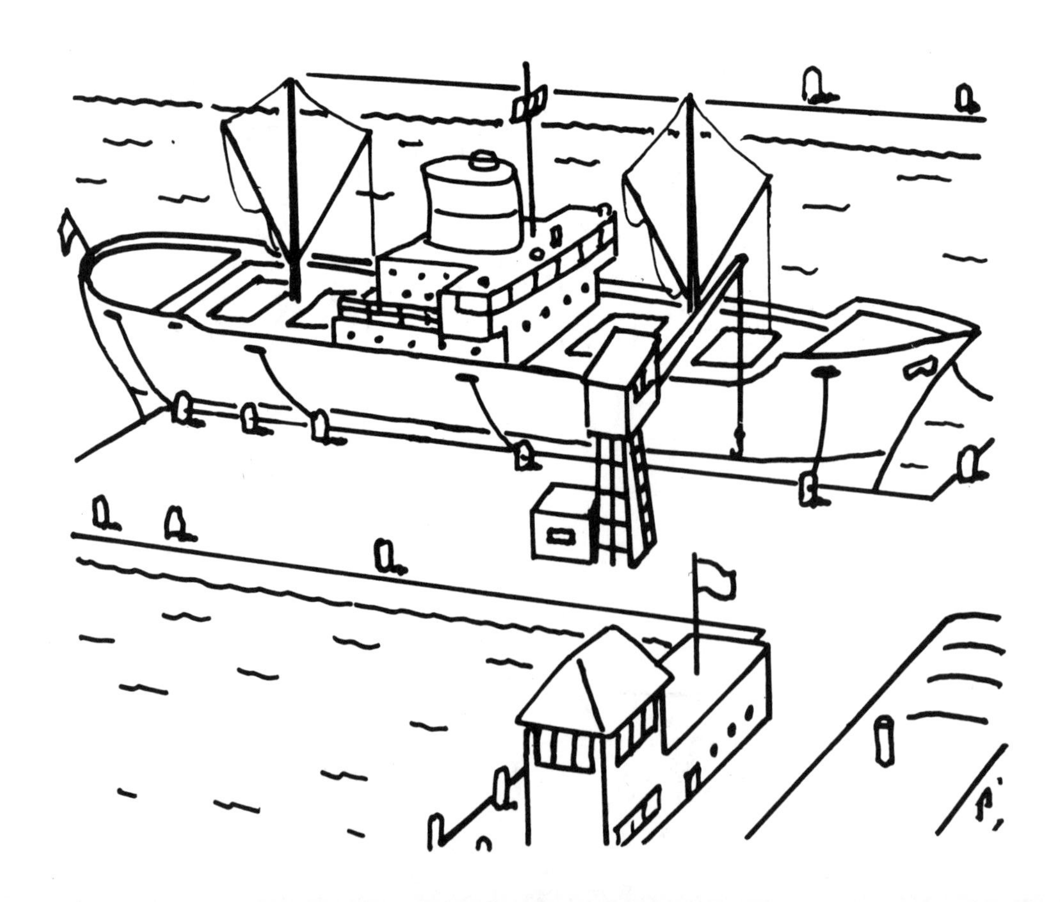

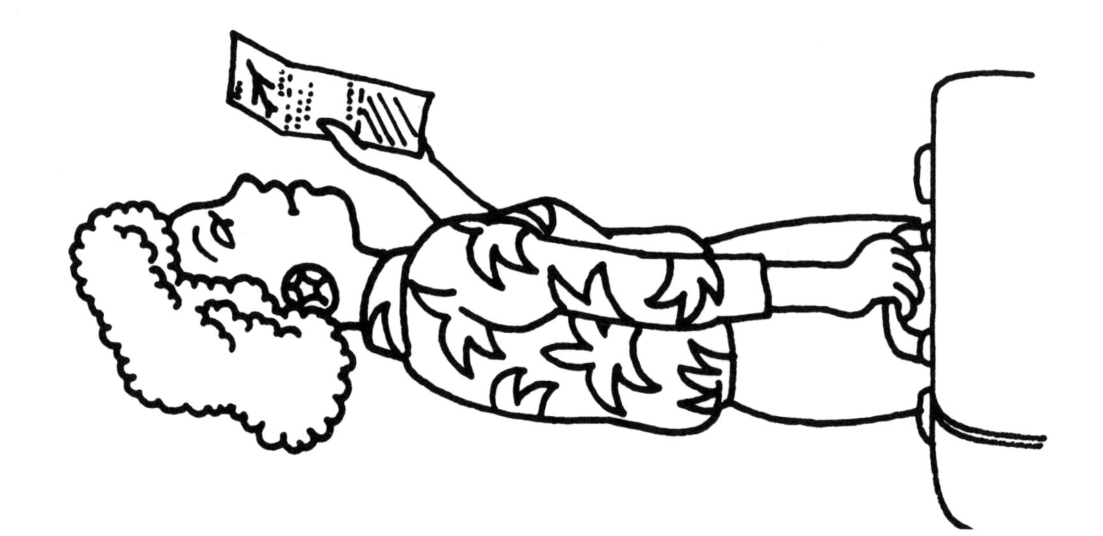

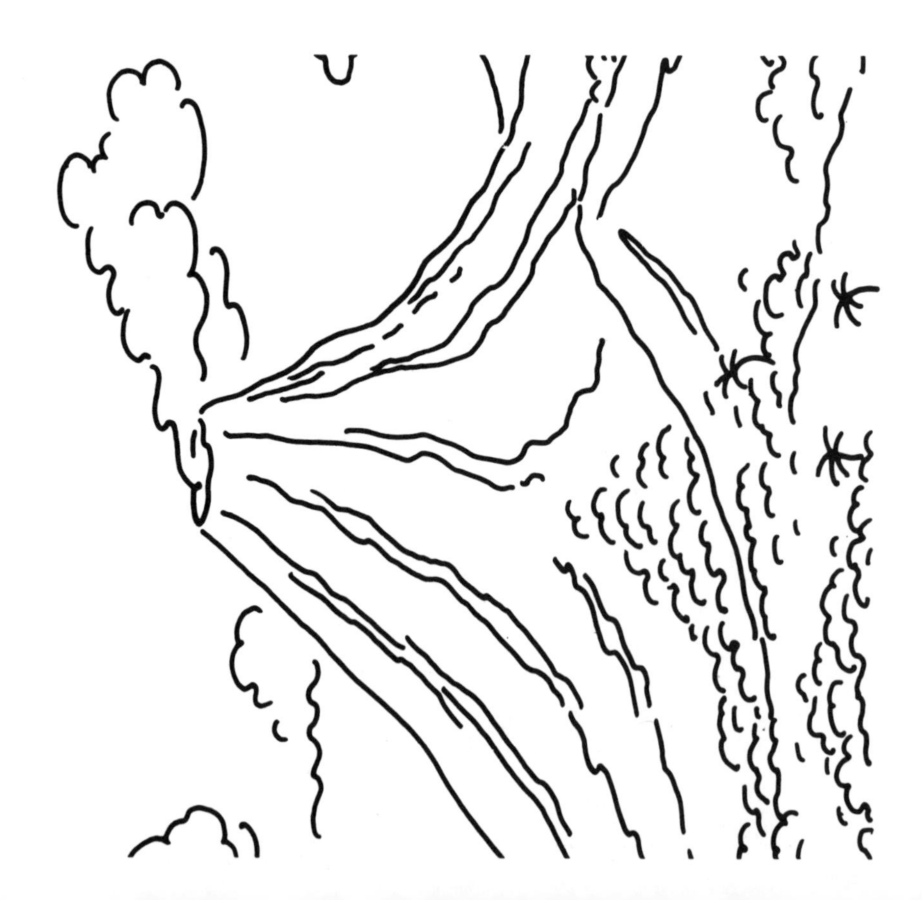

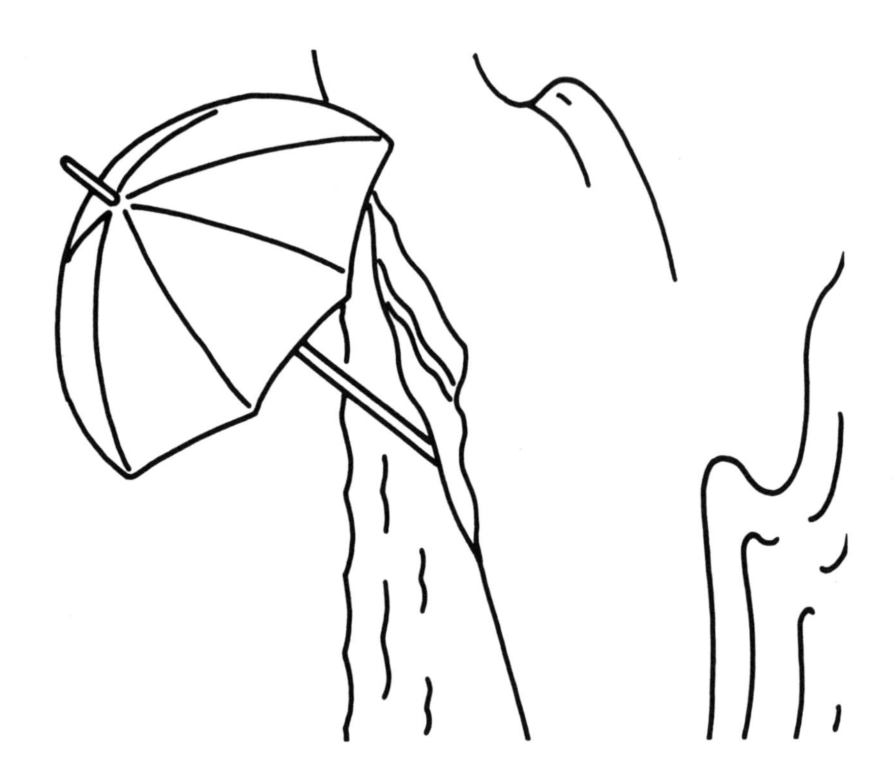

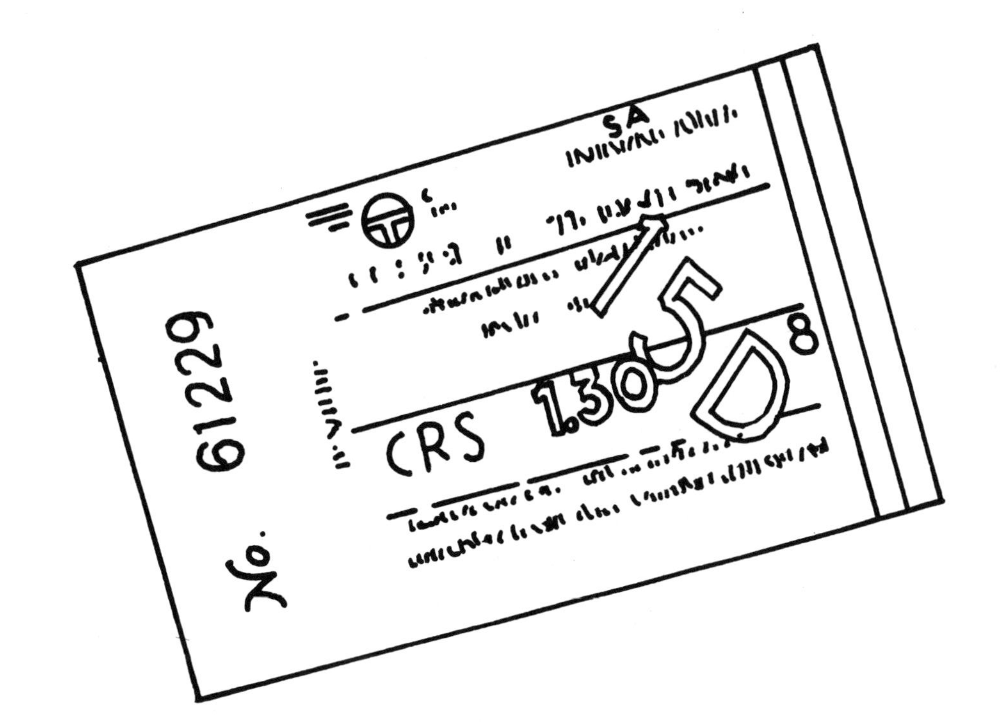
SA
No. 61229
CRS

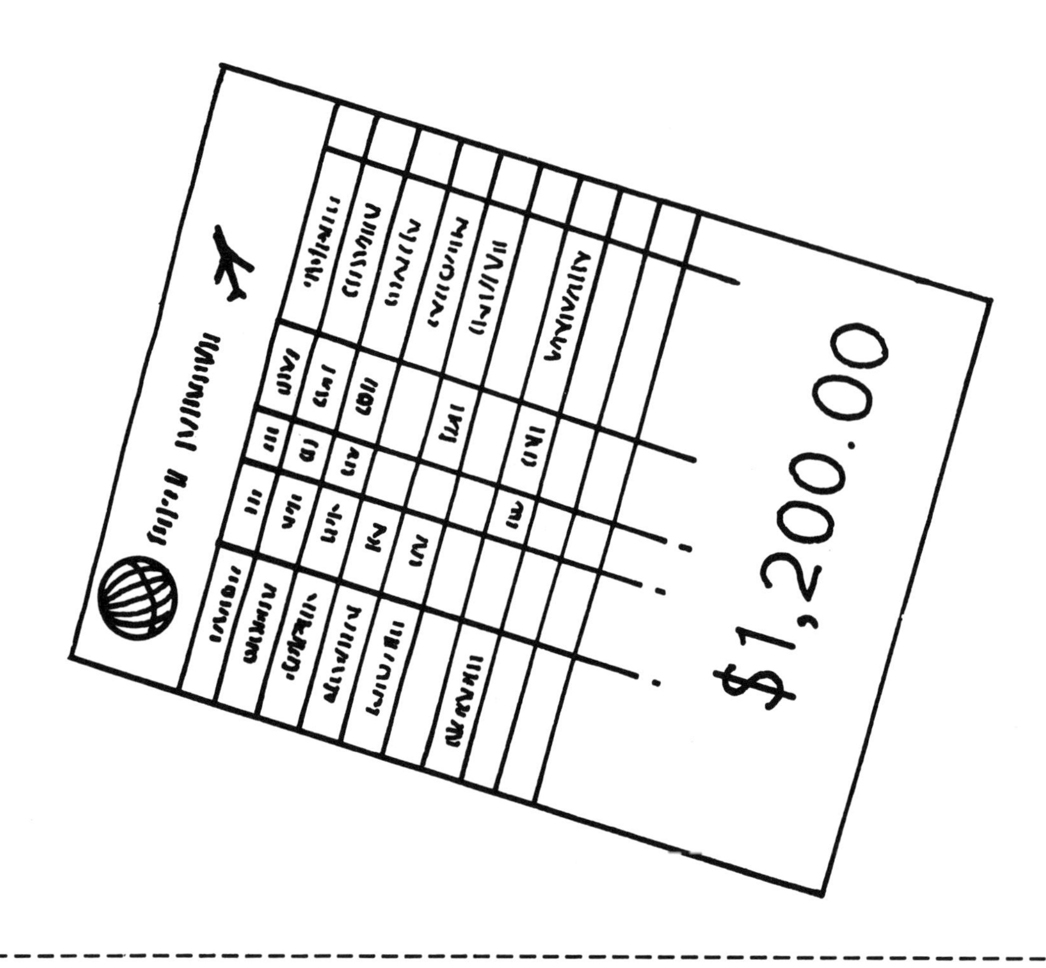
$1,200.00

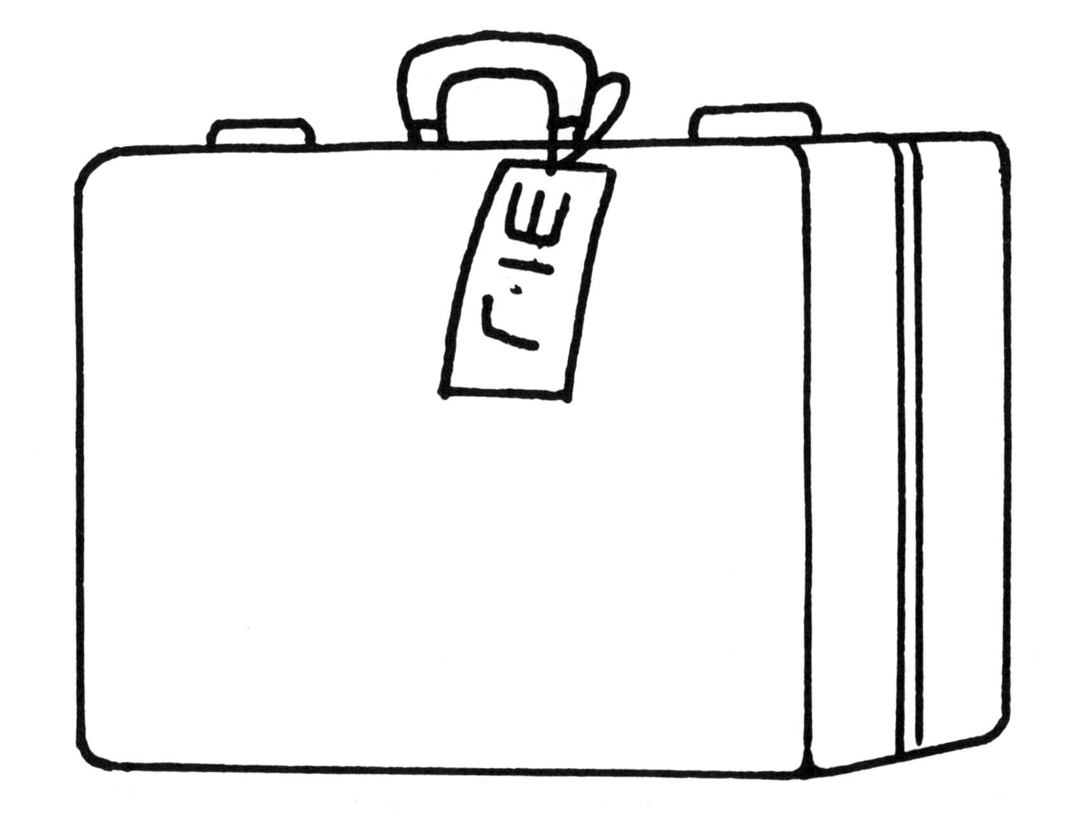

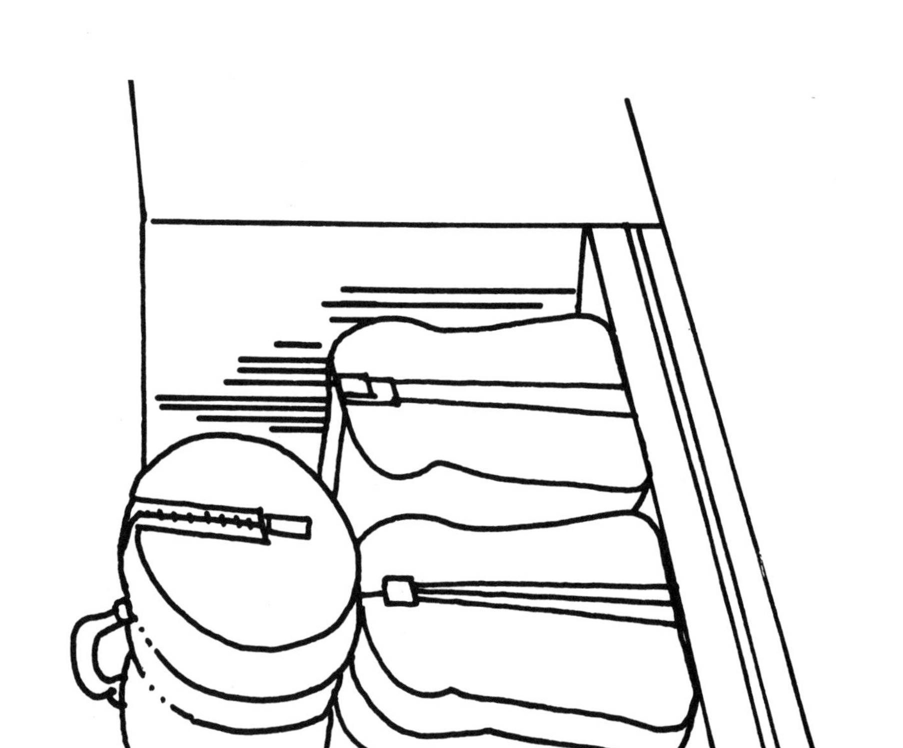

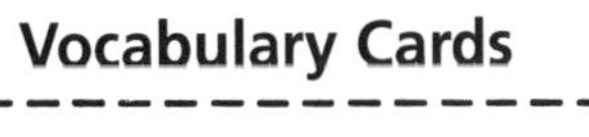

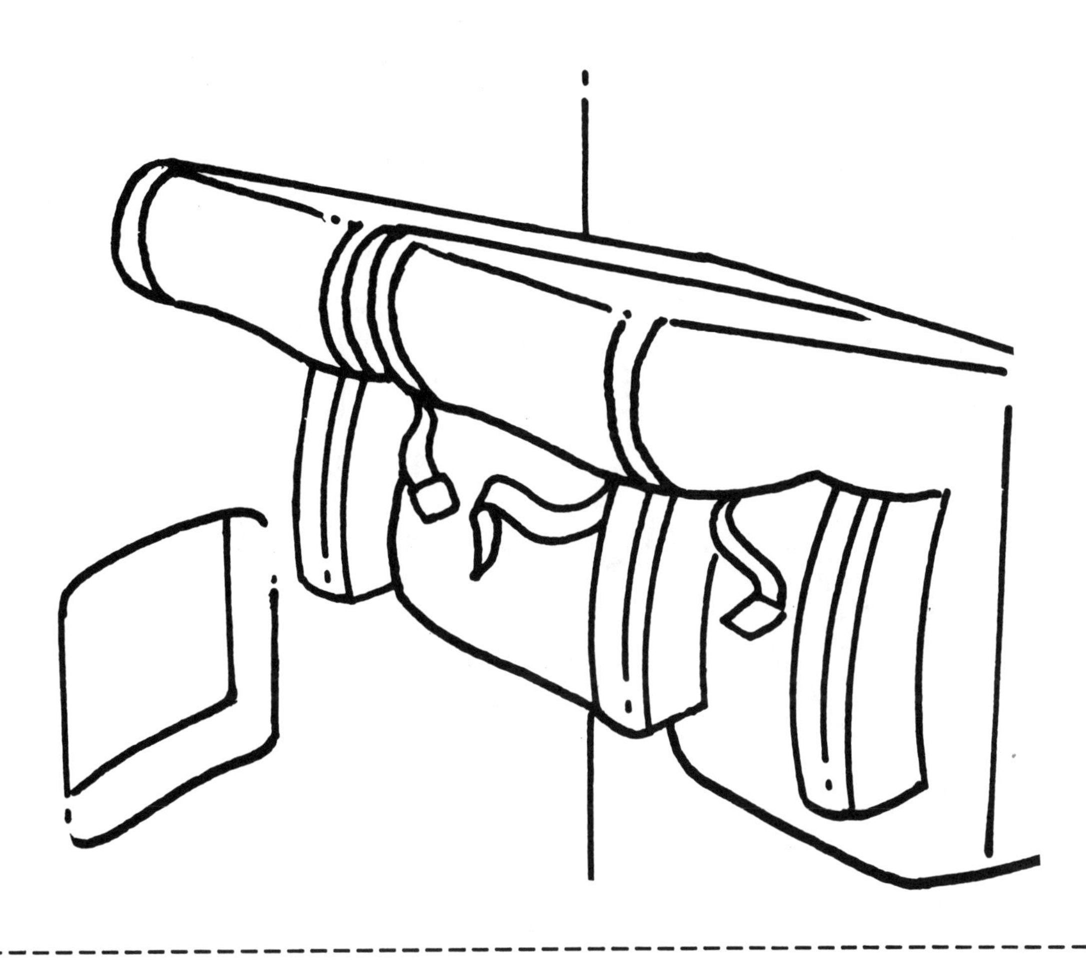

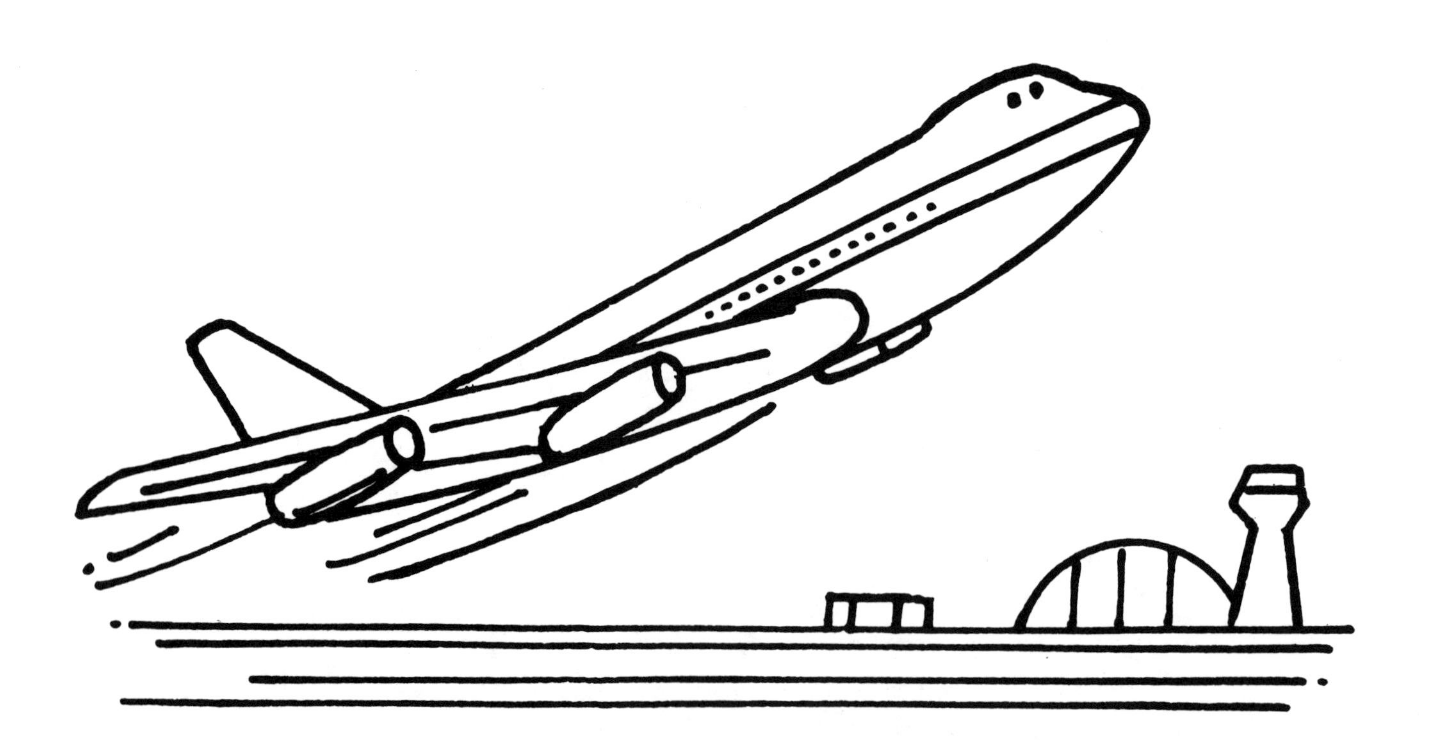

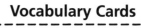

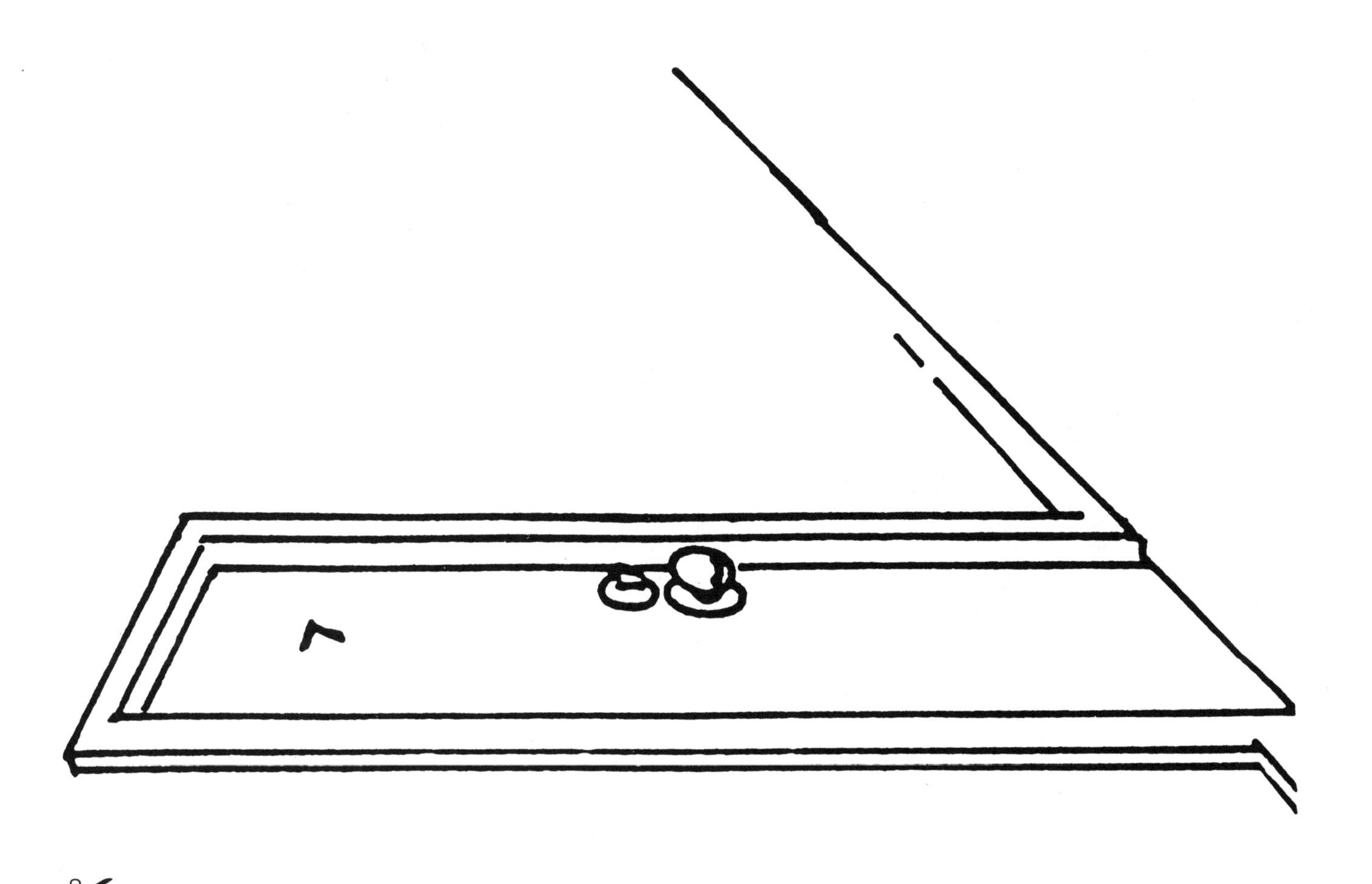

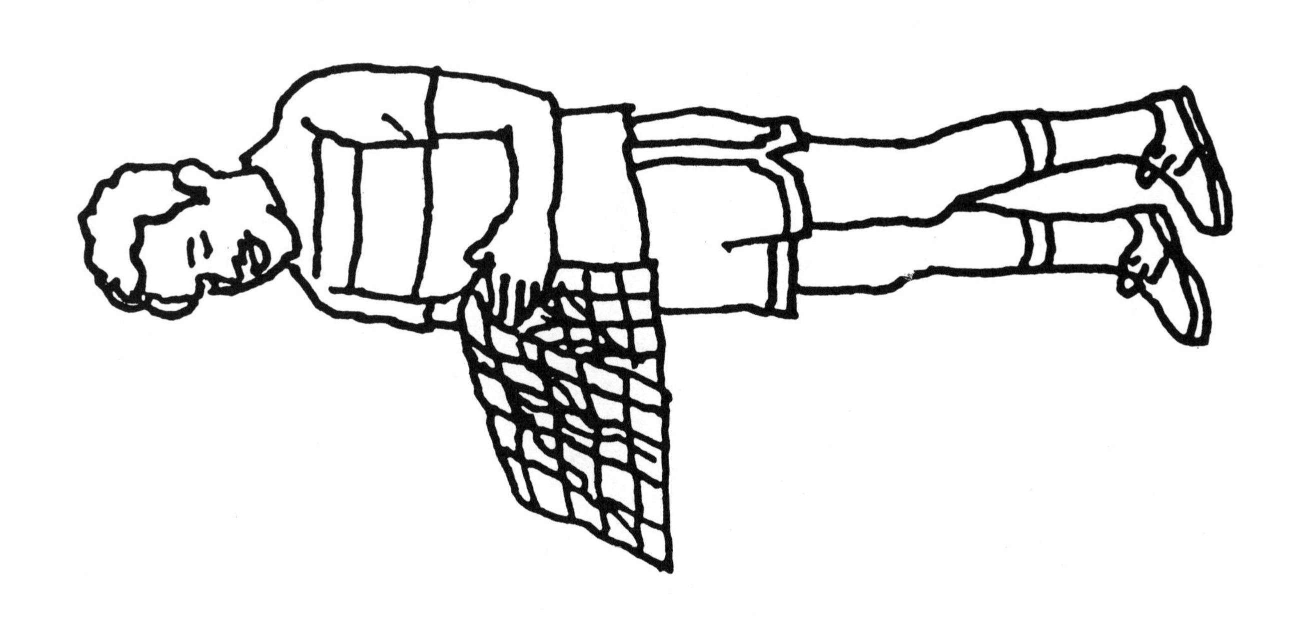

7

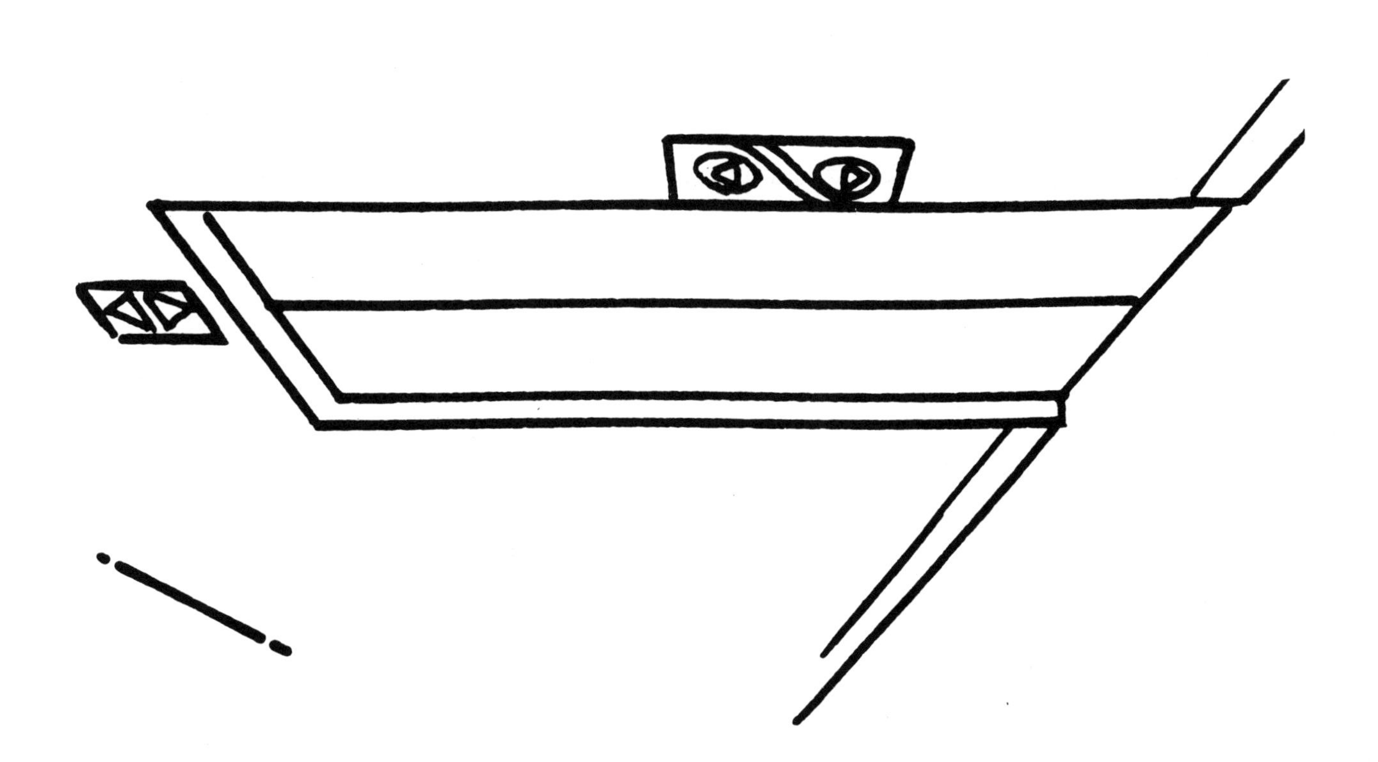

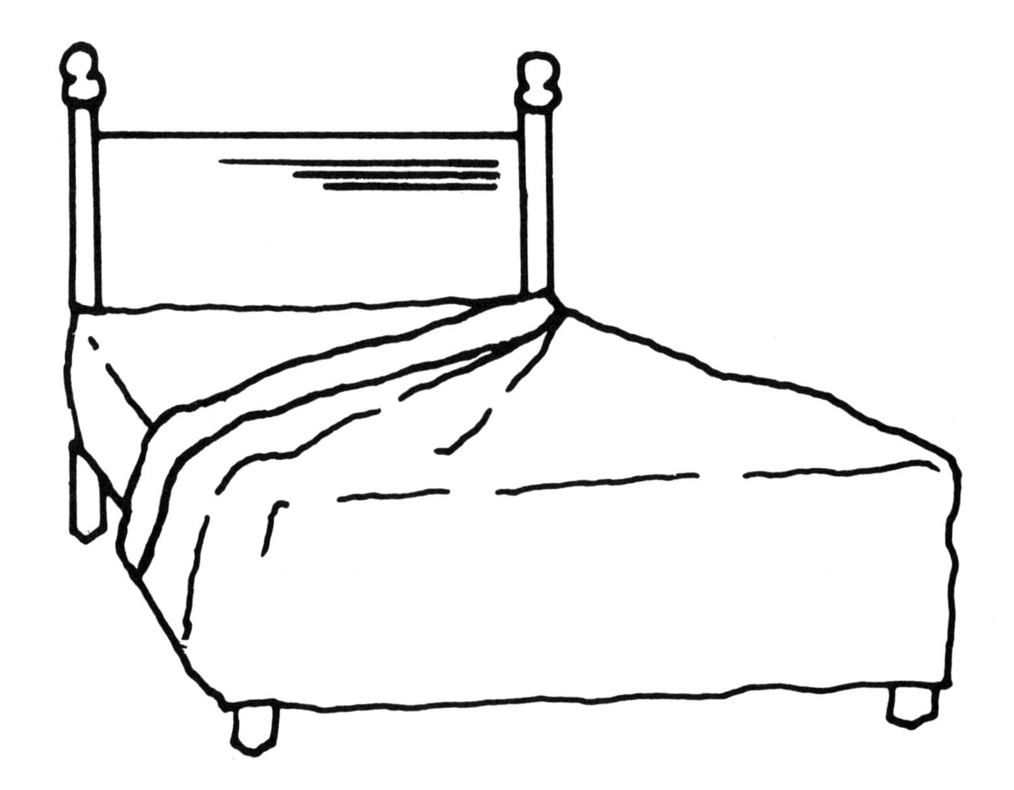

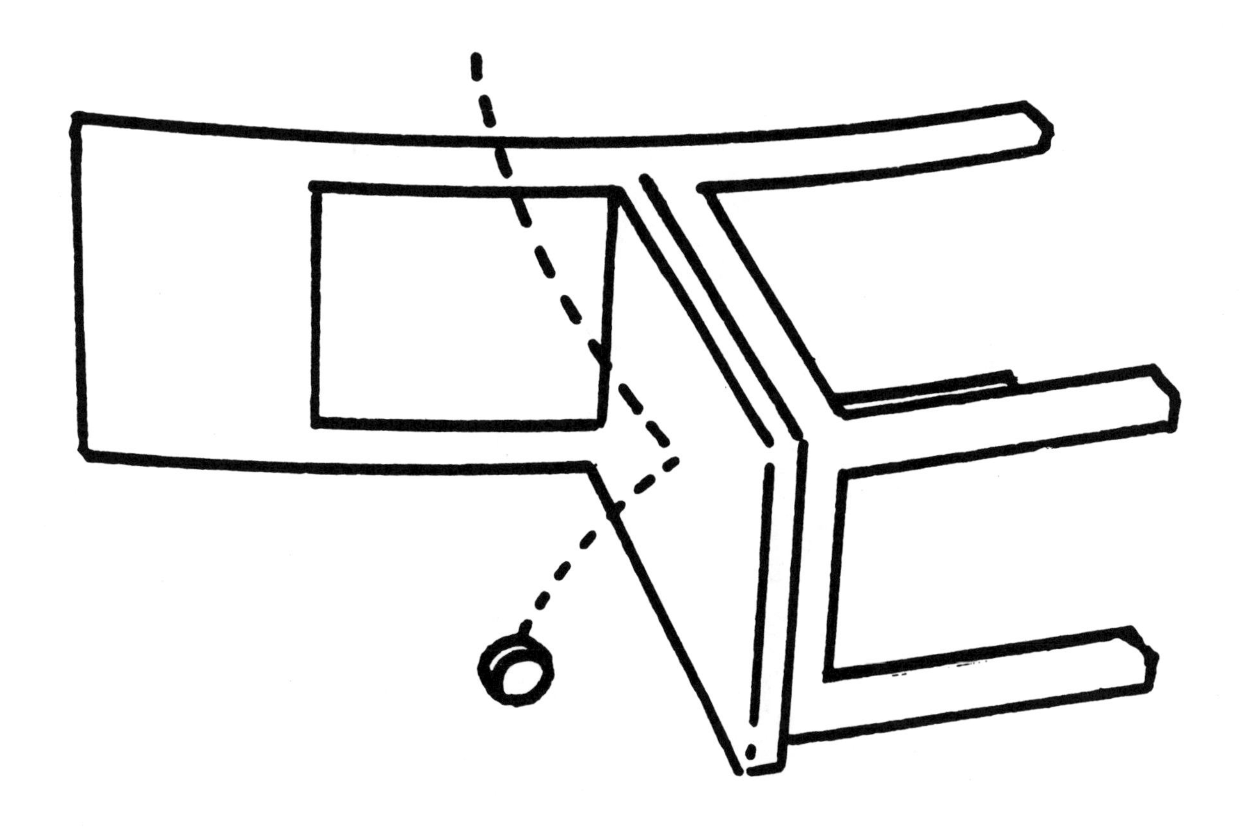

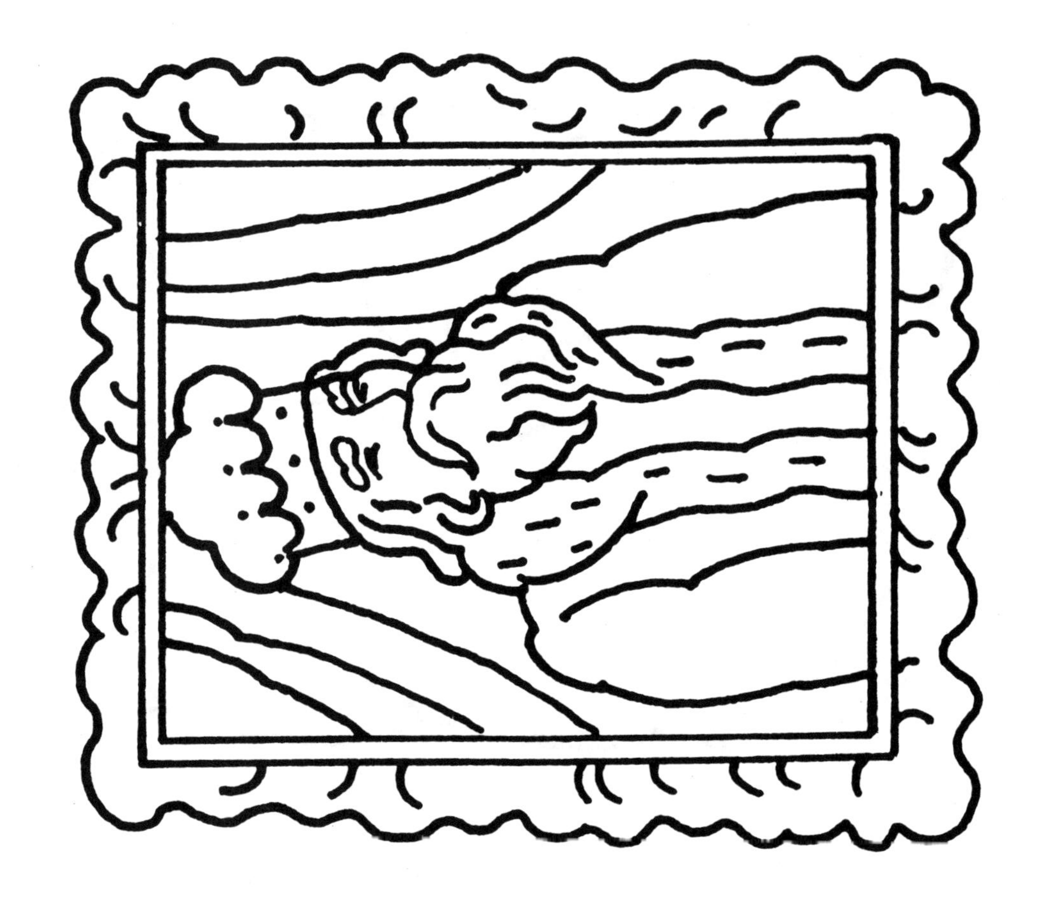

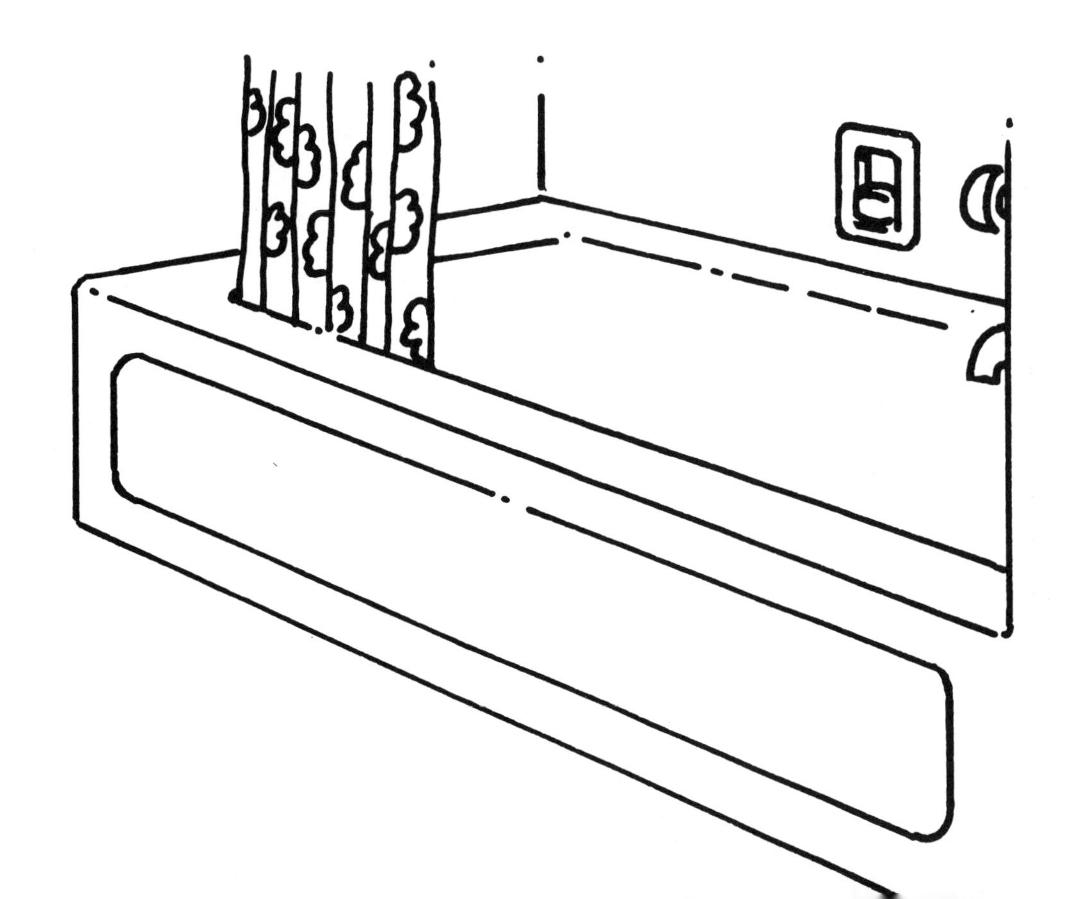

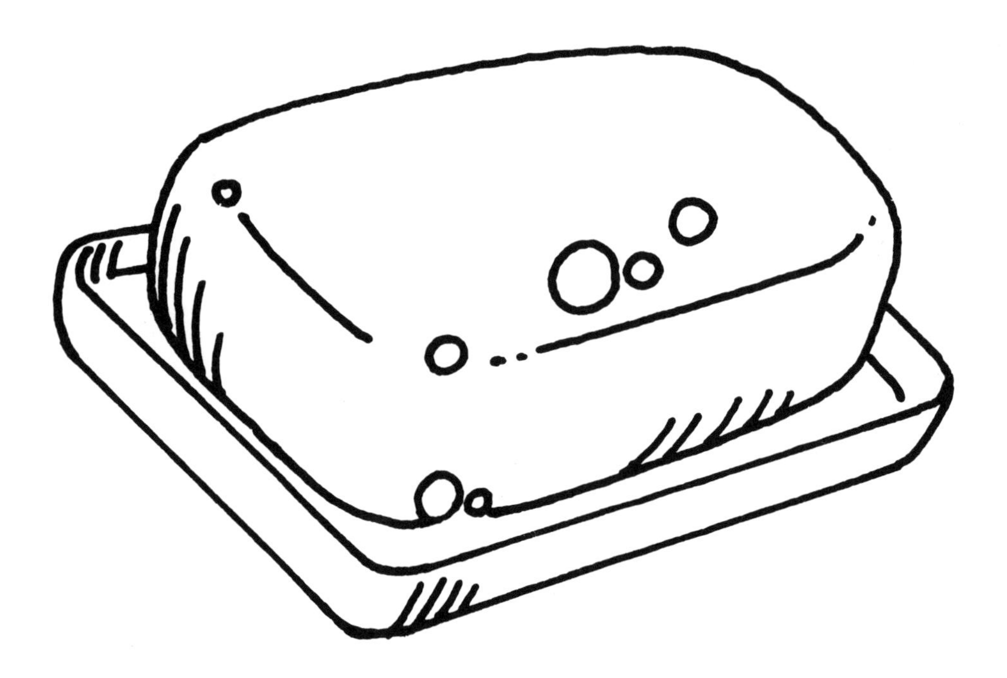

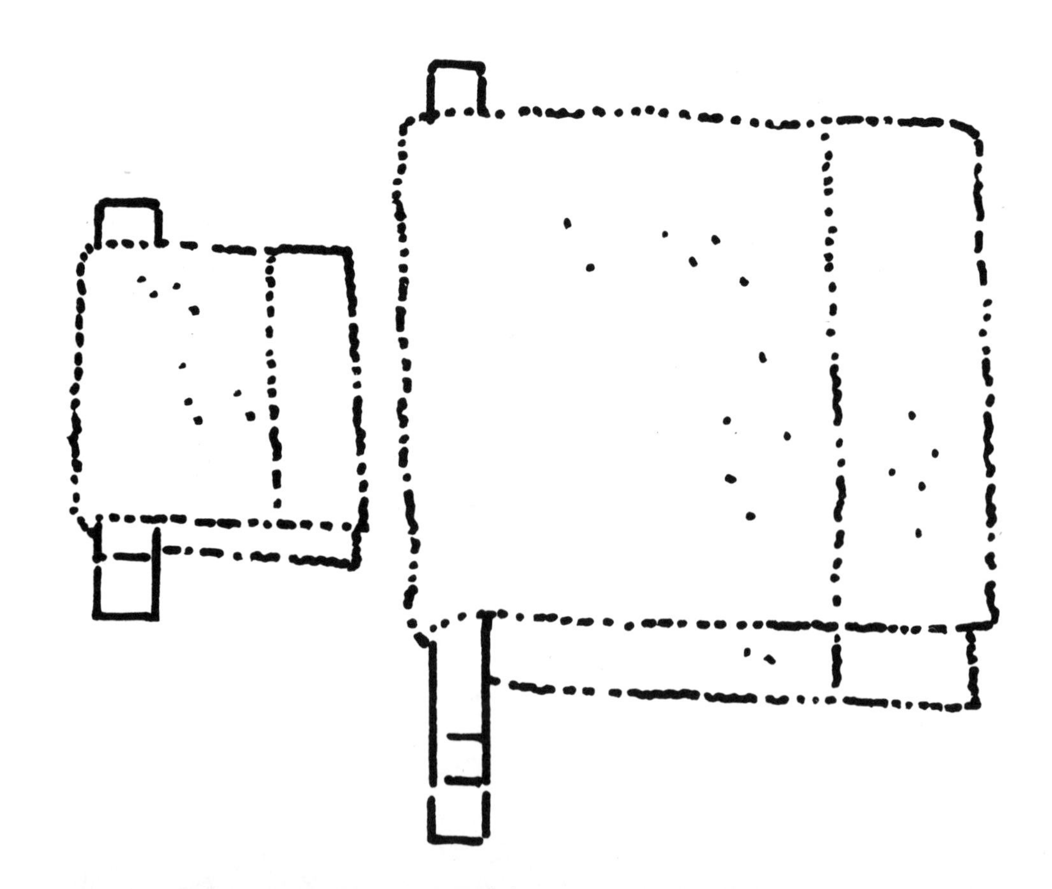

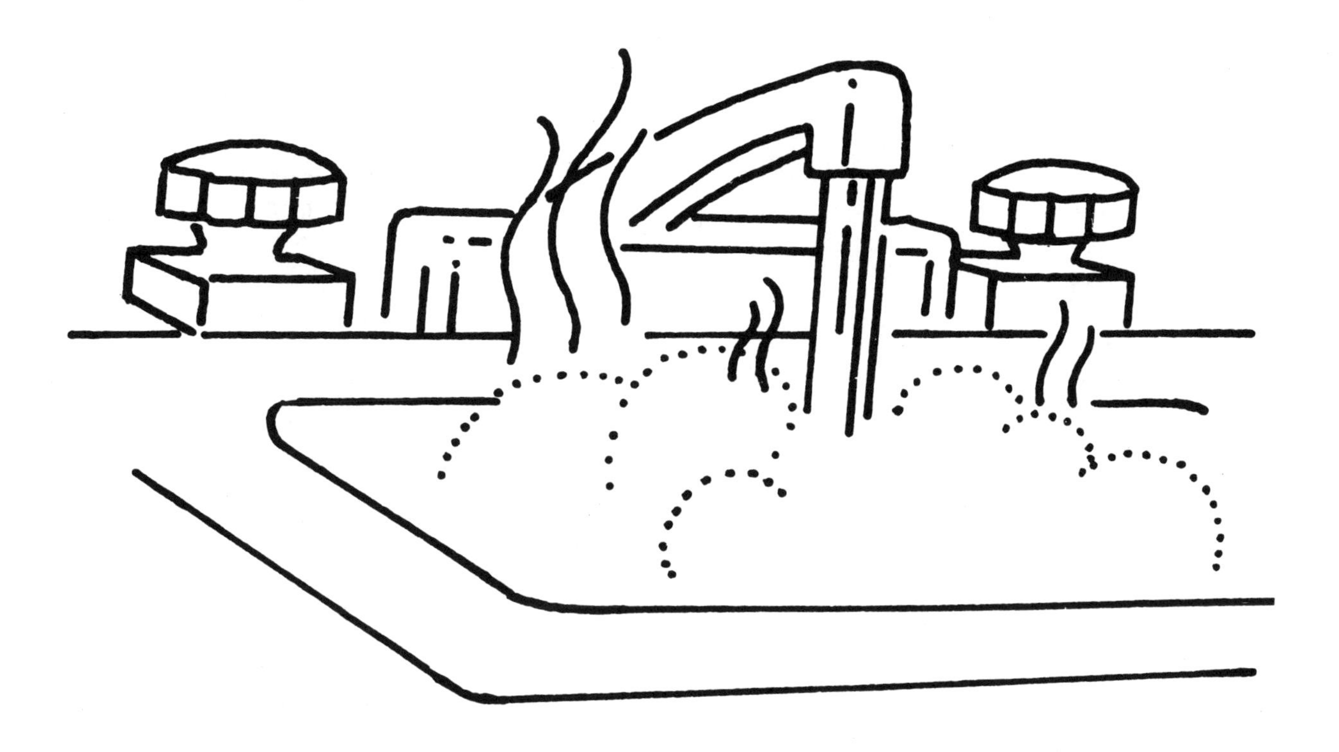

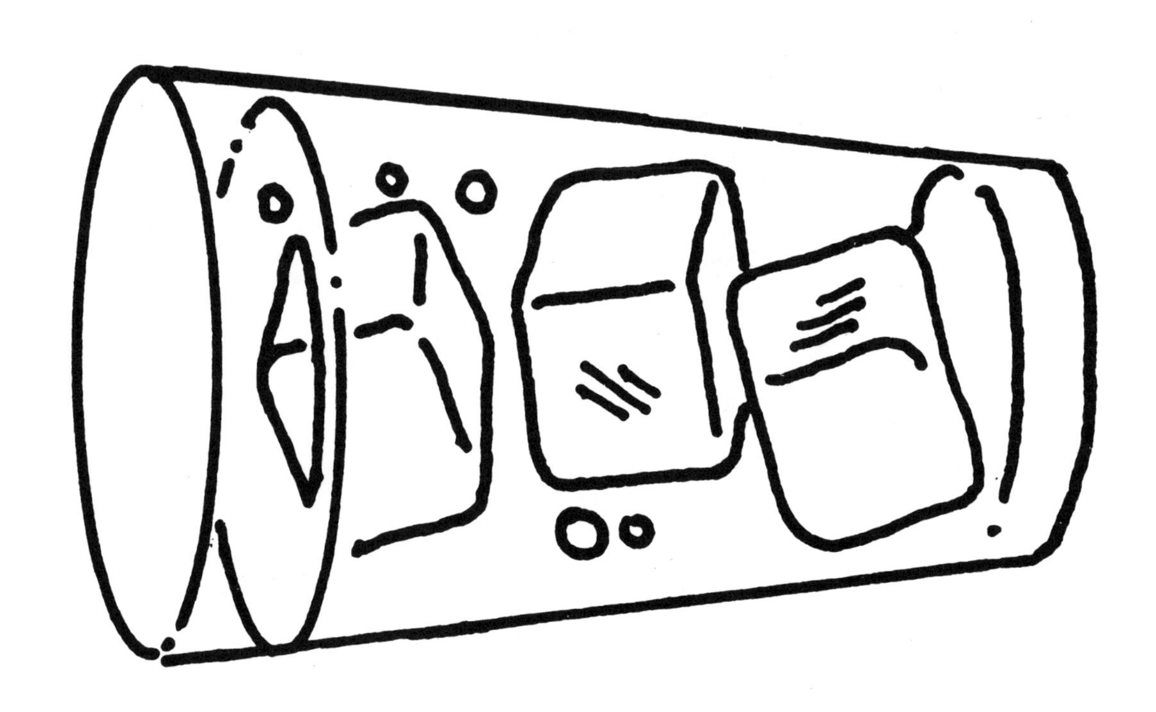

3

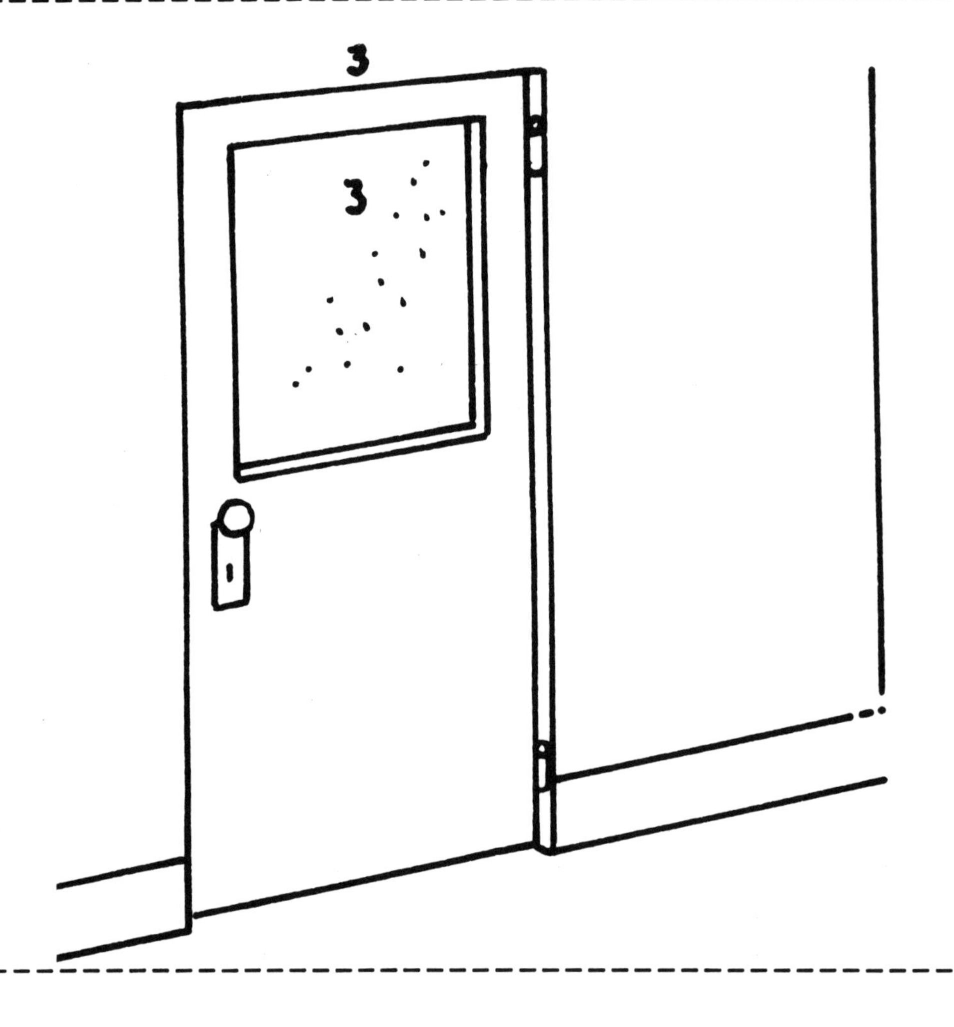
3
3

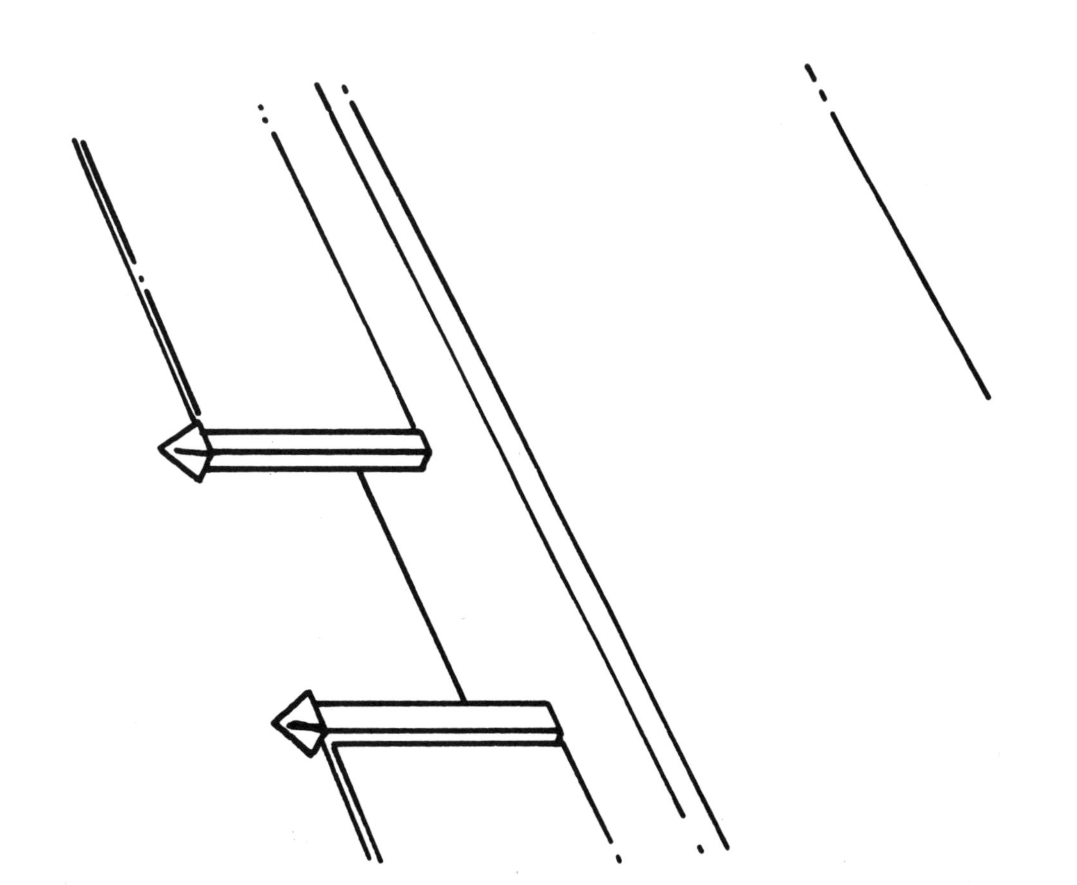

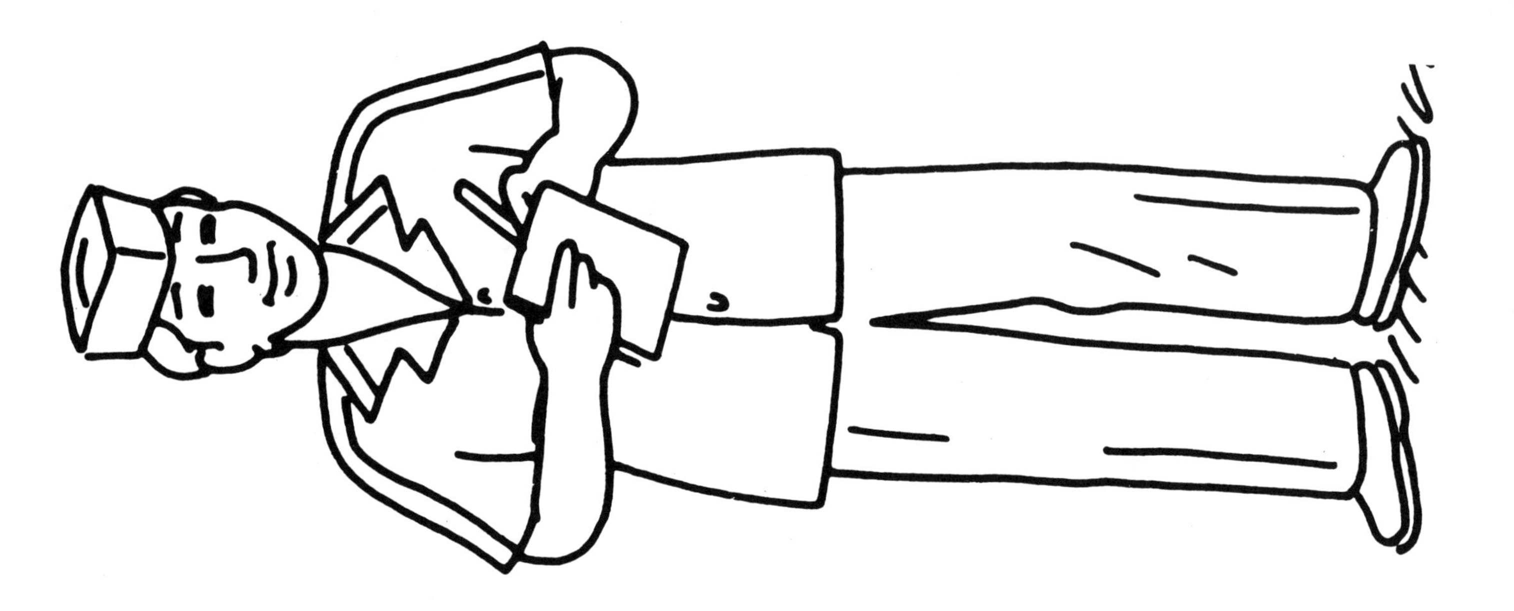

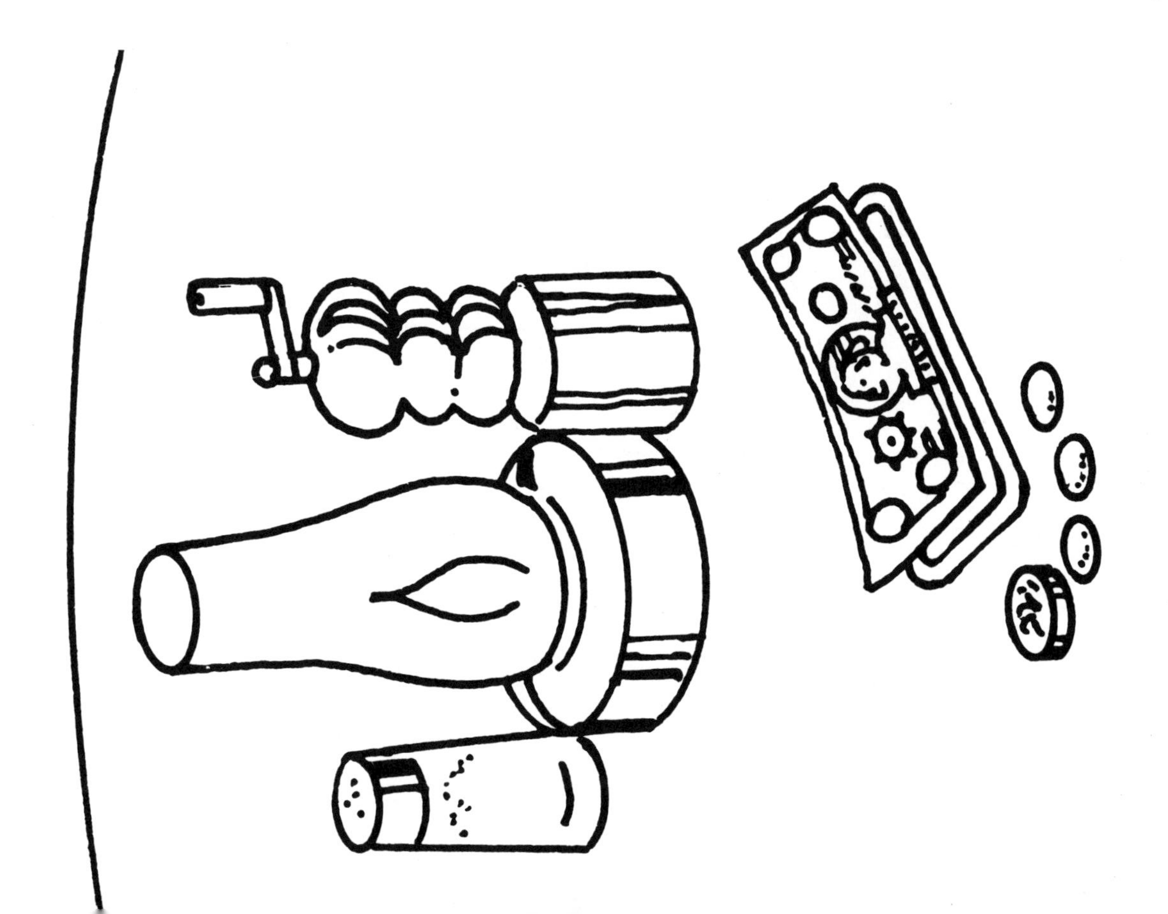

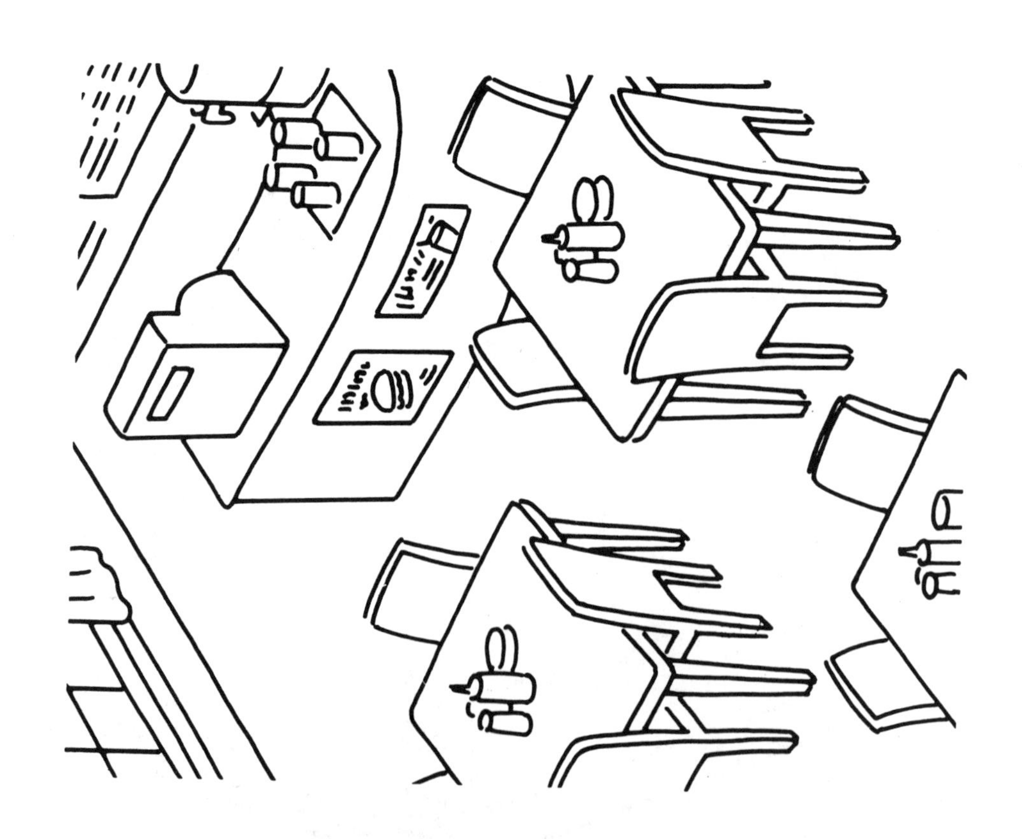

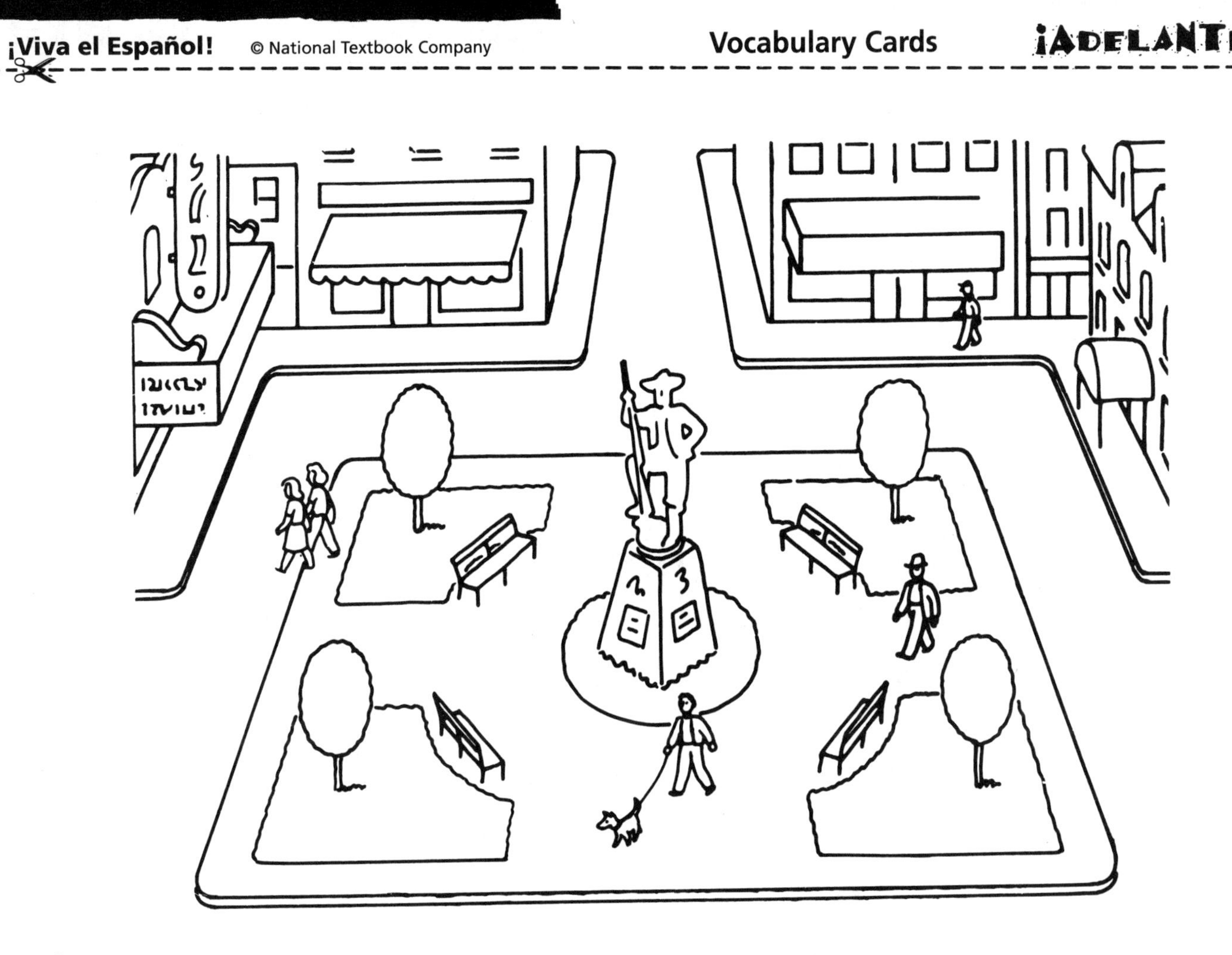

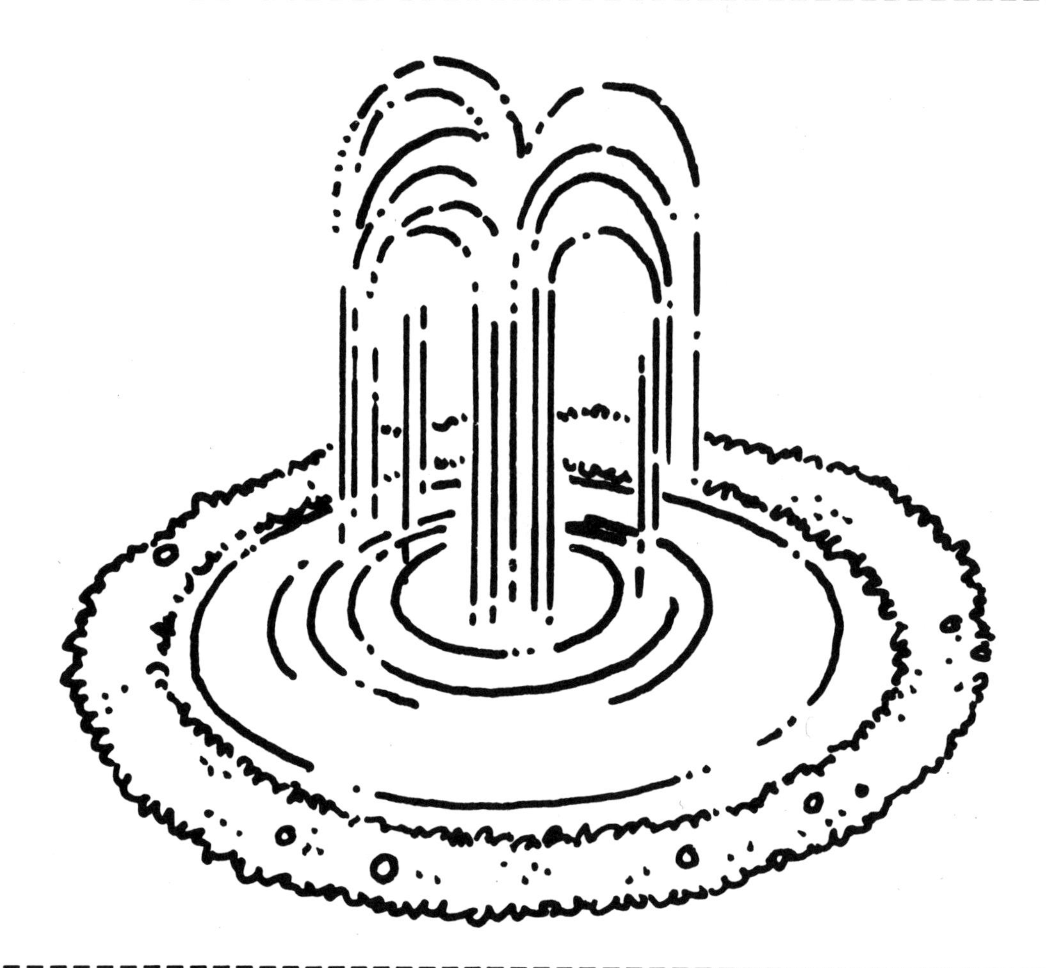

870

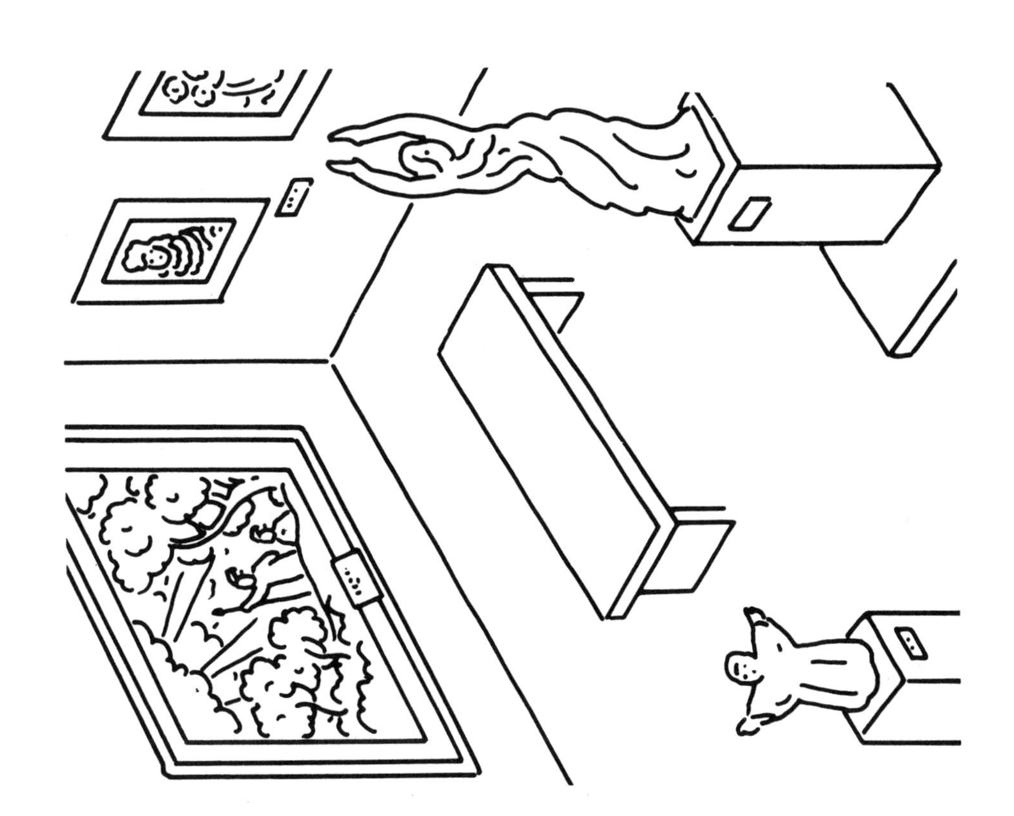

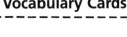

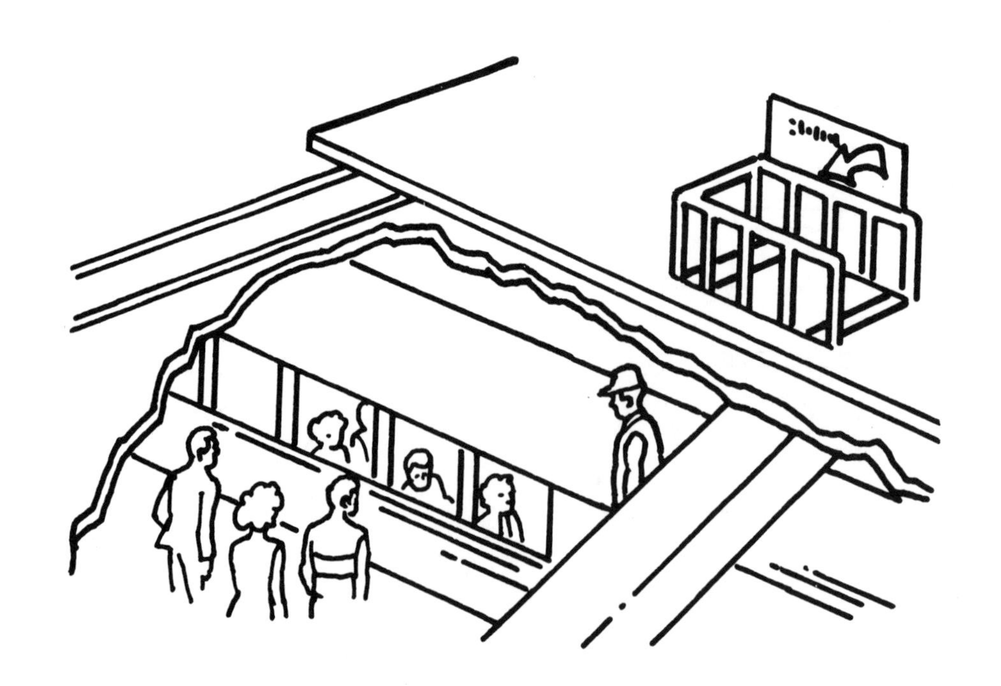

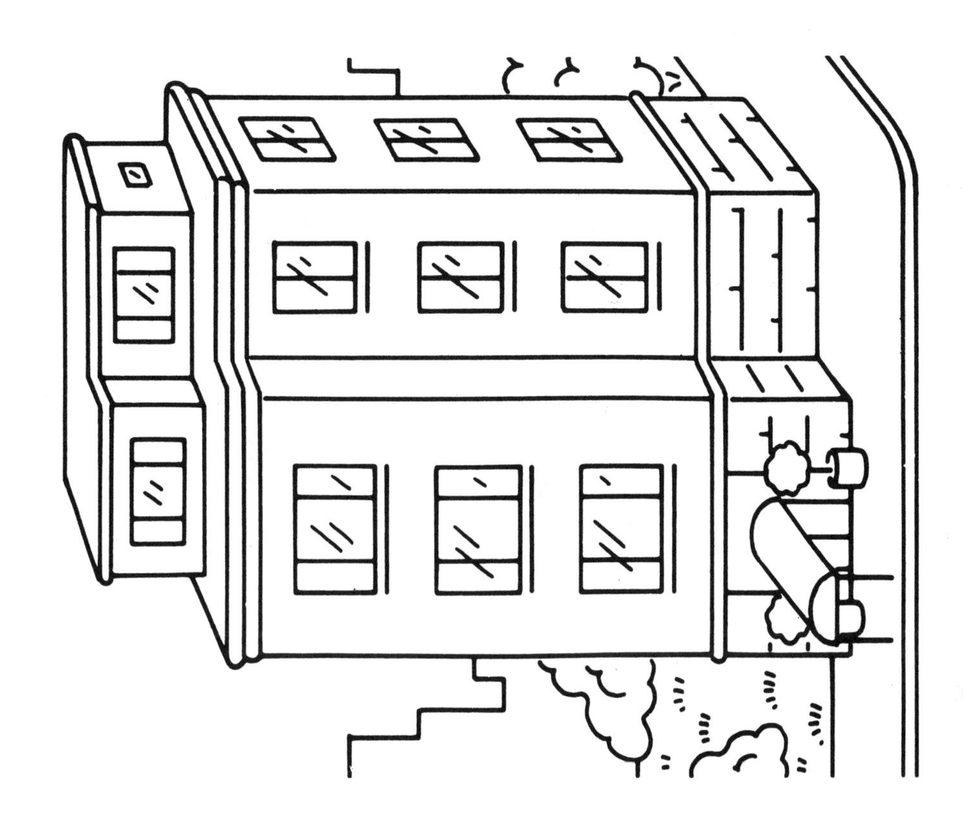

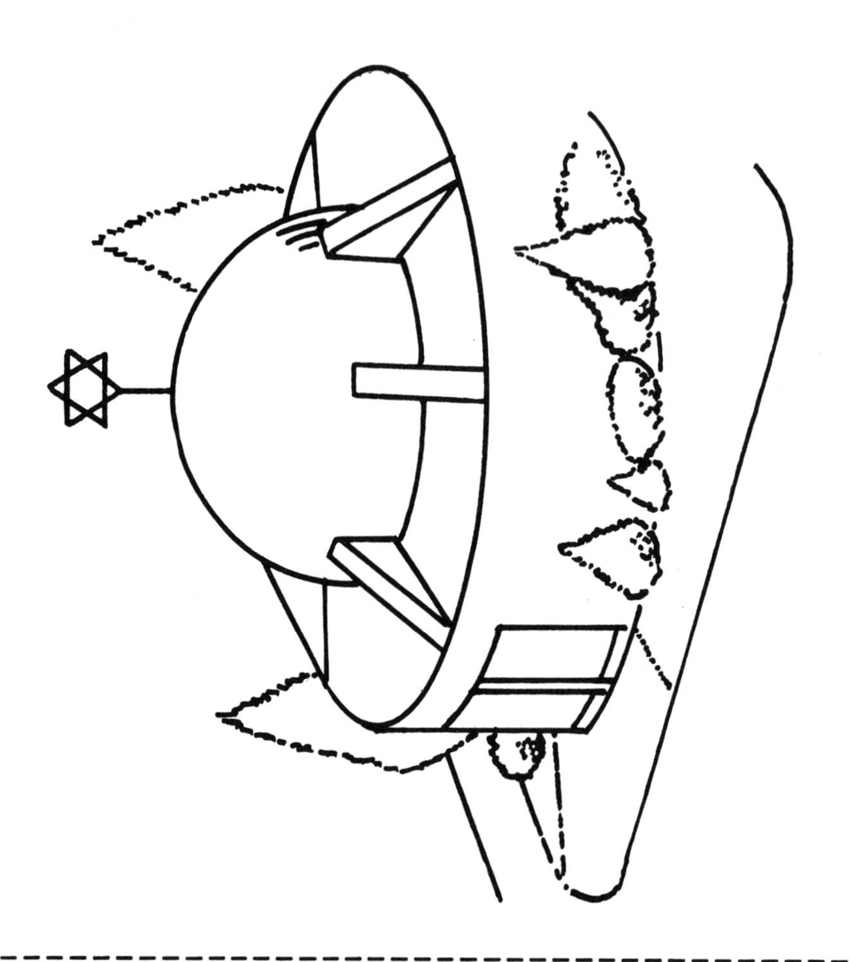

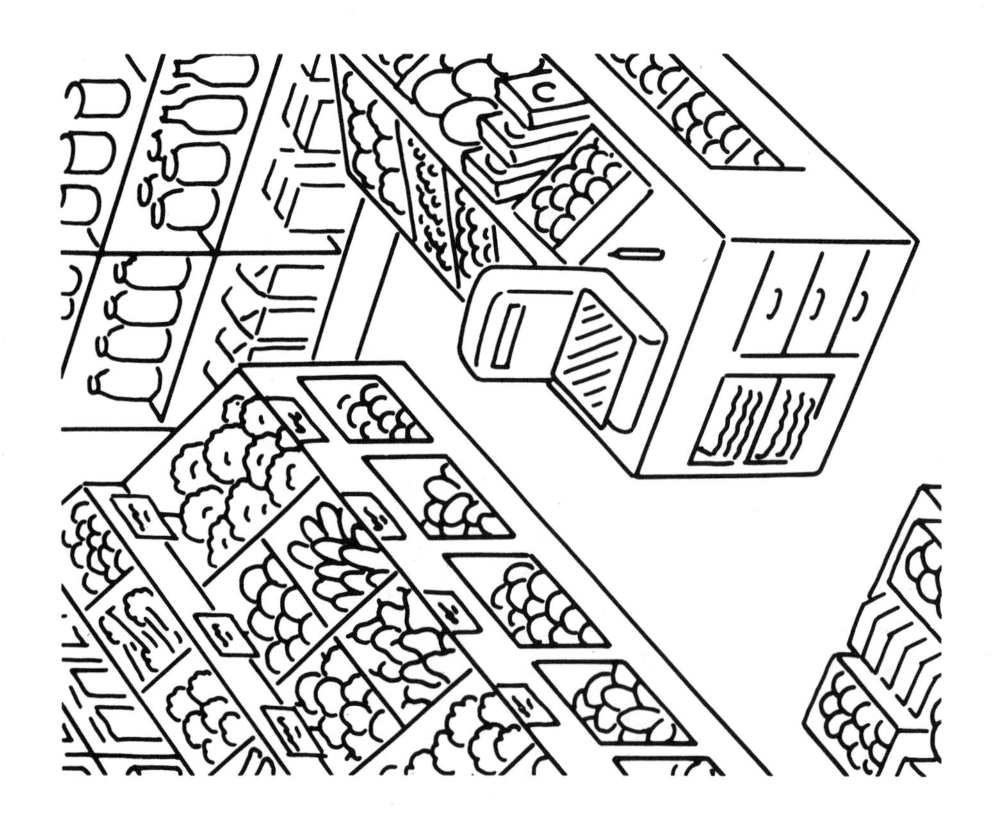

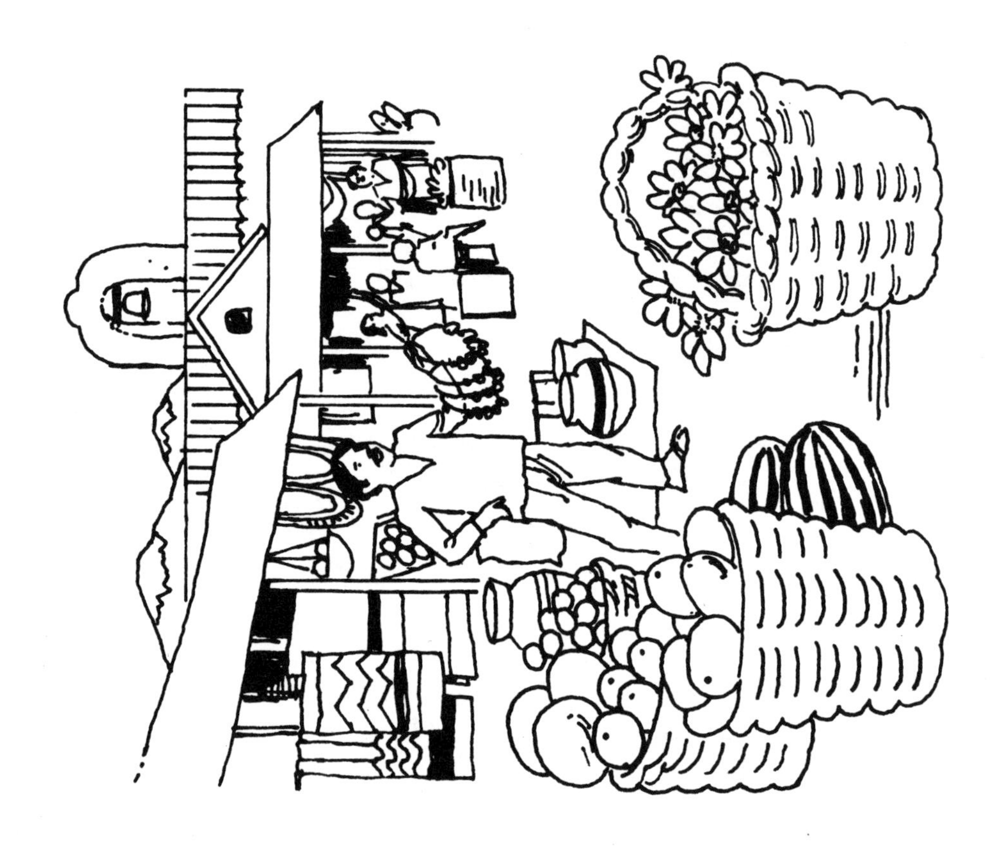

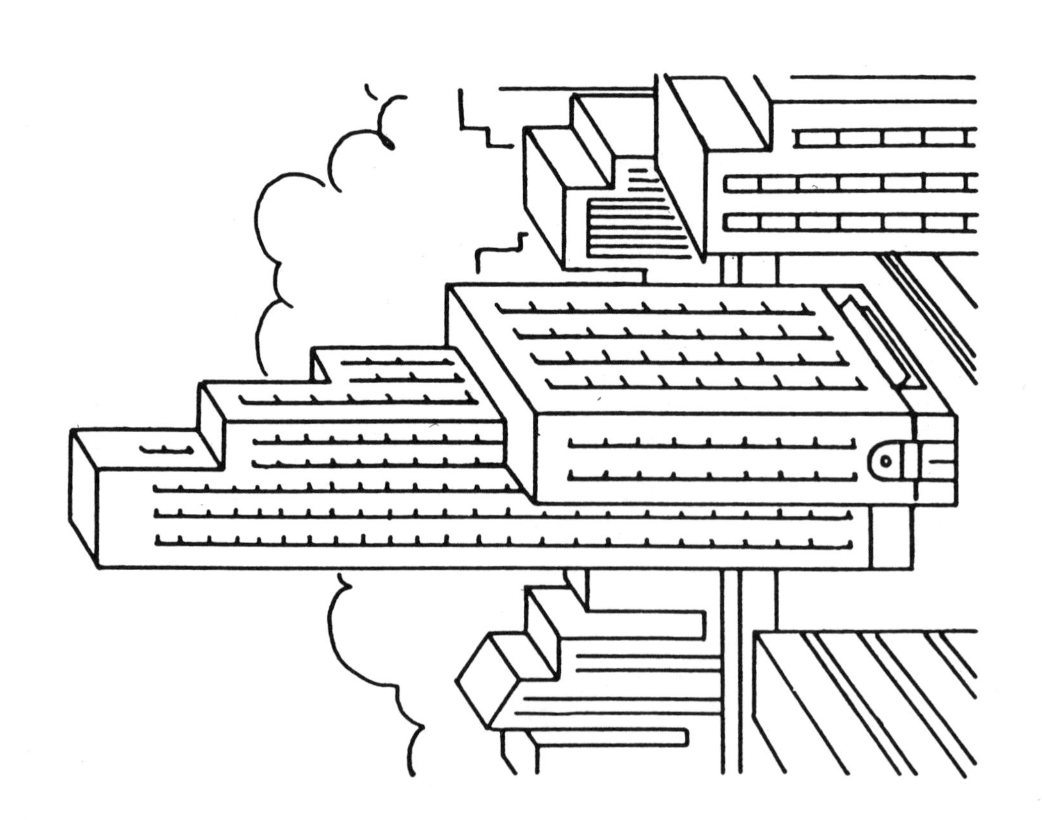

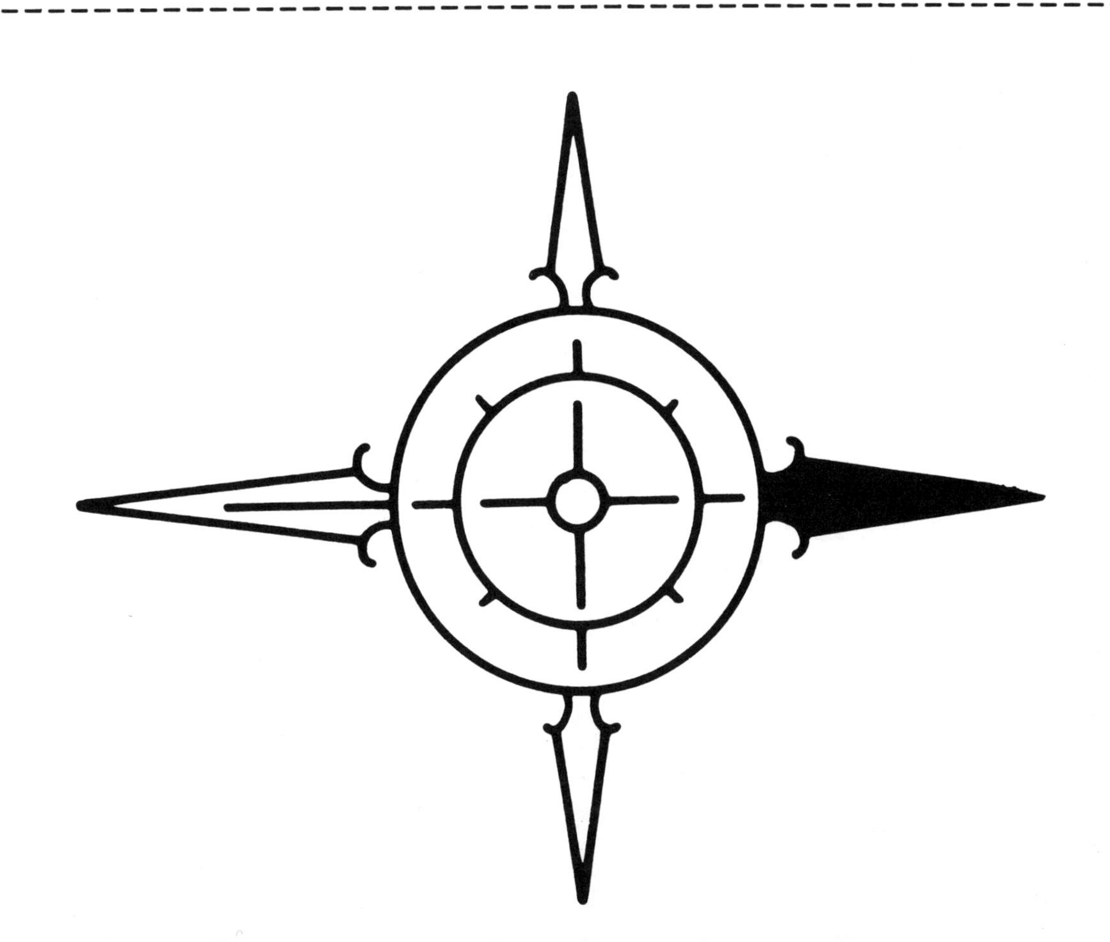

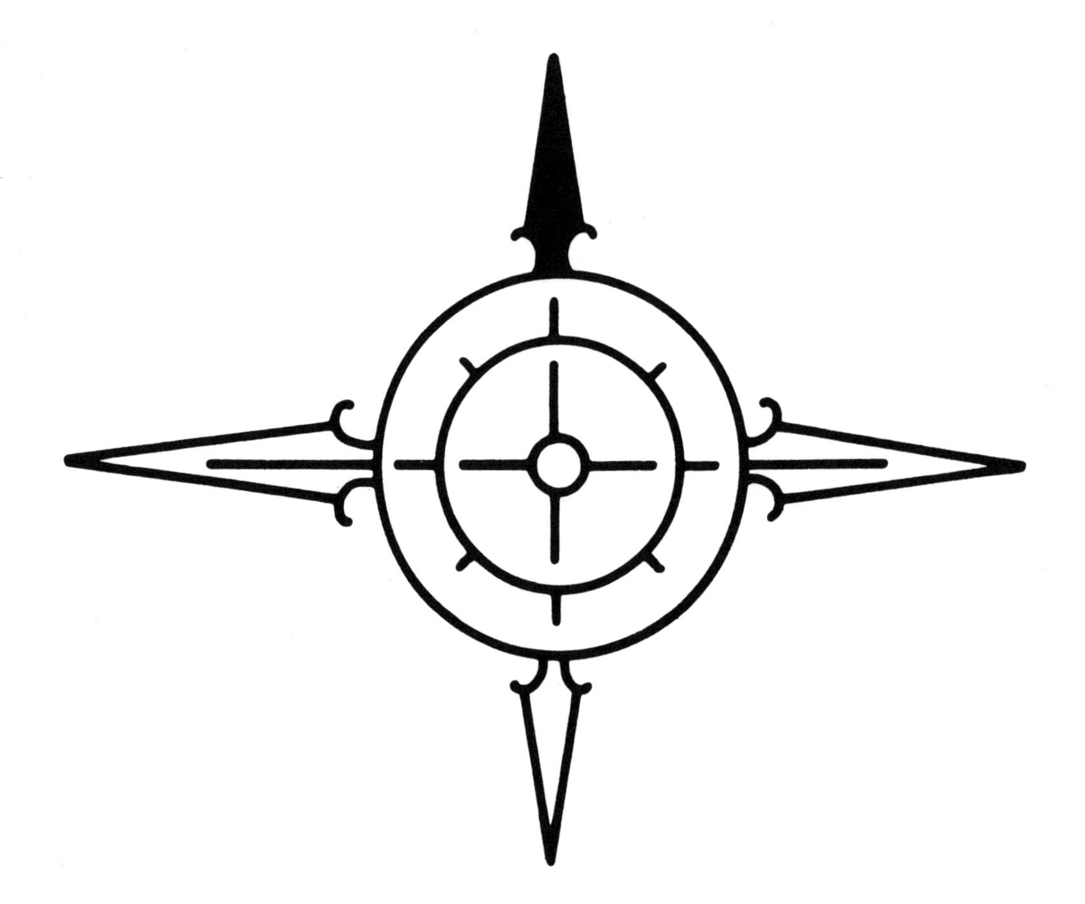

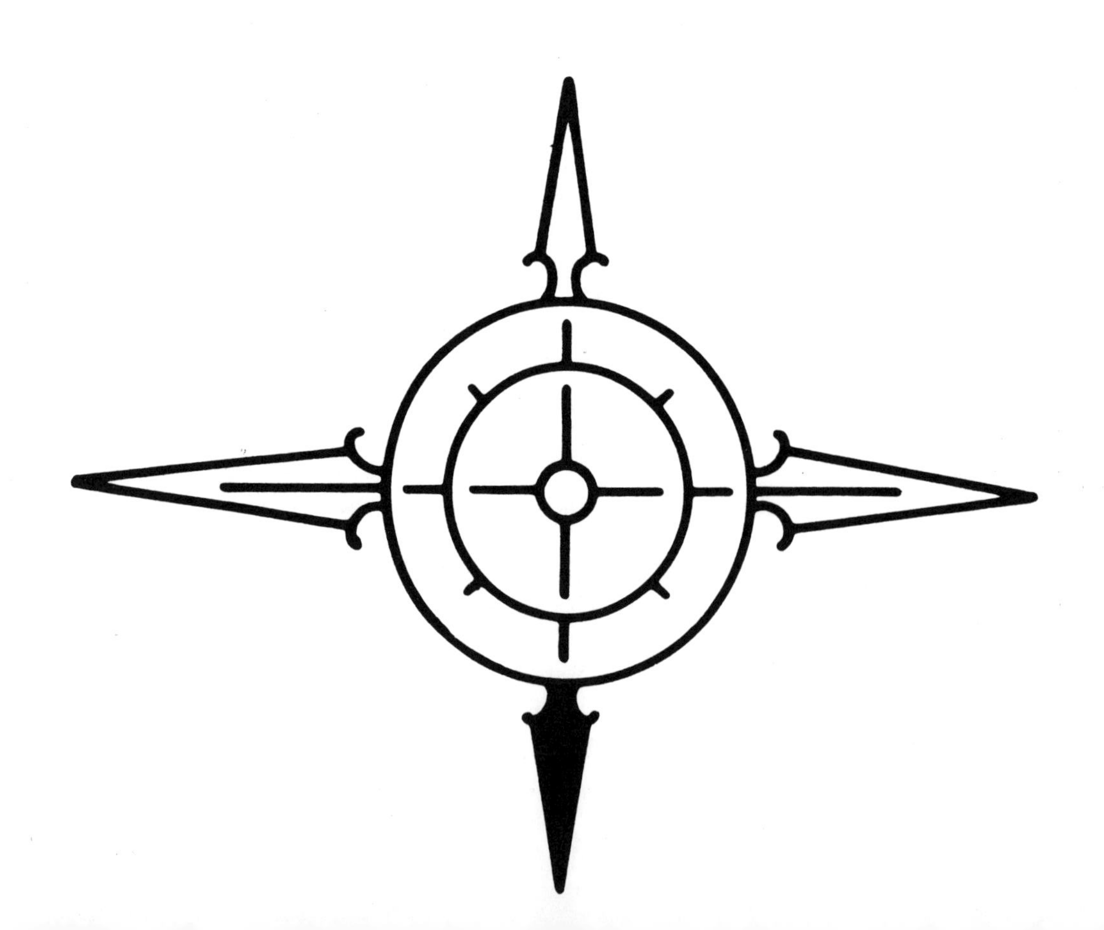

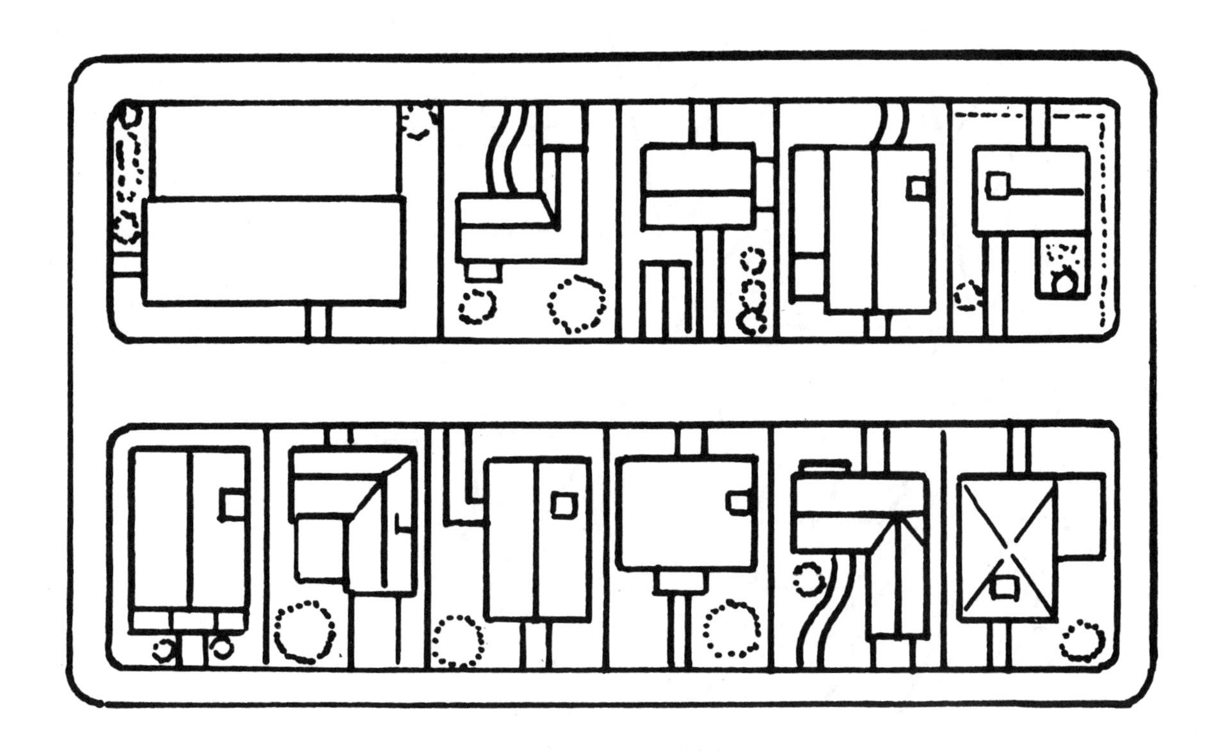

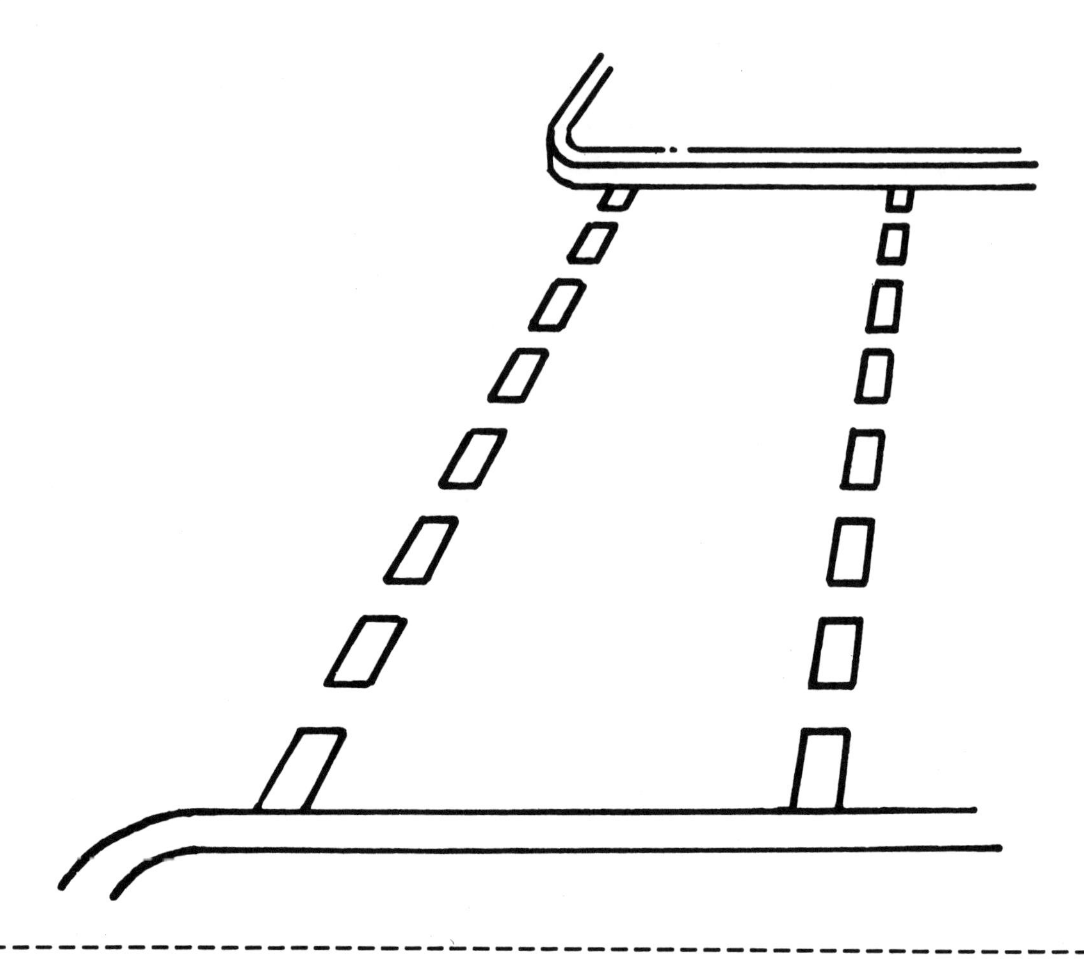

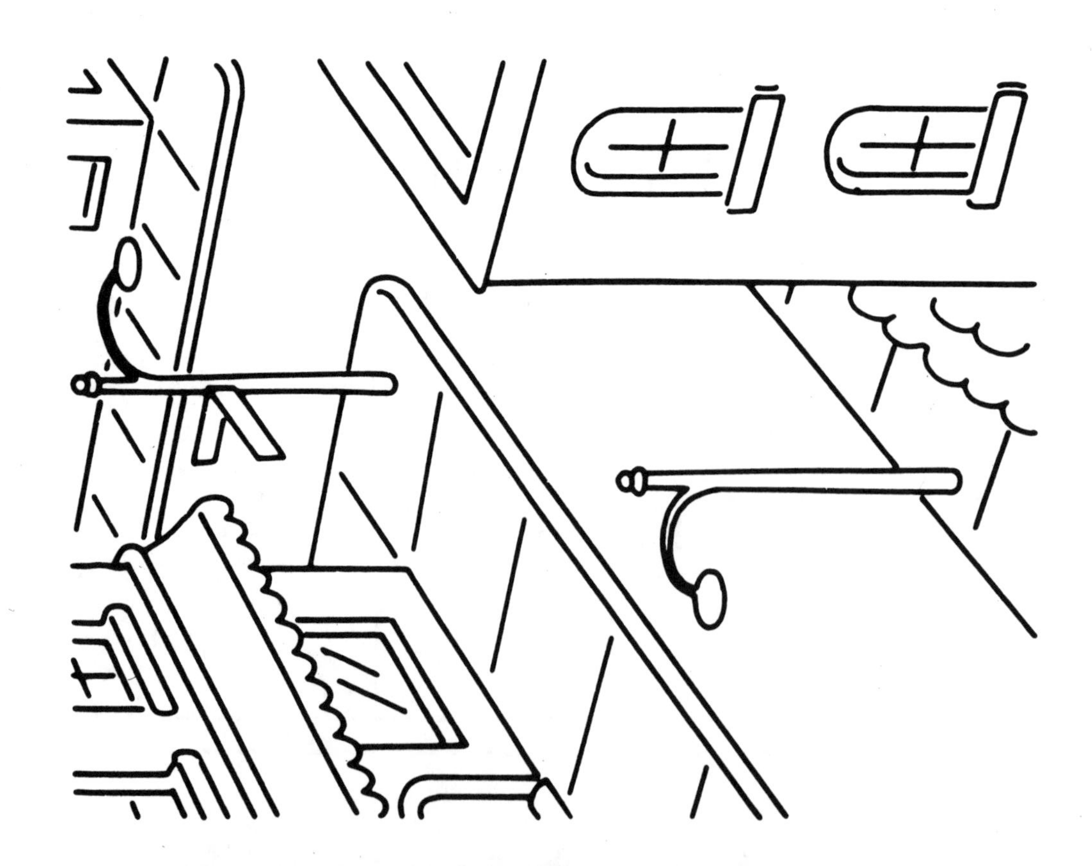

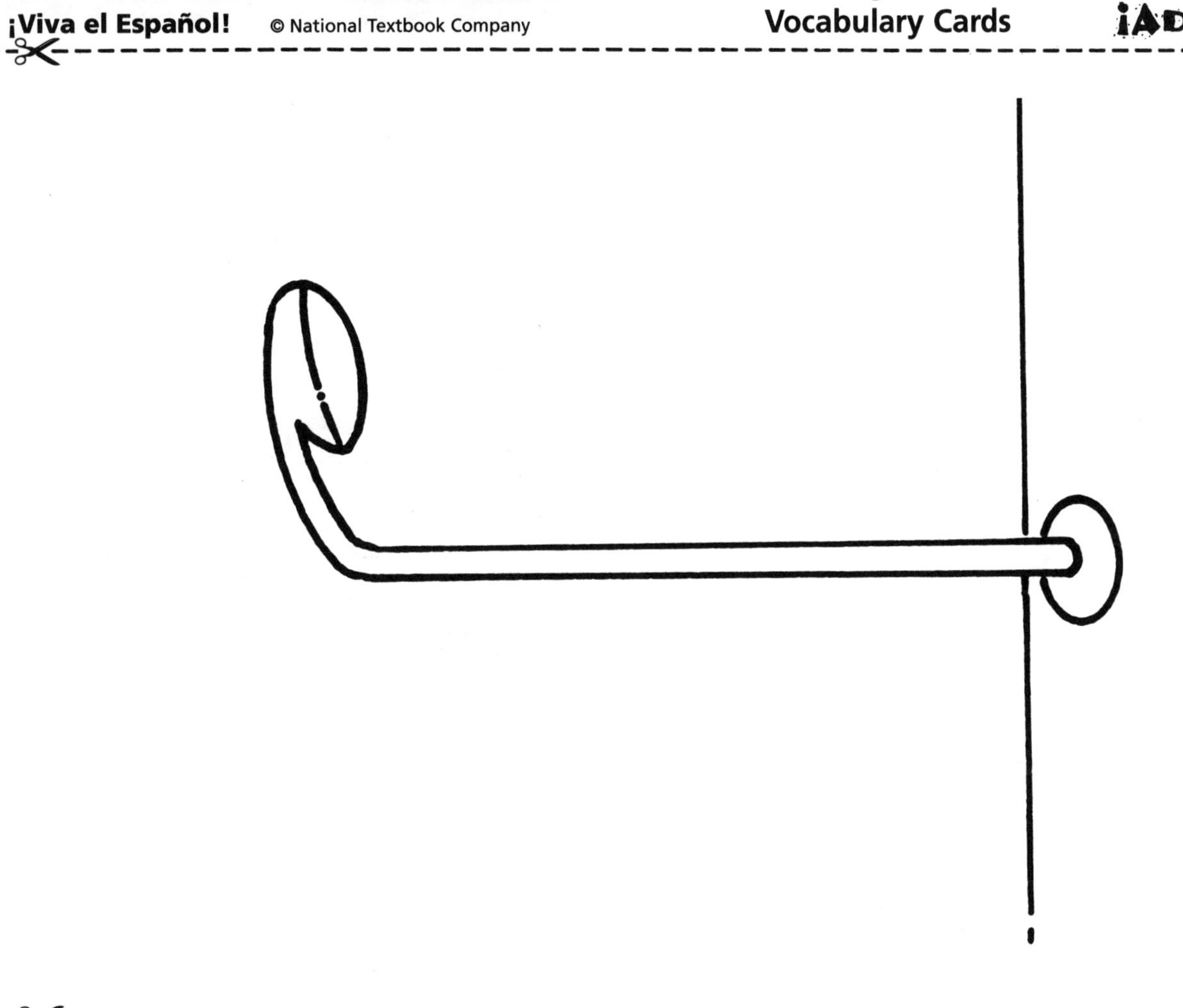

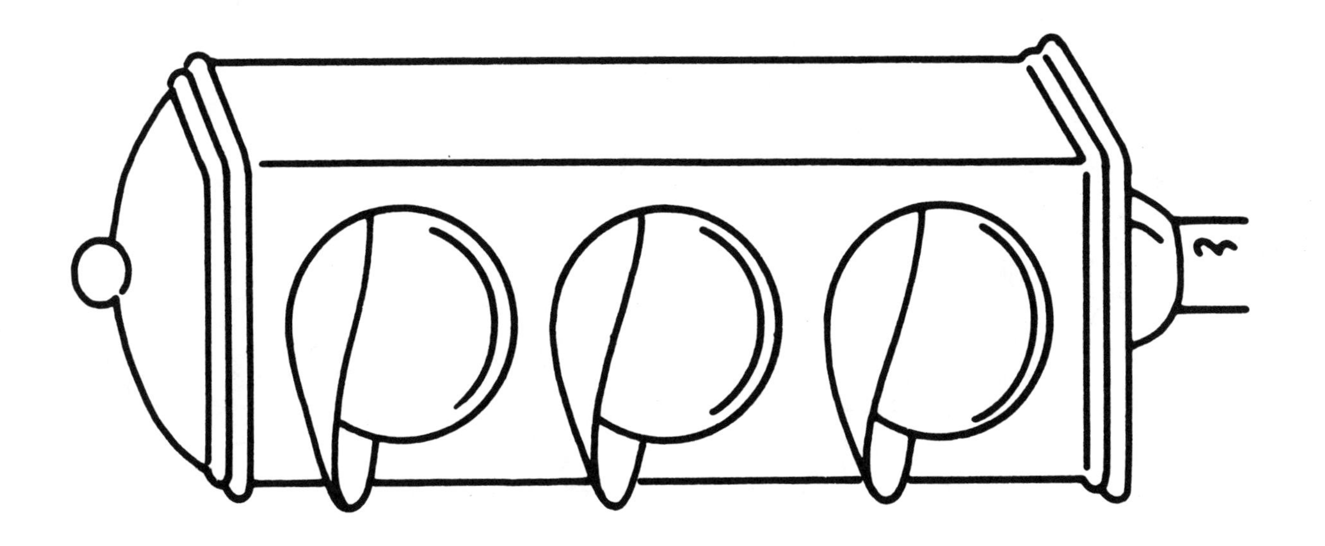

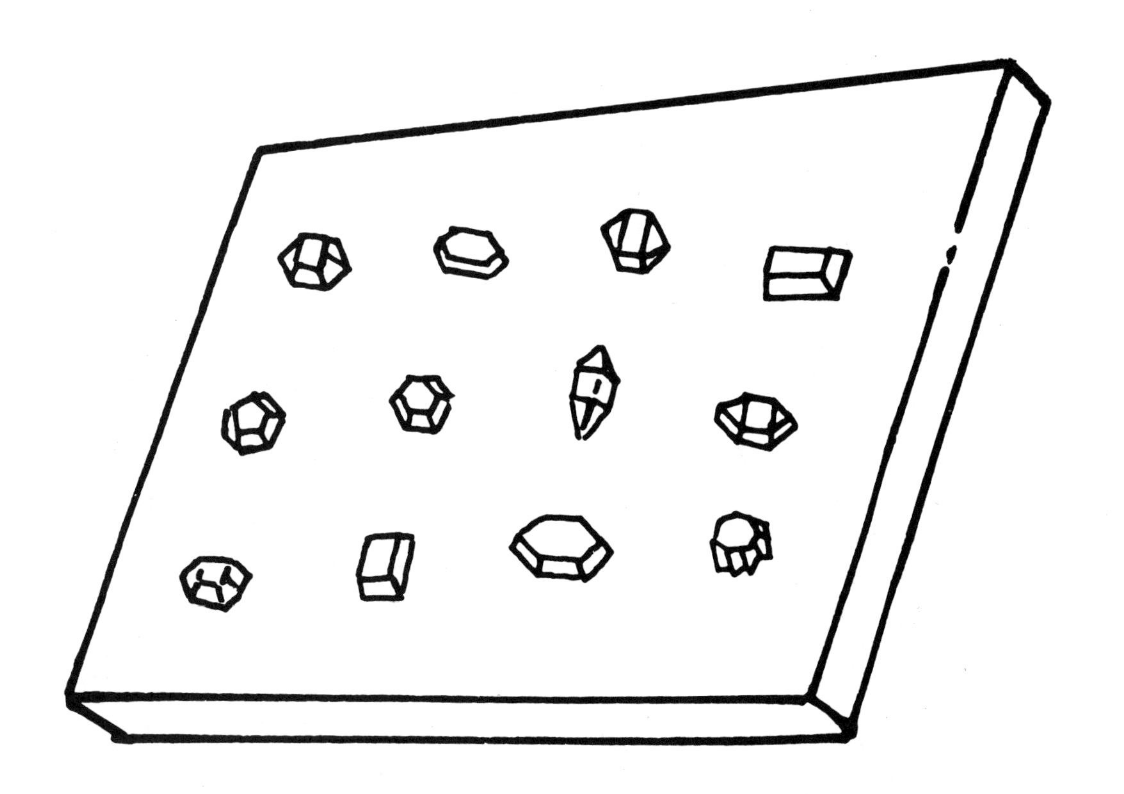

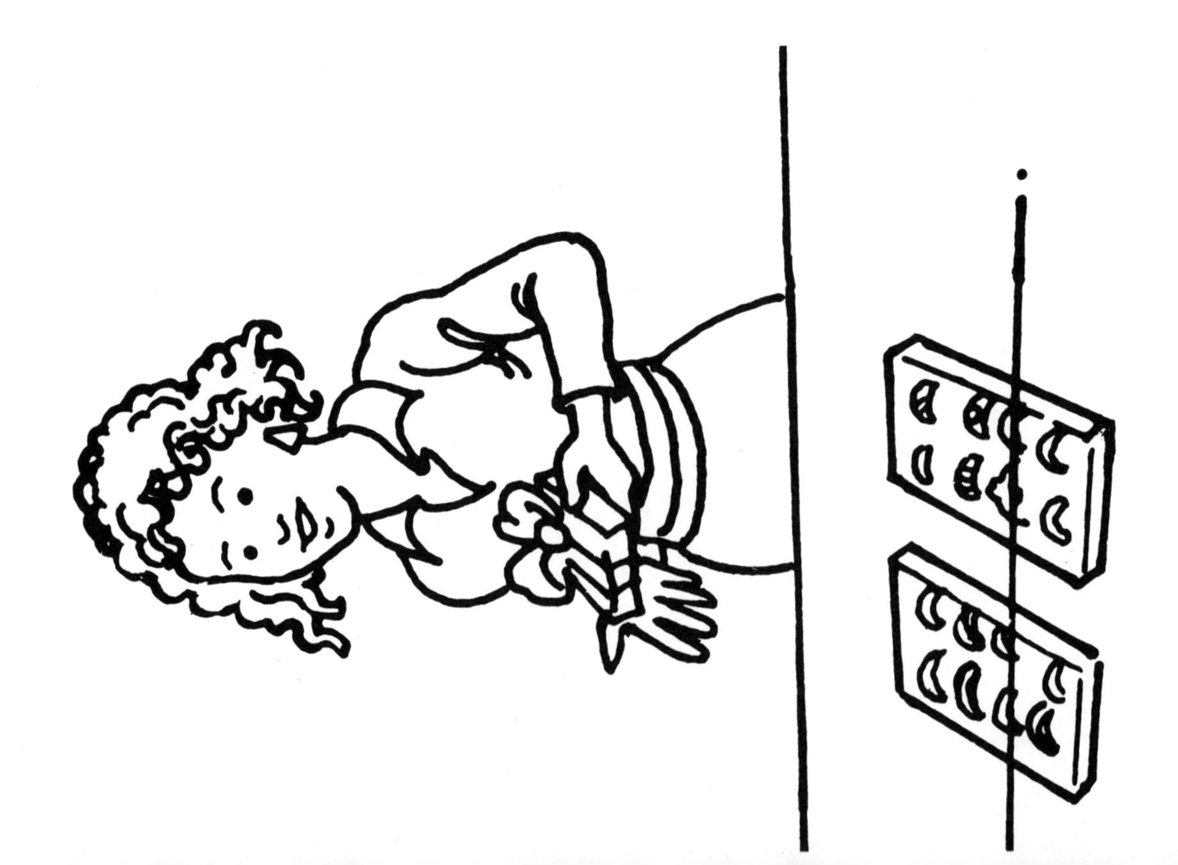

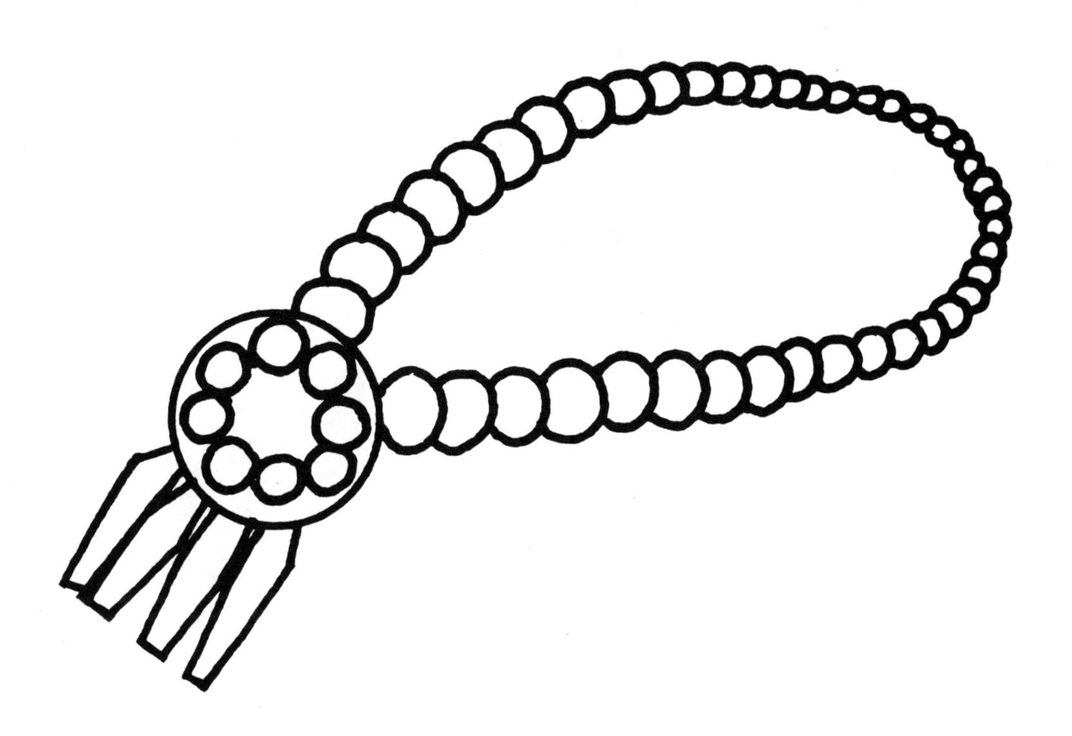

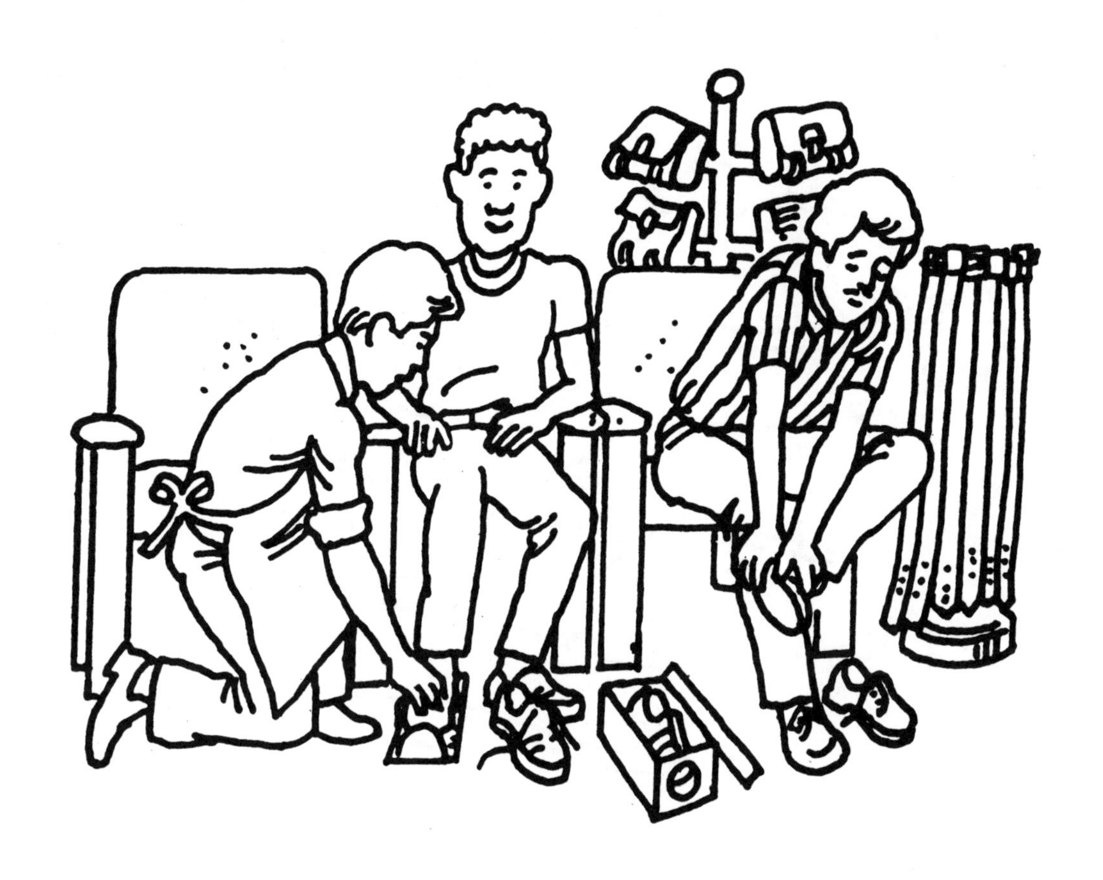

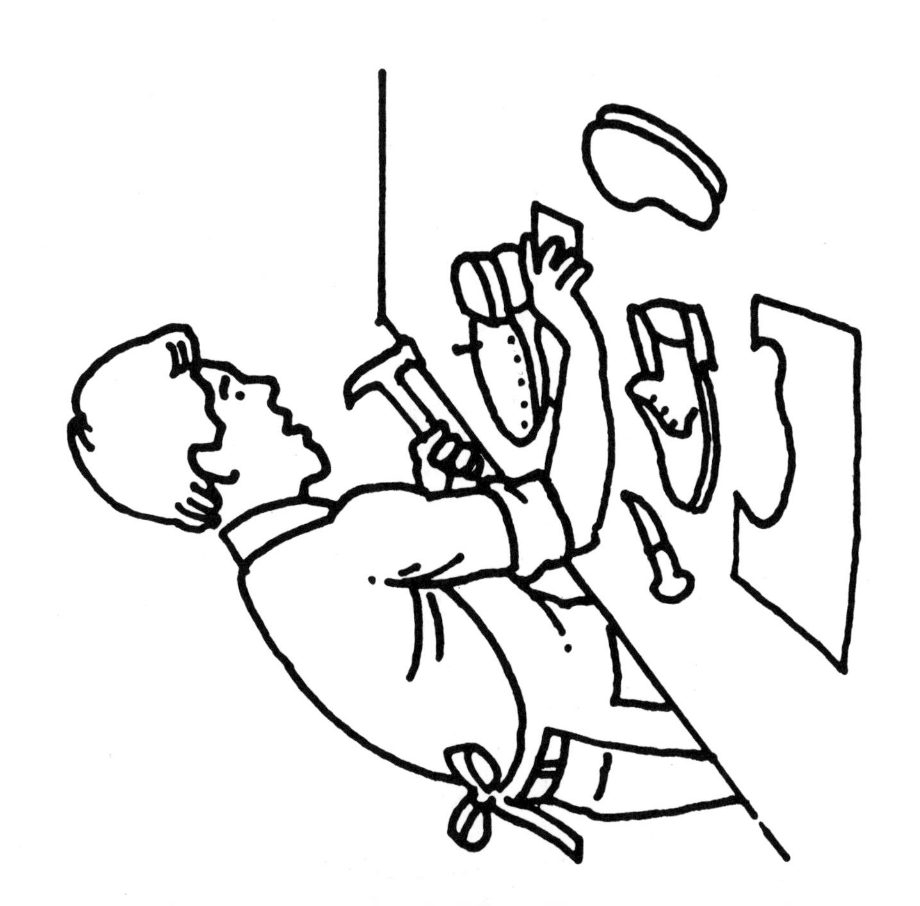

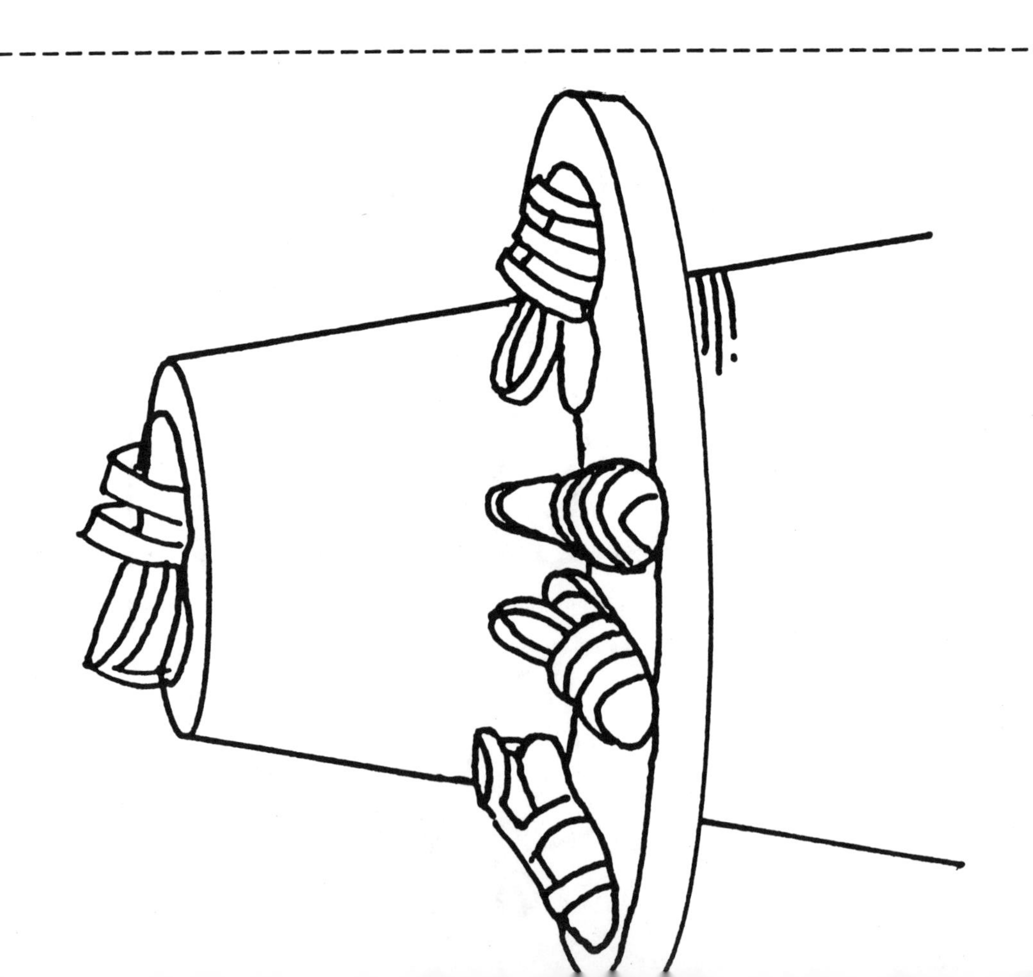

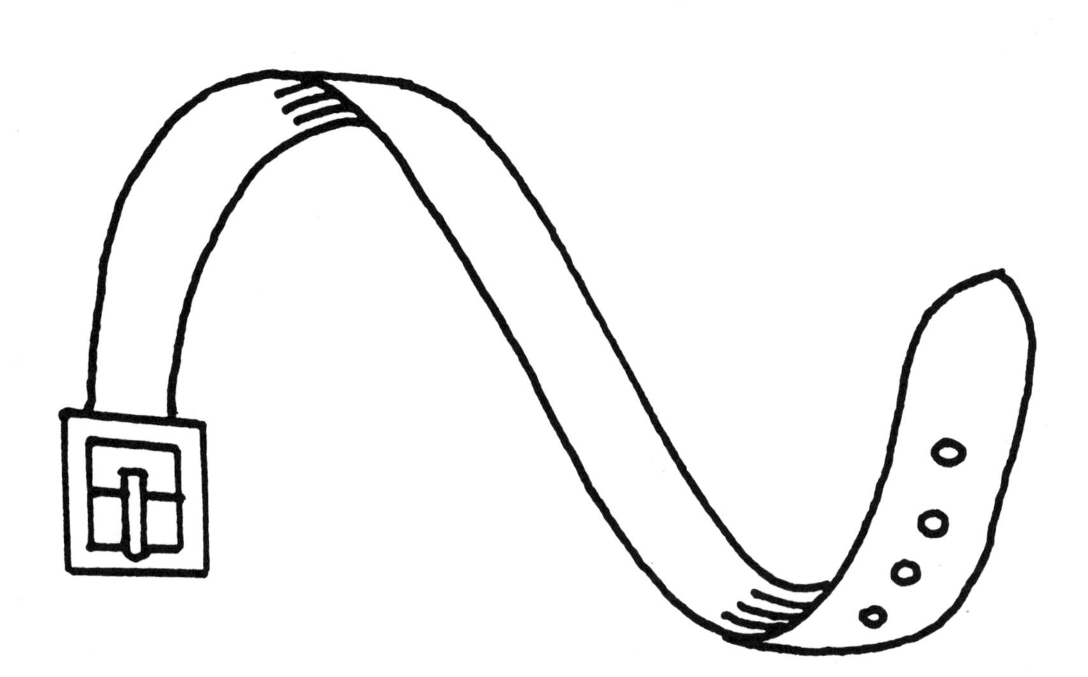

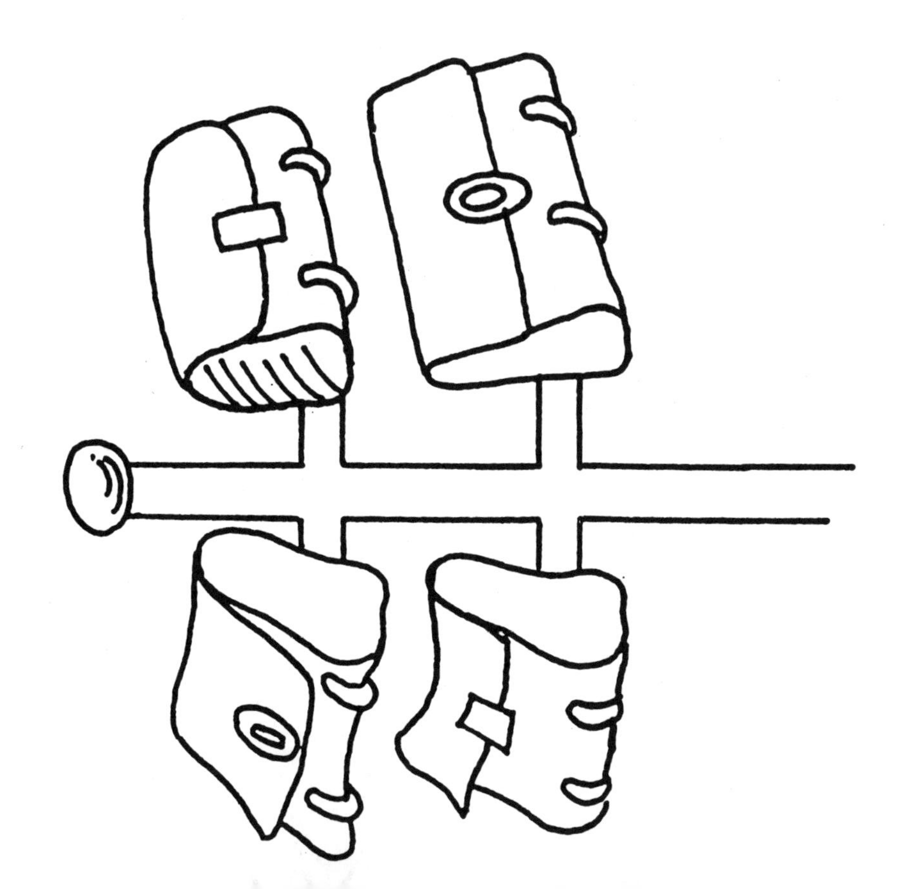

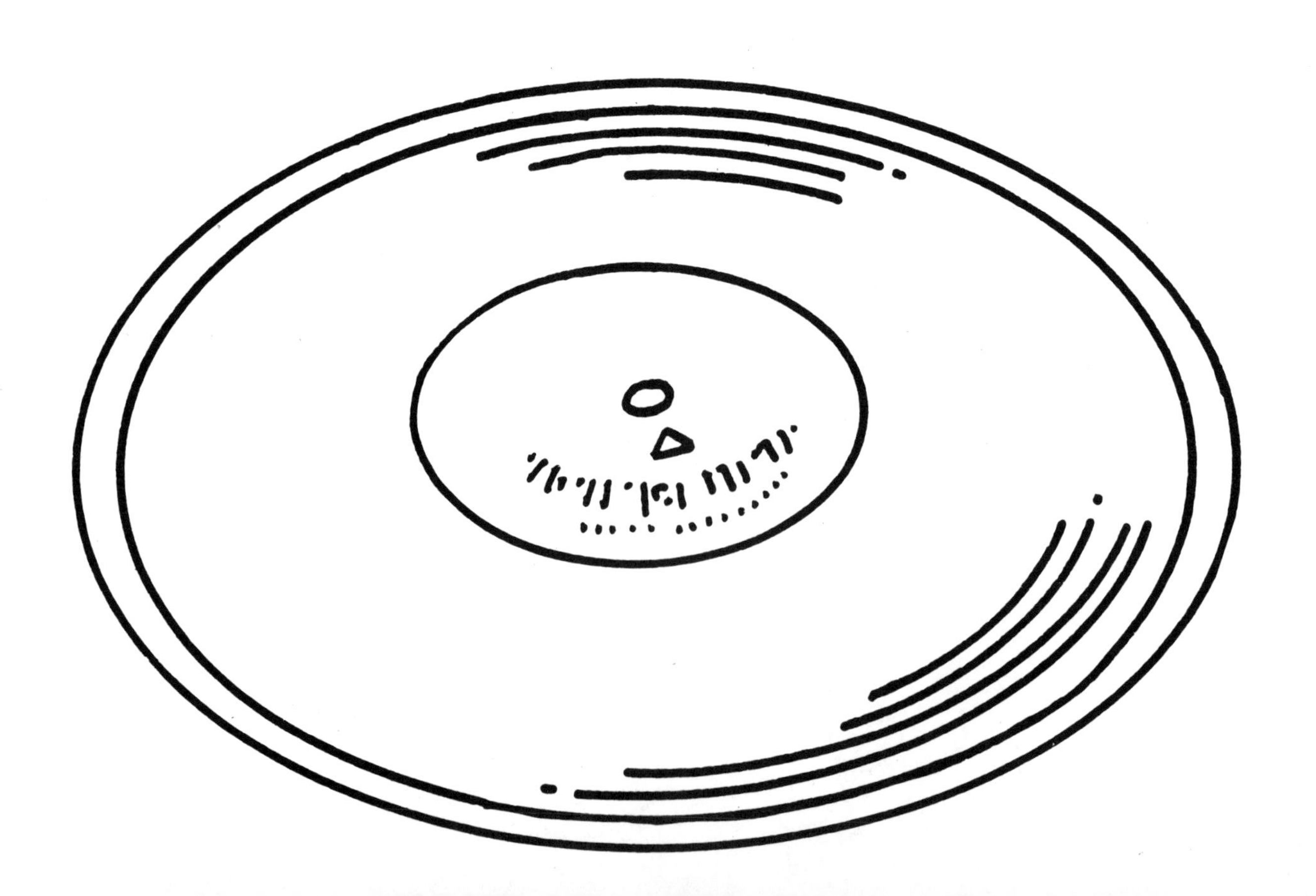

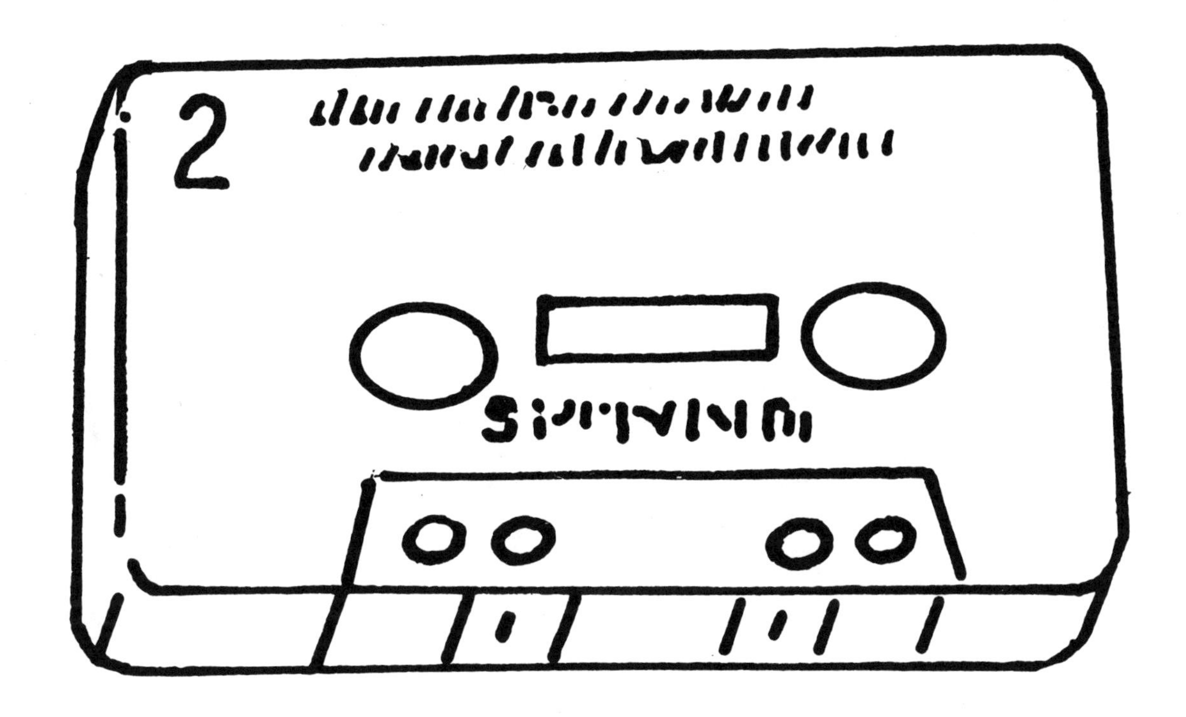
2

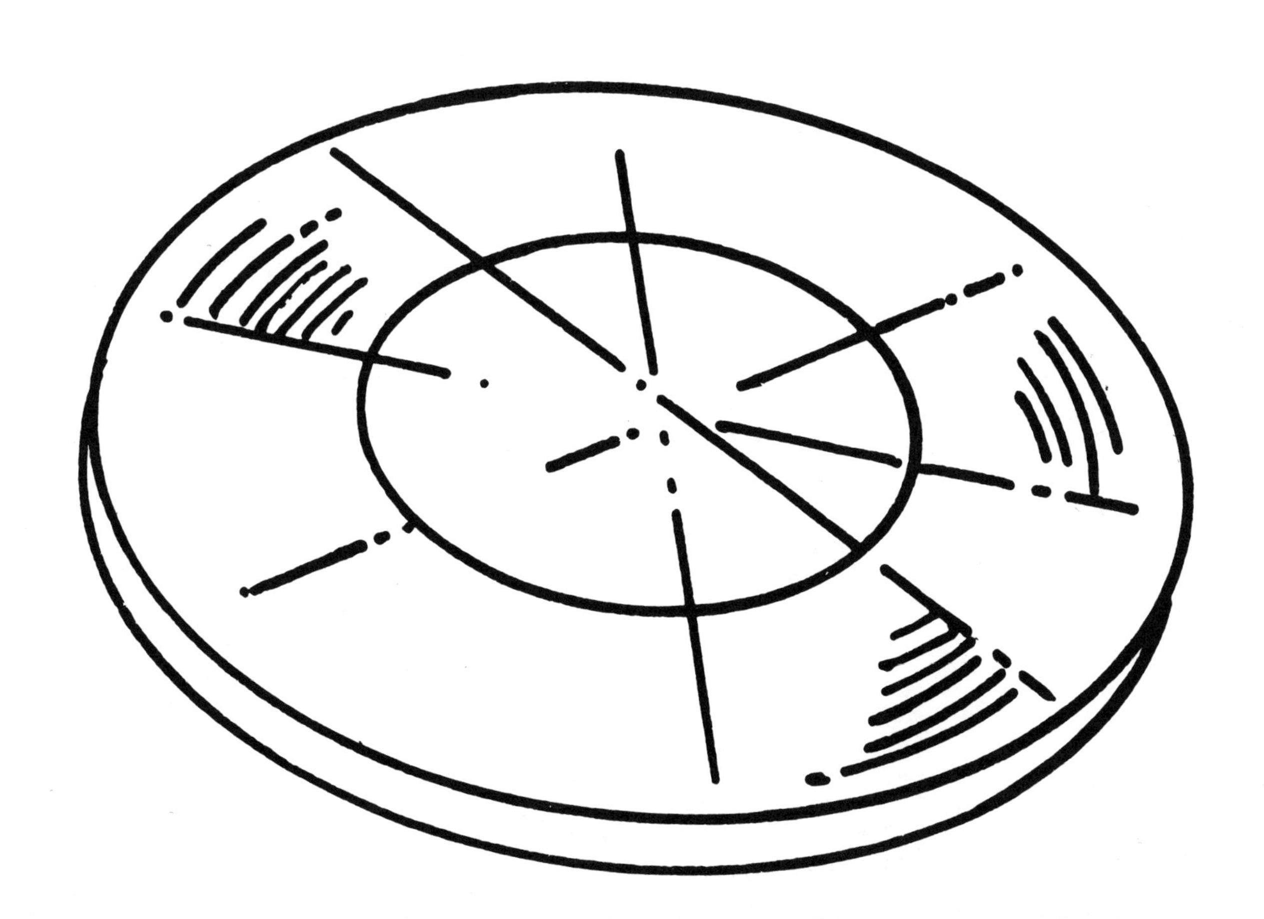

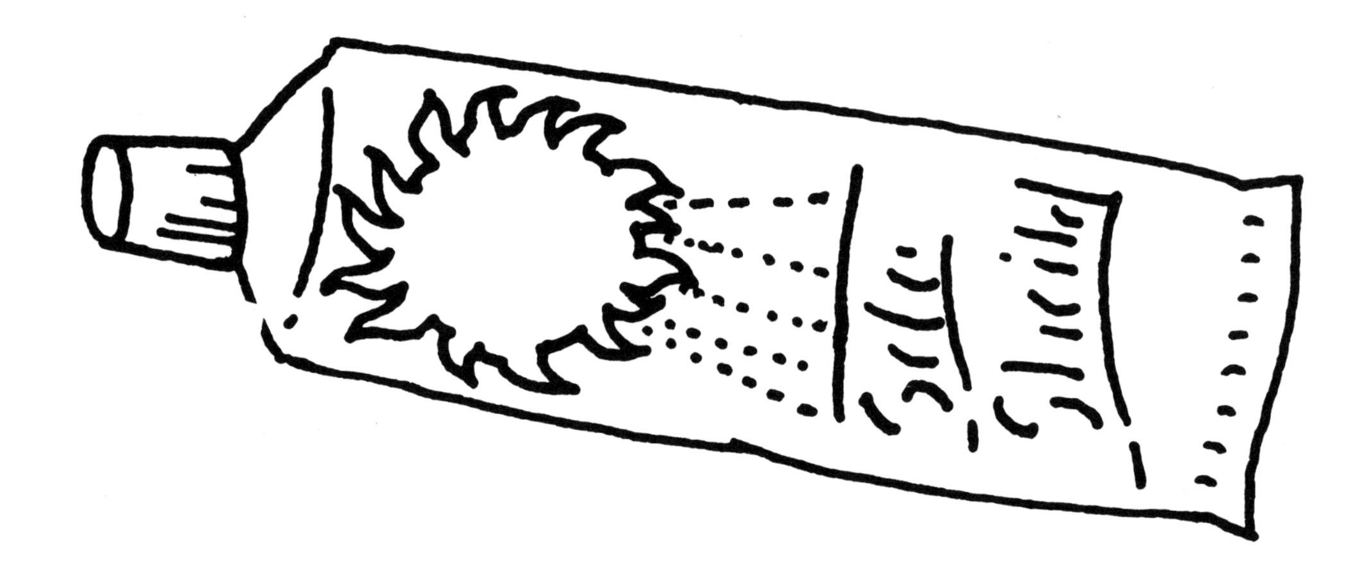

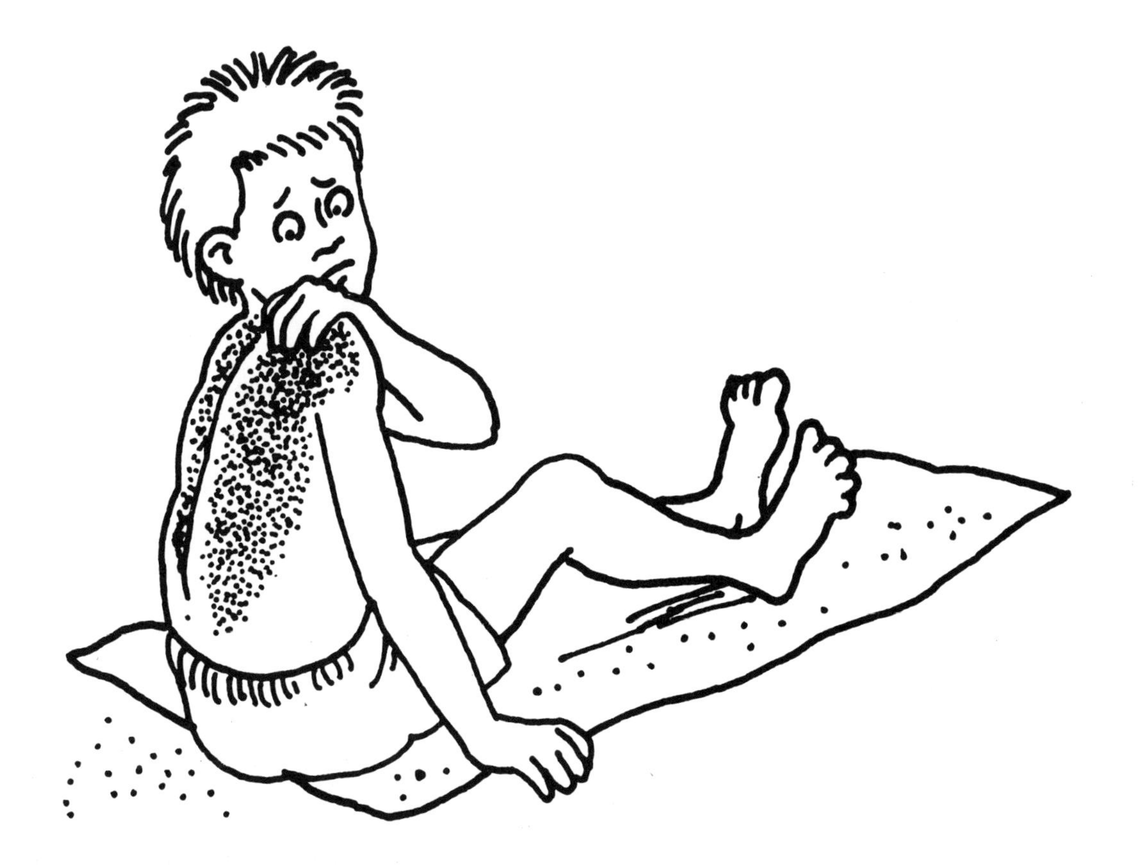

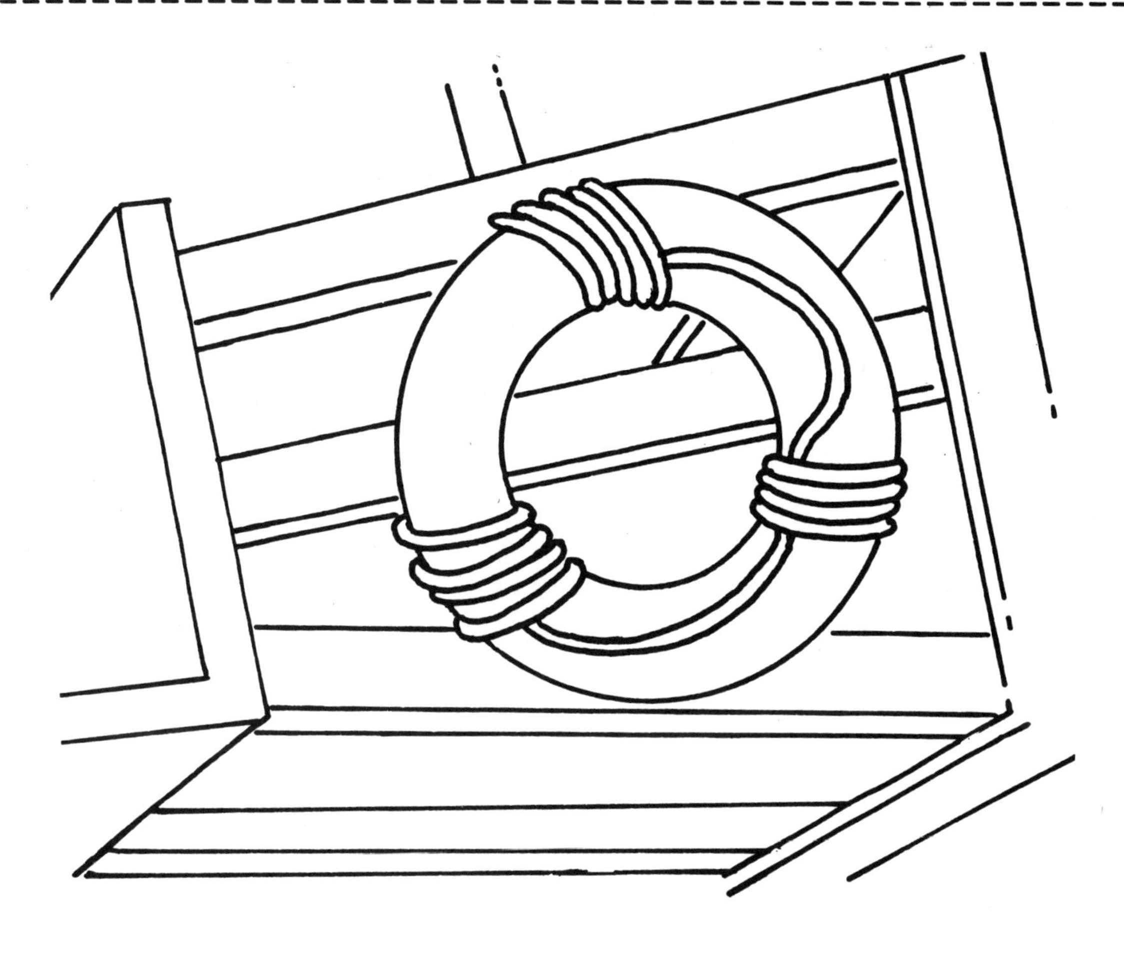

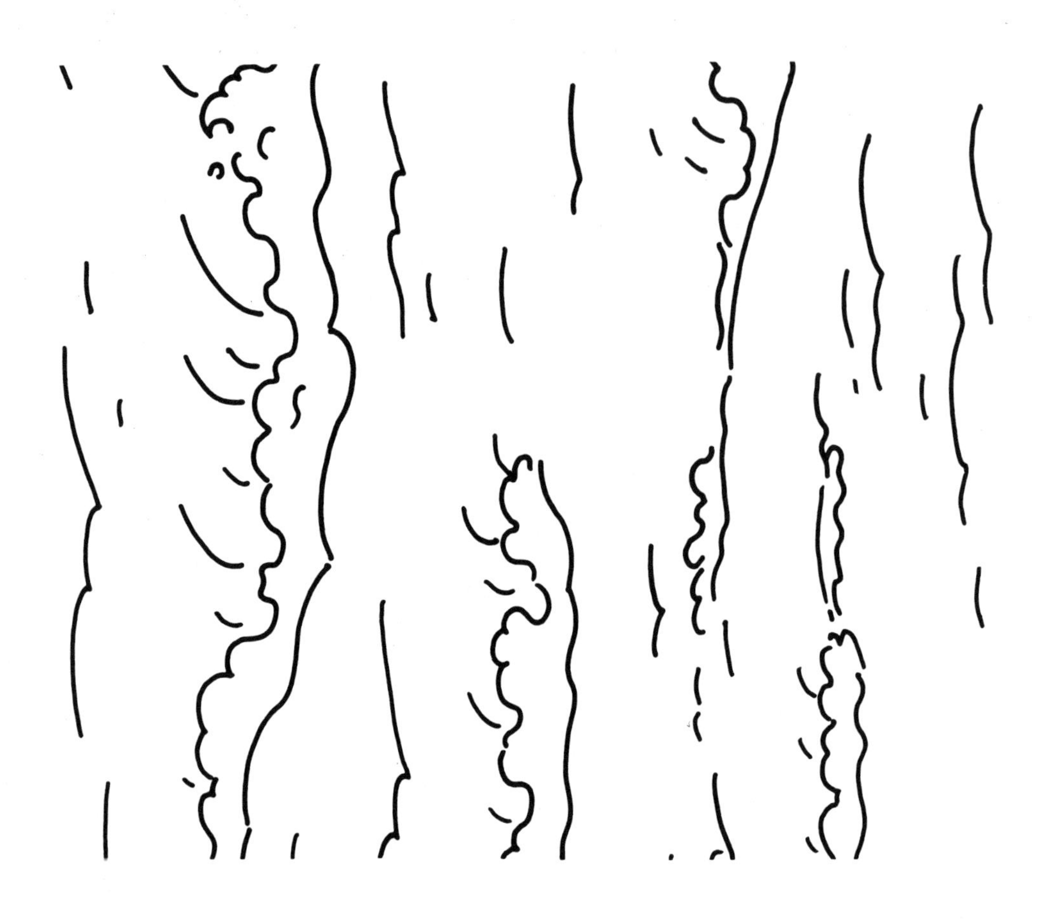

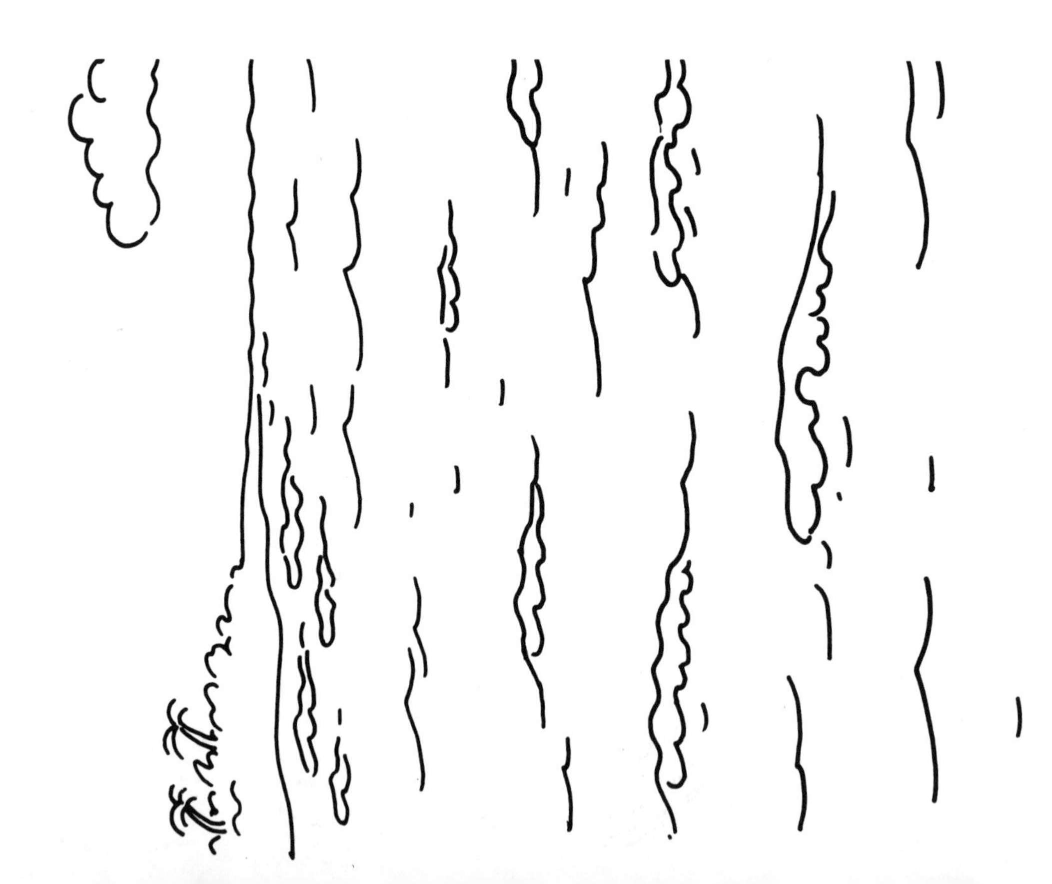

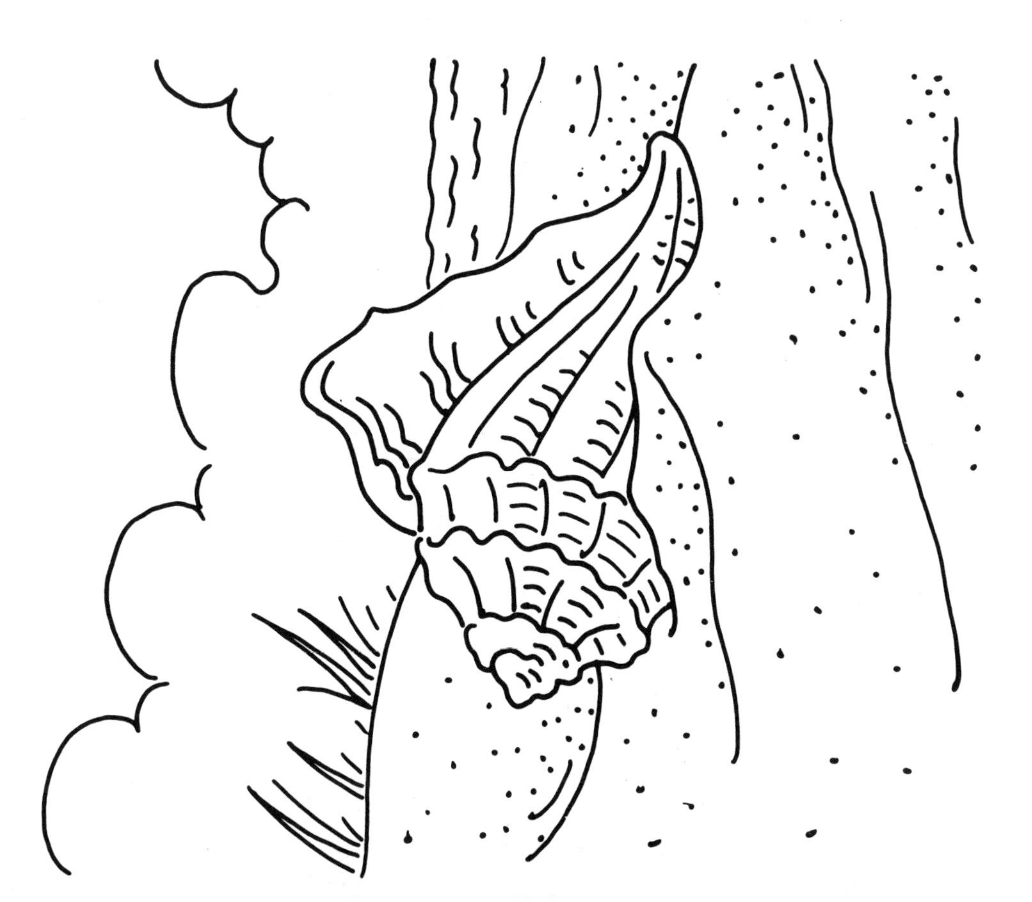

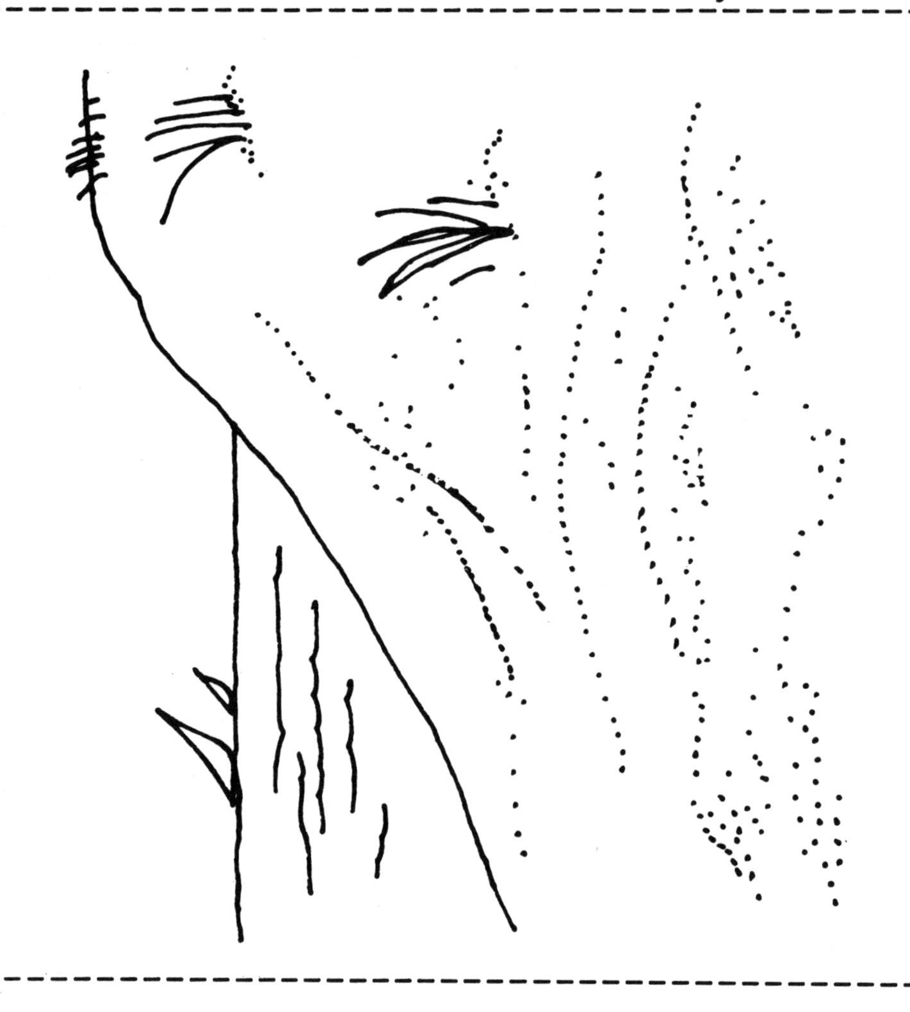

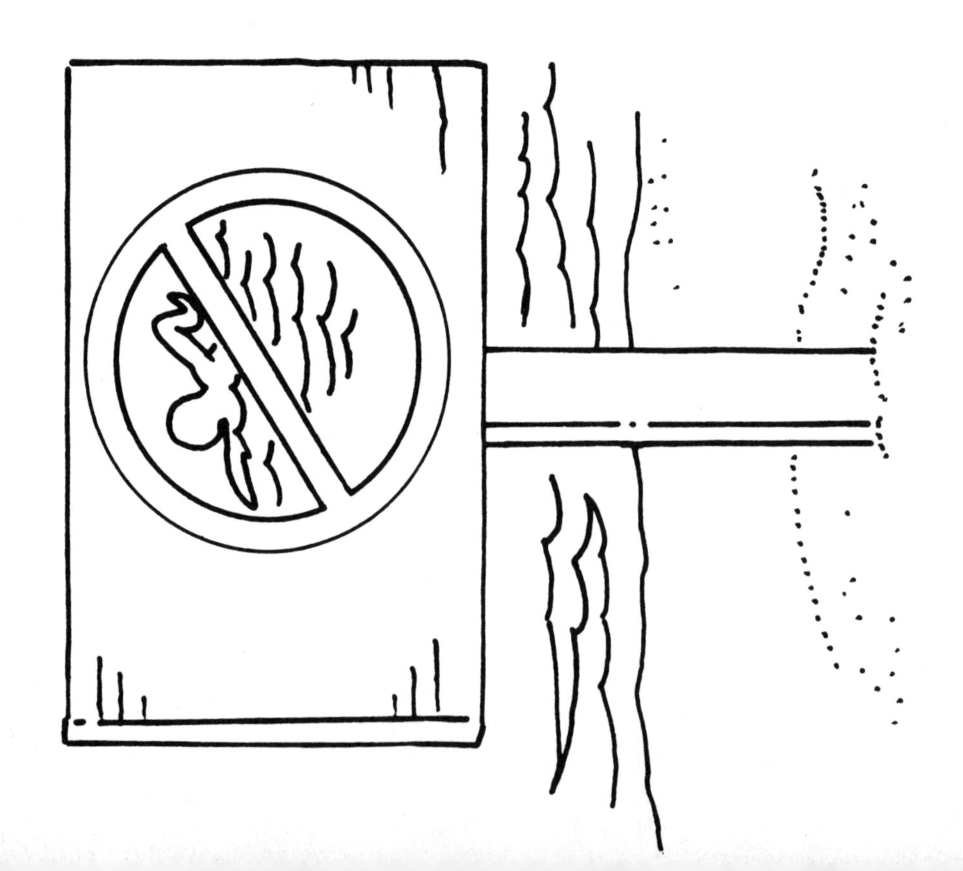

VOCABULARY REVIEW

Vocabulary Review

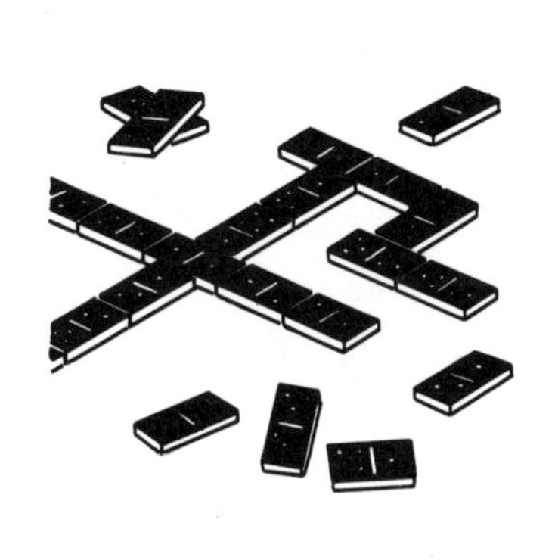

4
7
2
5
1

Vocabulary Review

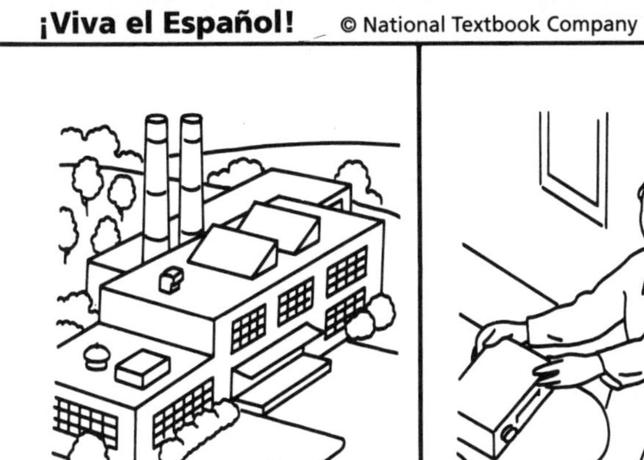

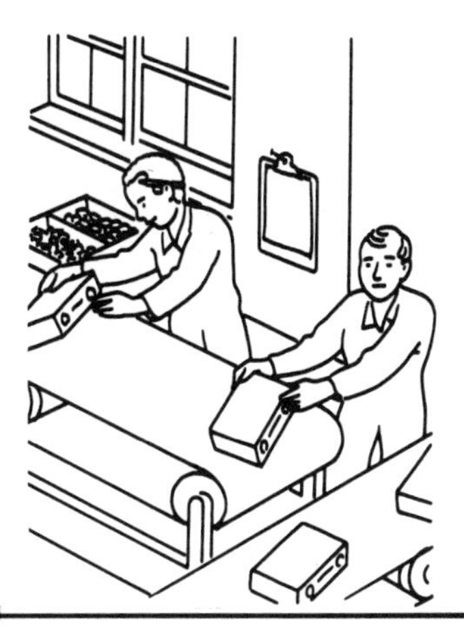

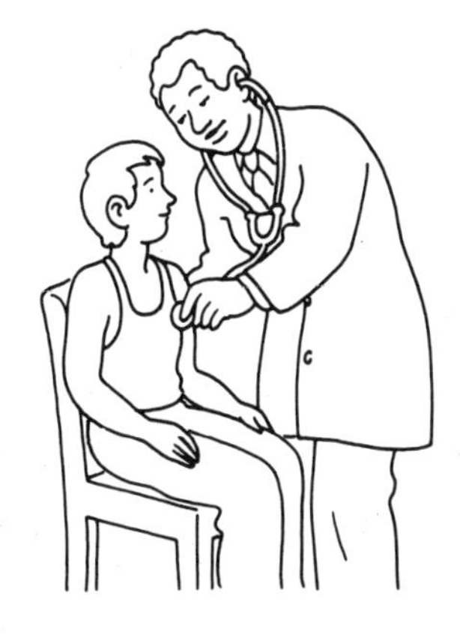

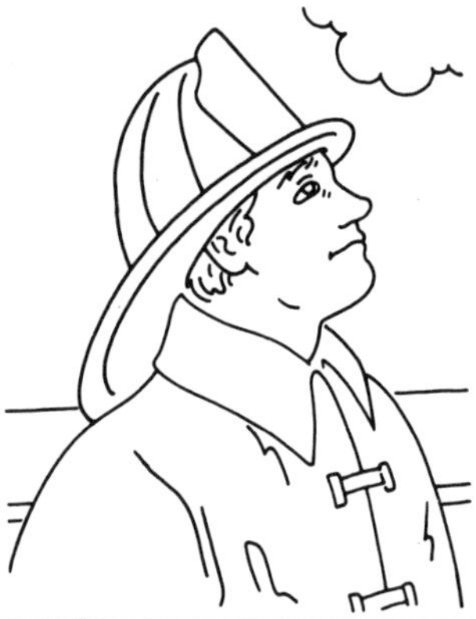
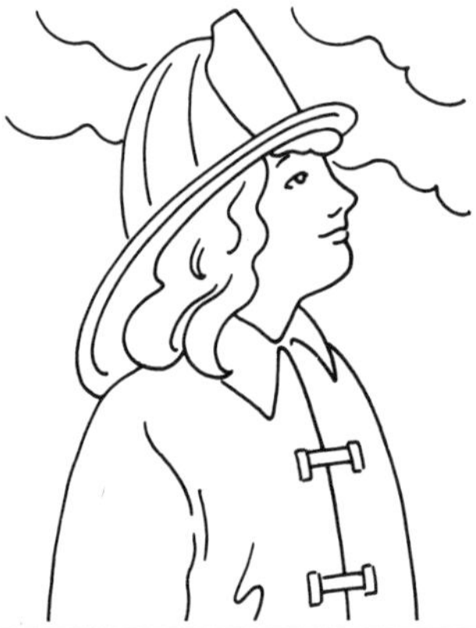
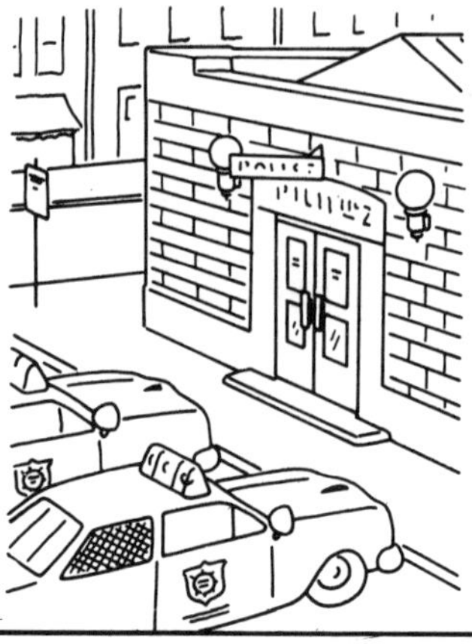
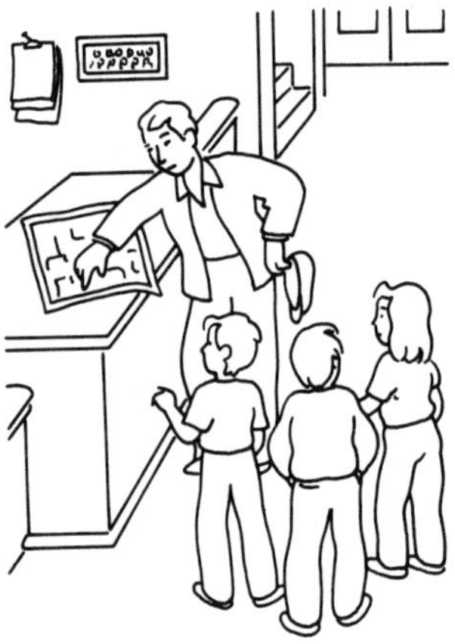
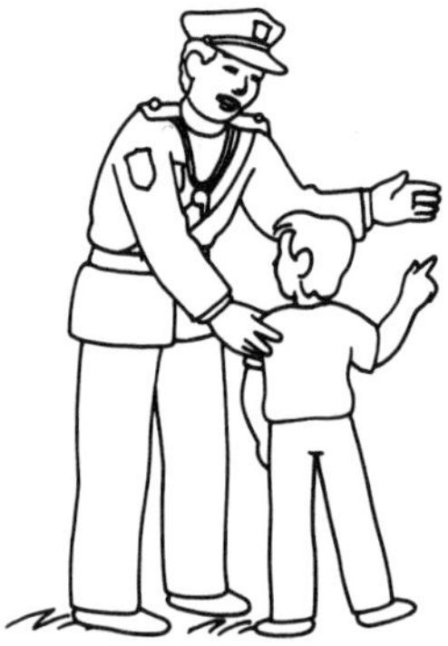
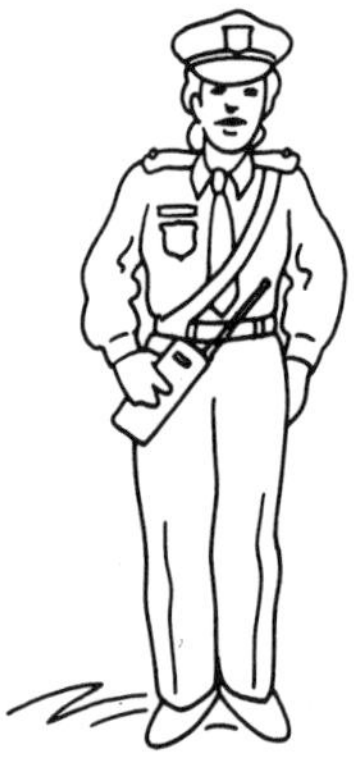
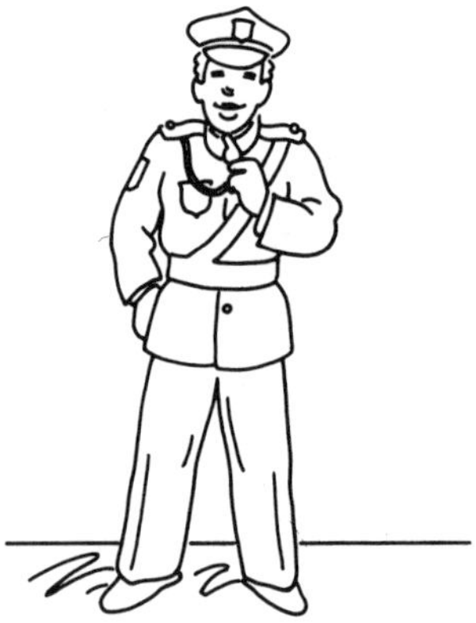
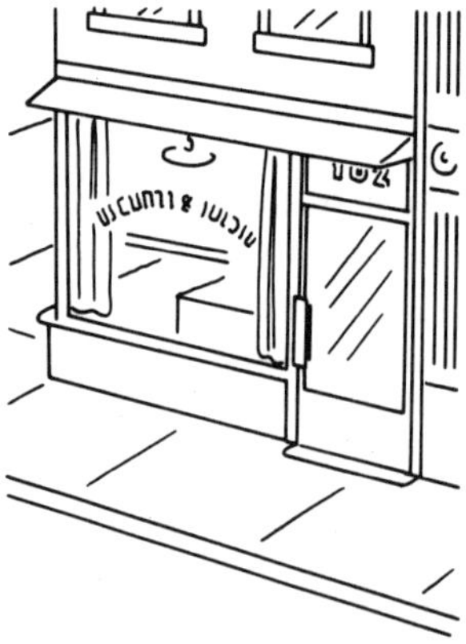
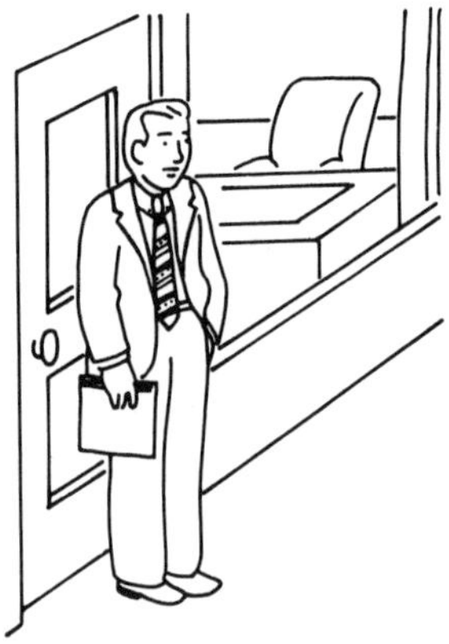
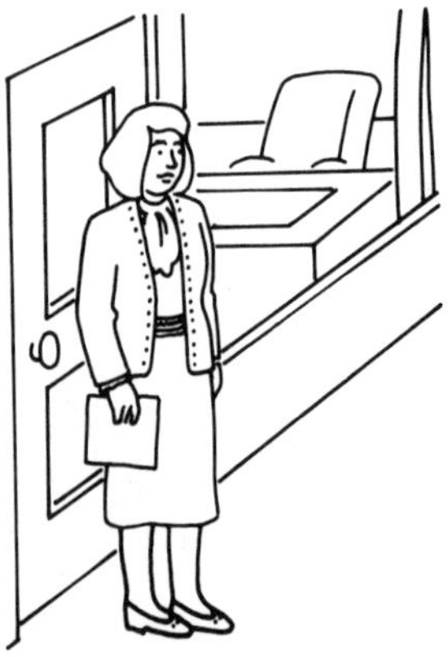
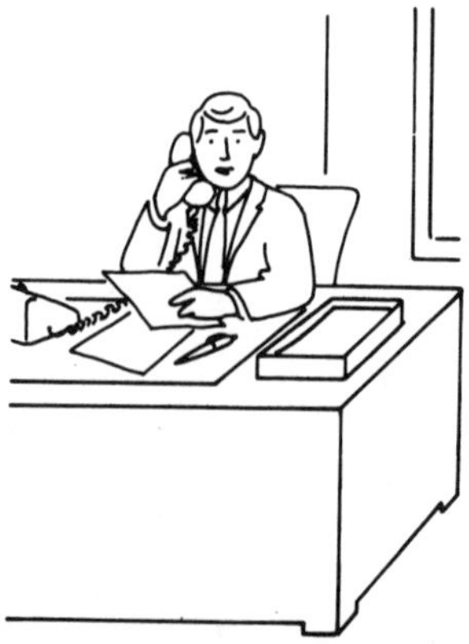
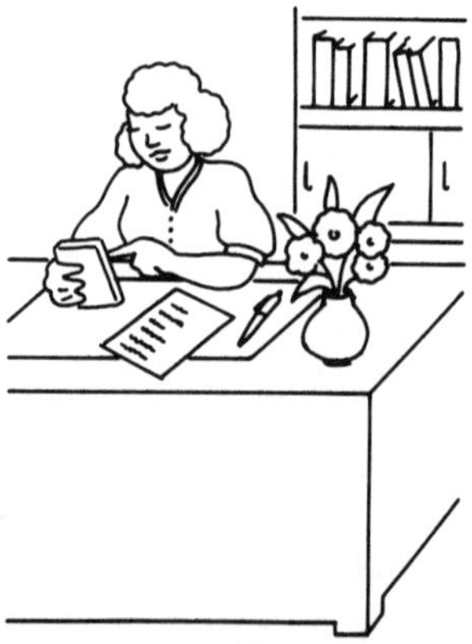

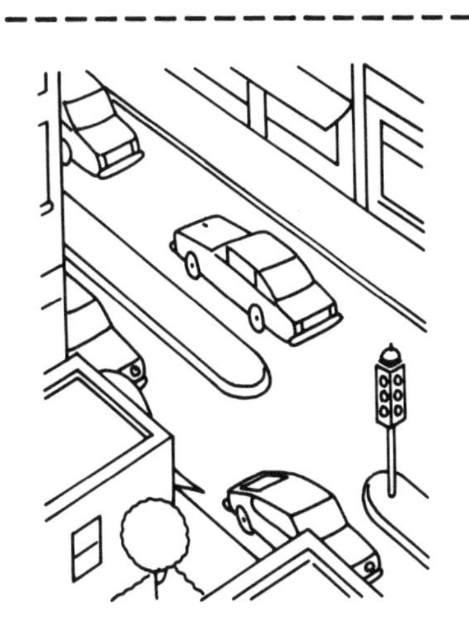

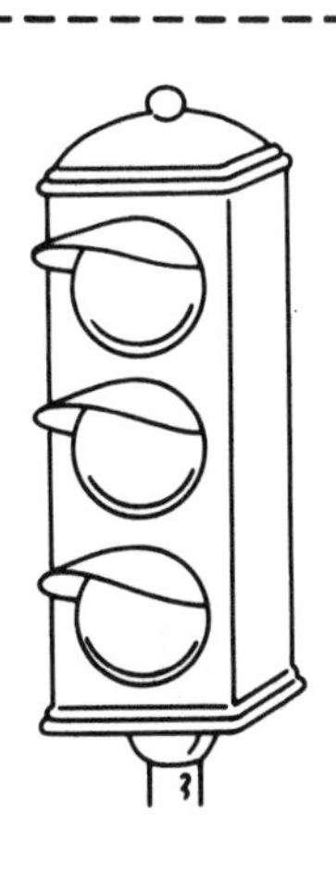

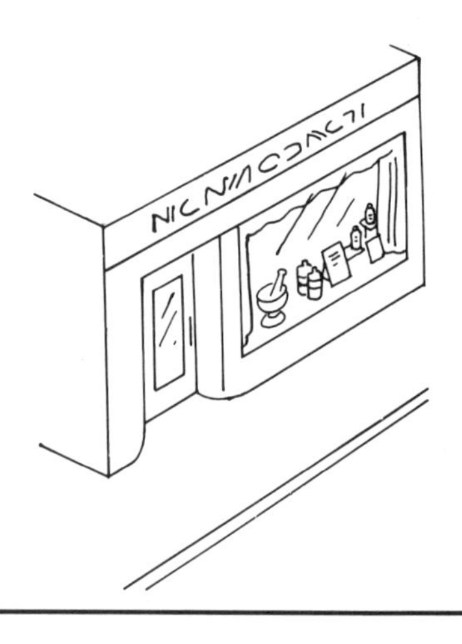

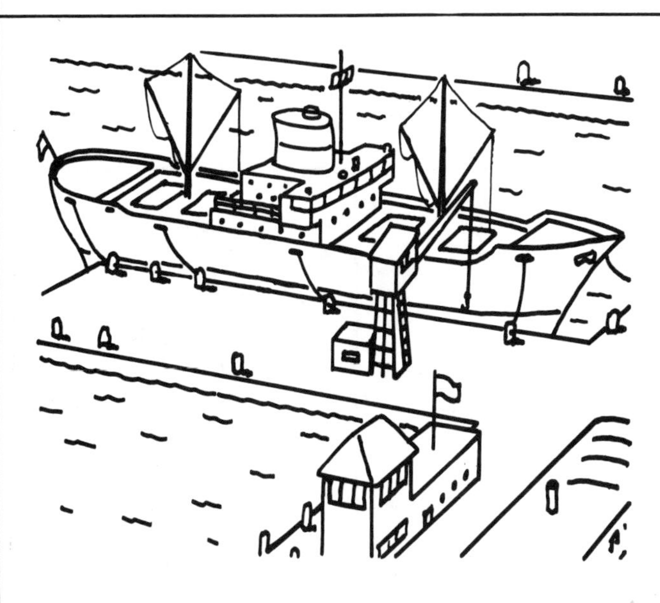

Vocabulary Review

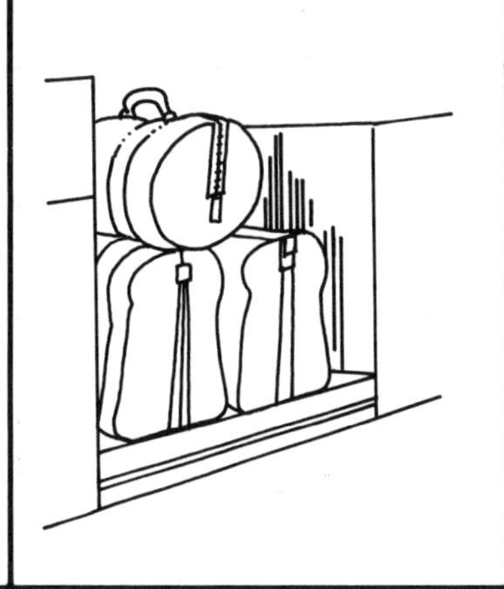

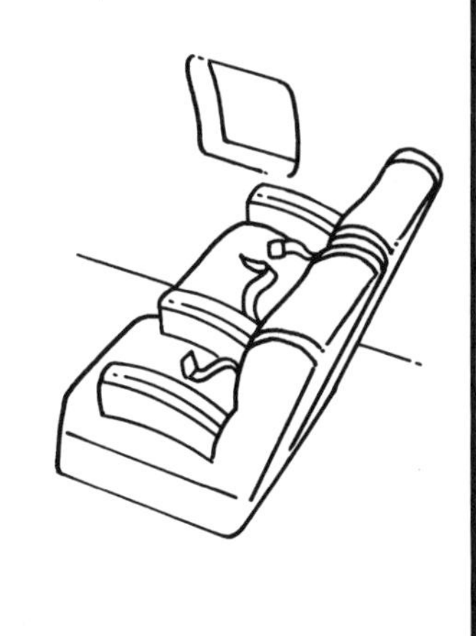

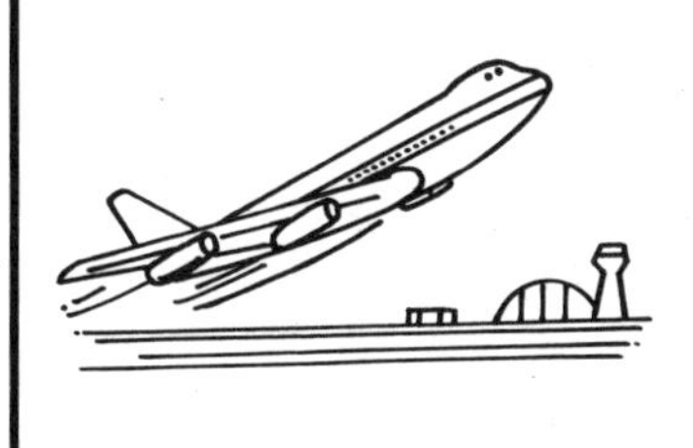

Vocabulary Review

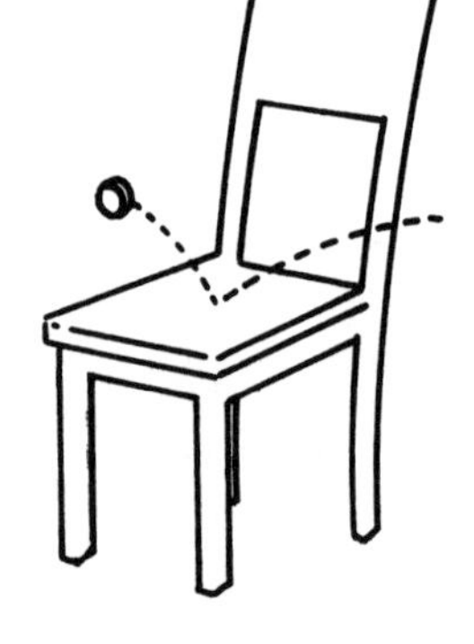

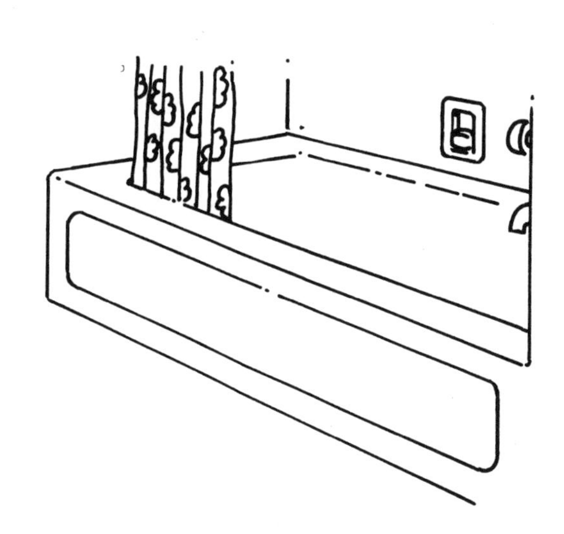

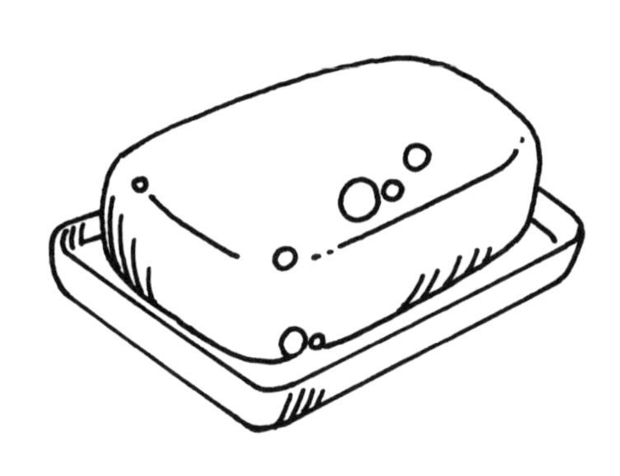

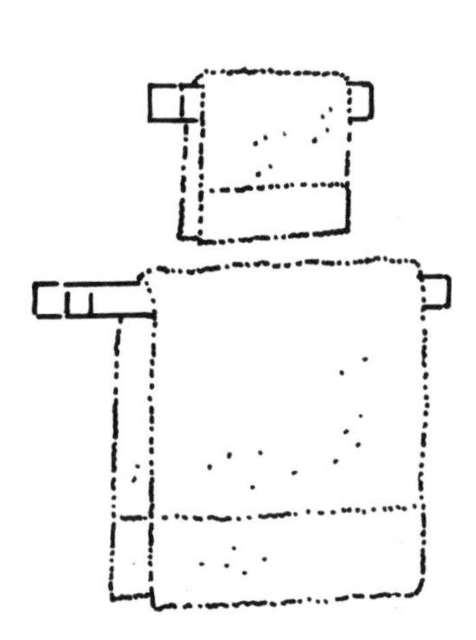

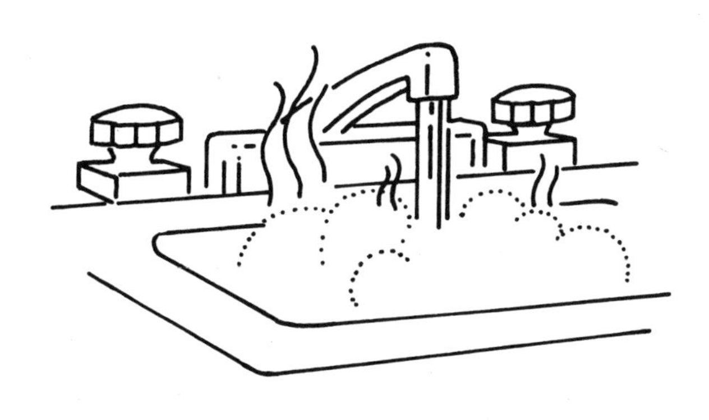

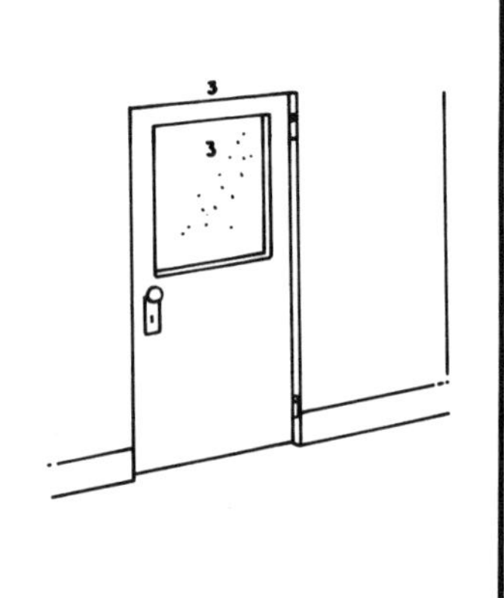

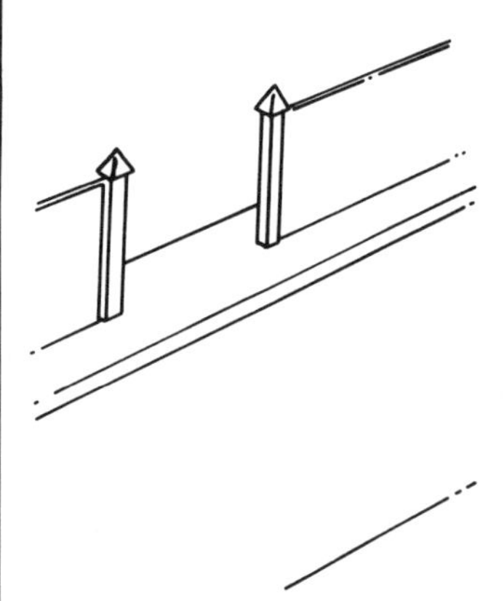

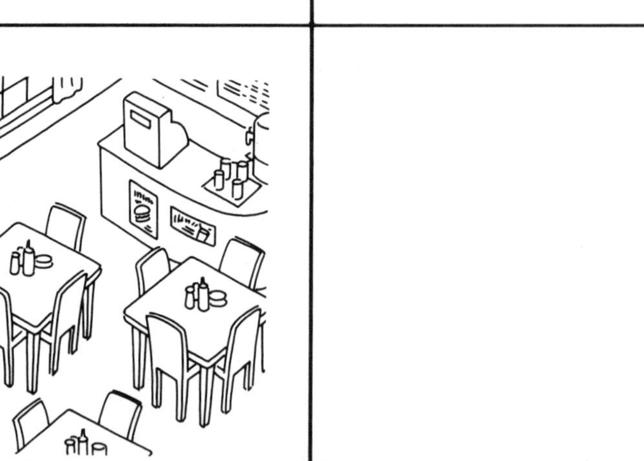

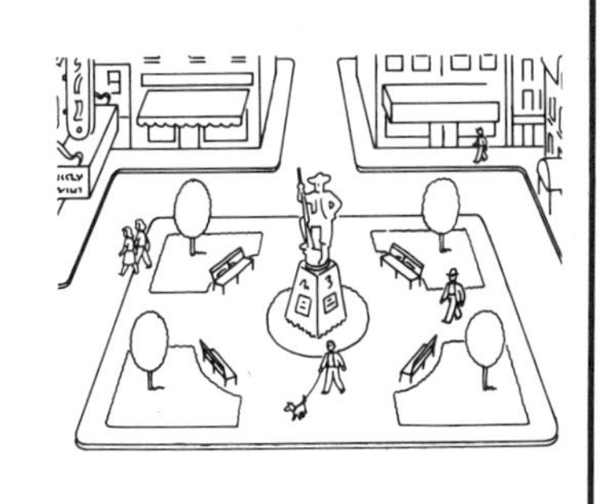

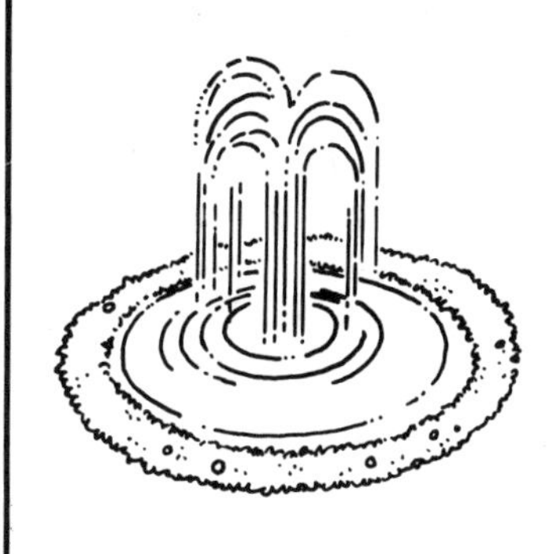

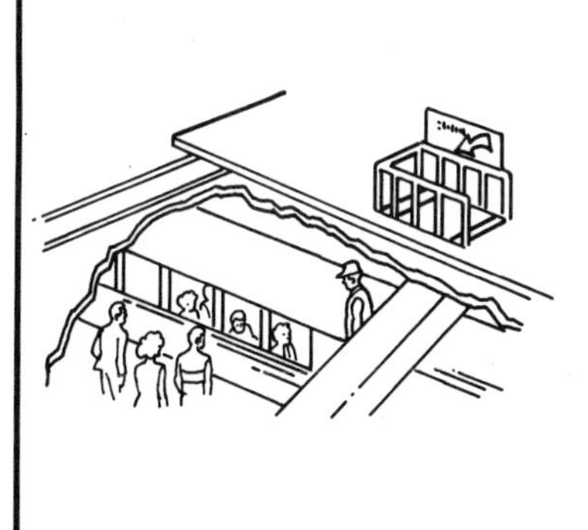

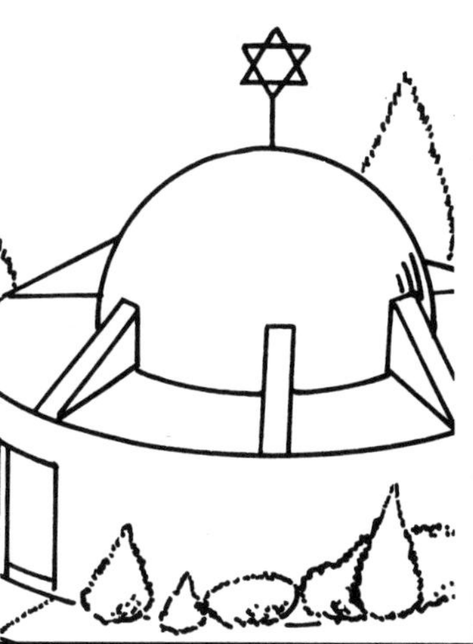

Vocabulary Review

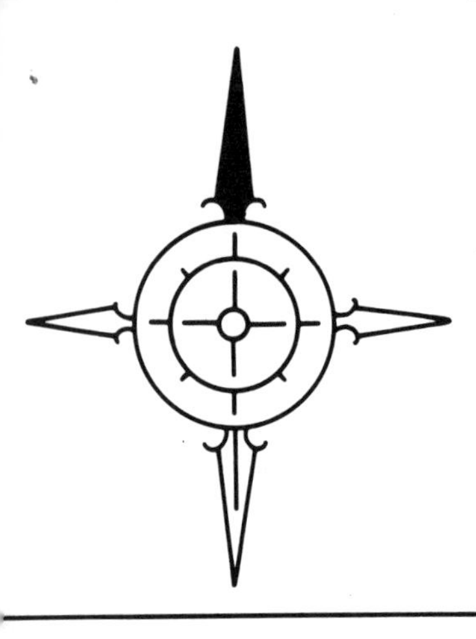
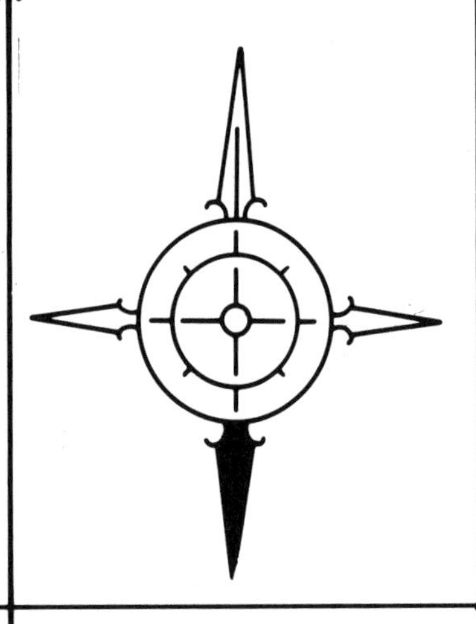
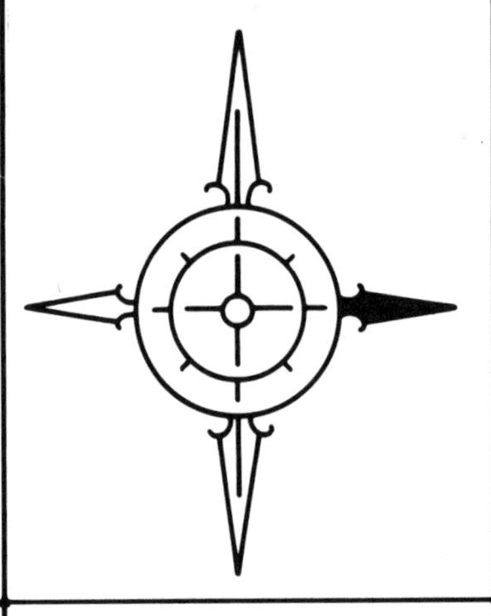
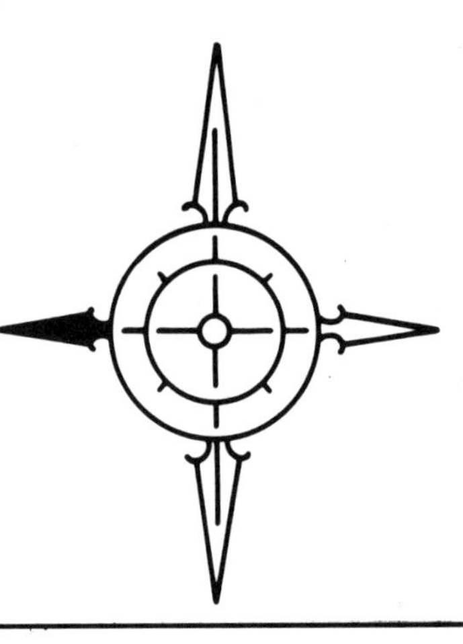
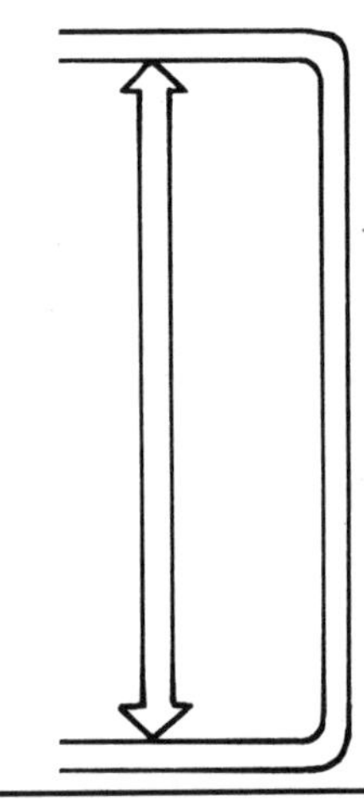
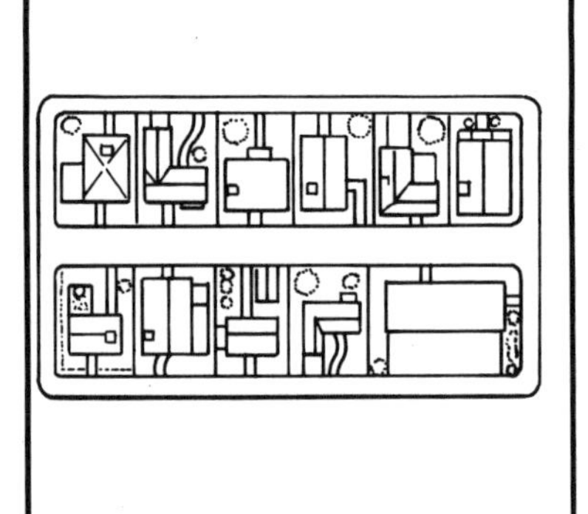

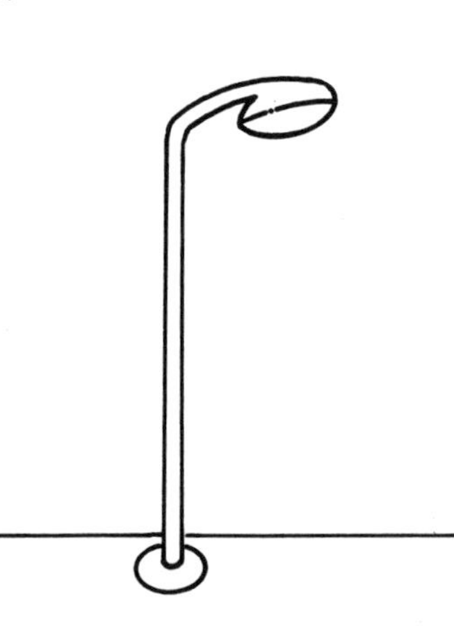

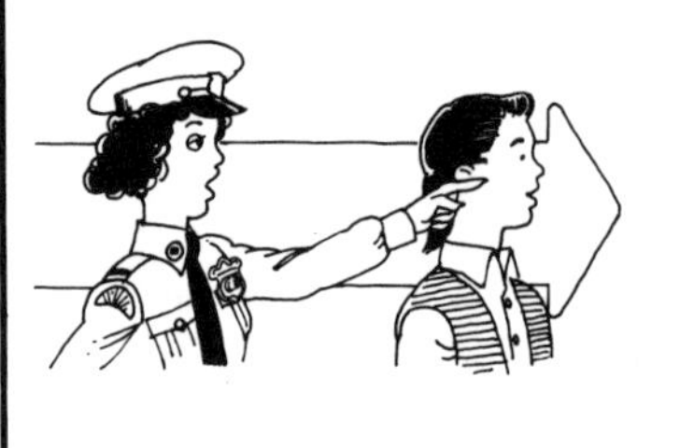
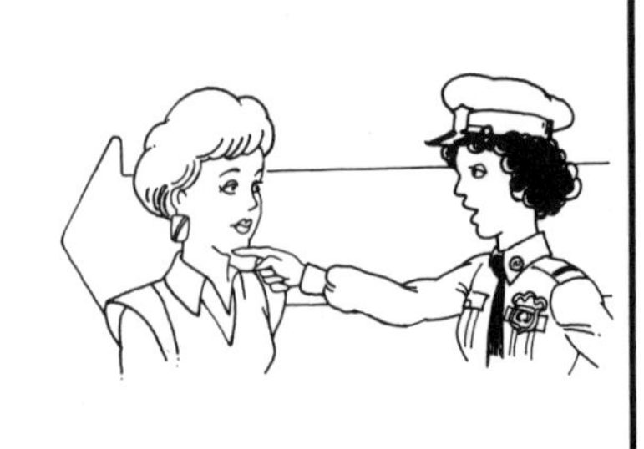

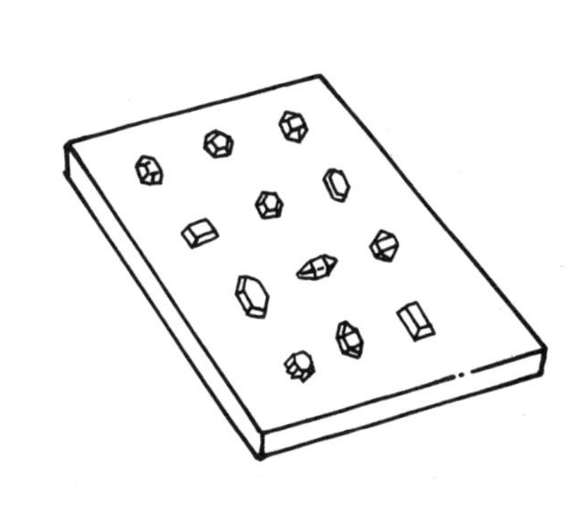

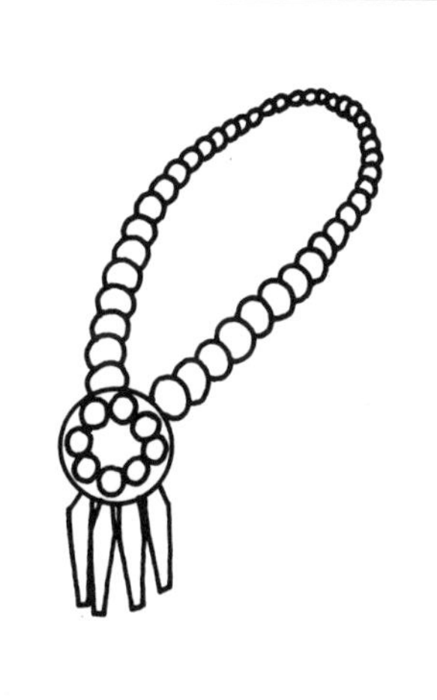

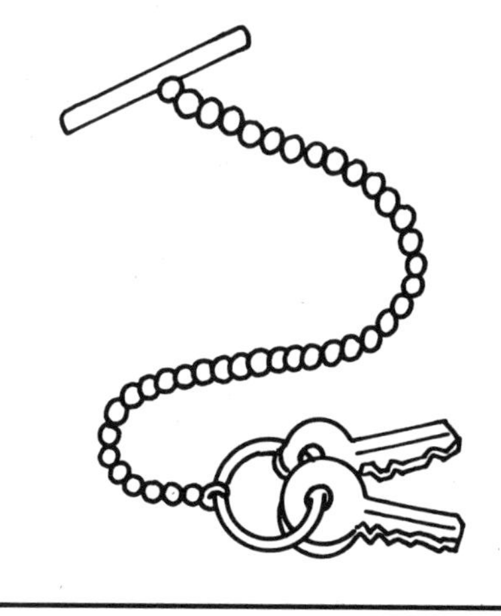

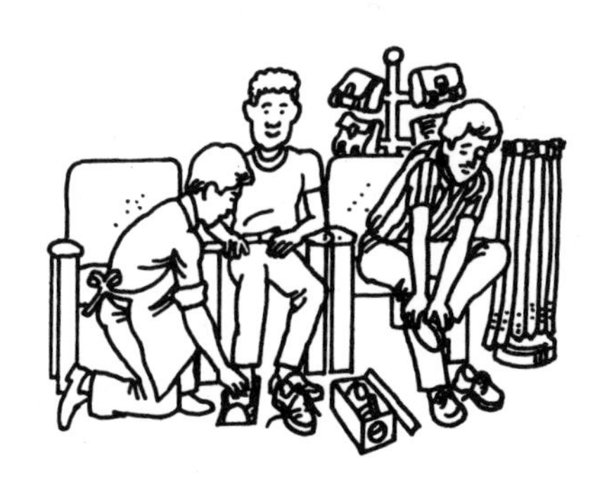

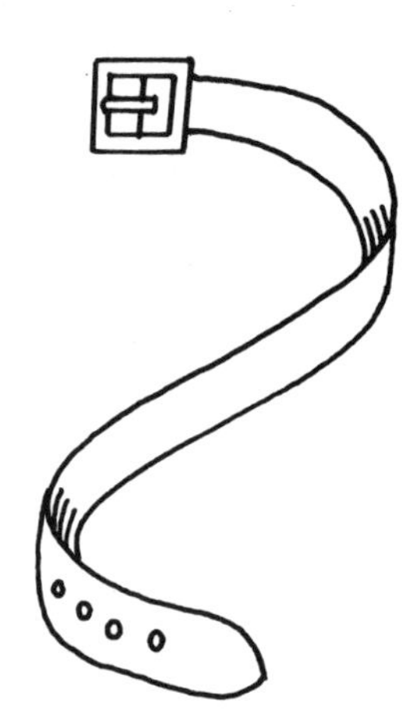

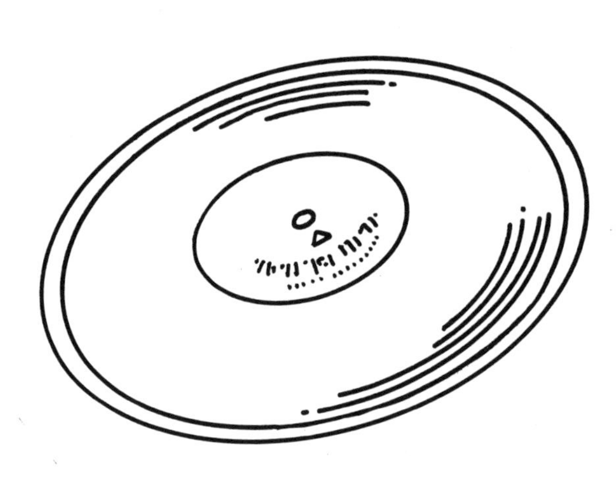

2

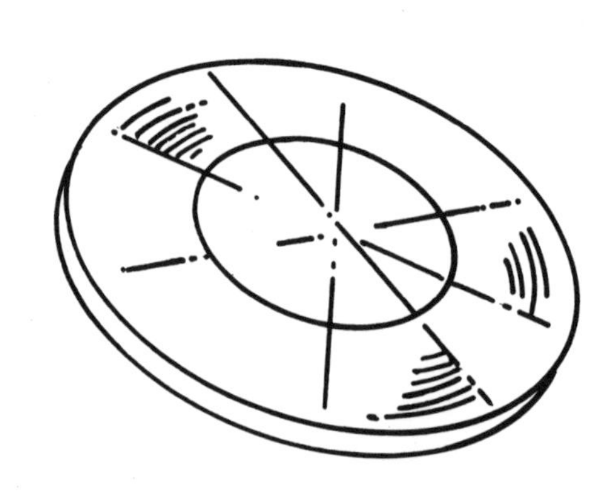

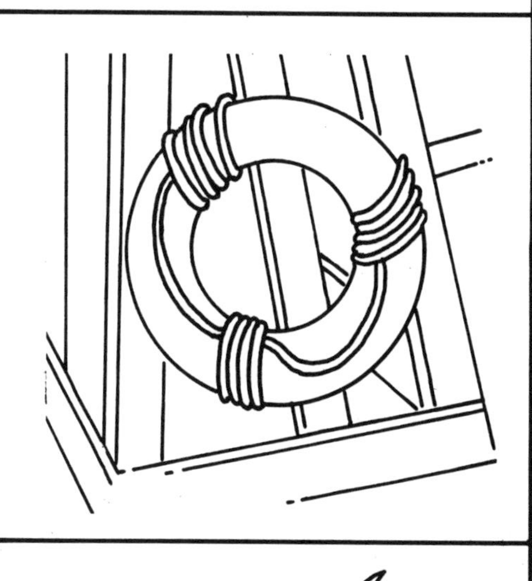

¡A CONVERSAR Y A LEER!

Buenos amigos

TOMÁS: Somos buenos amigos, ¿verdad?

RAMÓN: ¡Claro que sí!

TOMÁS: Jugamos al tenis, al fútbol y al baloncesto...

RAMÓN: Sí. También nos gustan los juegos electrónicos.

TOMÁS: Es cierto. Sacamos fotos, coleccionamos tarjetas postales, vamos a todas partes en bicicleta...

RAMÓN: ¿Qué pasa, Tomás? ¿Tienes algún problema?

TOMÁS: Tú y yo somos inseparables. Ahora, tú quieres montar a caballo. Pero yo tengo miedo de los caballos. ¡No voy a montar en este caballo tan enorme! ¿Todavía somos amigos?

RAMÓN: ¡Ay, Tomás! Tú eres muy chistoso. ¡Claro que somos amigos!

Preguntas

1. ¿A qué juegan Tomás y Ramón?
2. ¿Qué coleccionan los dos?
3. ¿A quién le gusta montar a caballo?
4. ¿Quién tiene miedo de los caballos?
5. ¿Todavía son buenos amigos?

¡Conversa tú!

1. ¿Juegas mucho con tus amigos?
2. ¿Cuál es tu deporte favorito?
3. ¿Eres un buen jugador?
4. ¿Juegas con un equipo?
5. ¿Cuál es tu pasatiempo favorito?

¿A quién conoces?

ELENA: Conozco a todas las personas de la comunidad.

LIDIA: No es cierto. ¿Conoces a un obrero?

ELENA: Sí. Ahora mismo mi primo Samuel está trabajando en la fábrica.

LIDIA: Está bien. ¿Conoces a un policía?

ELENA: Claro. Mi tía Angélica es policía.

LIDIA: No conoces a un médico, ¿verdad?

ELENA: Mi abuelo es médico. Examina a muchos pacientes.

LIDIA: Bueno. Allí están unos bomberos. Están apagando un incendio. ¿Conoces a un bombero?

ELENA: No, no conozco a un bombero. Pero tú no conoces a nadie.

LIDIA: ¿Yo? Pues, sí. El bombero es mi papá. ¡Hola, papá!

Preguntas

1. ¿Qué hace el primo de Elena?
2. ¿Quién es policía?
3. ¿Qué hace su abuelo?
4. Elena conoce a un bombero, ¿verdad?
5. ¿A quién conoce Lidia?

¡Conversa tú!

1. ¿Conoces a un policía?
2. ¿A quién quieres conocer?
3. ¿Conoces a muchos médicos?
4. ¿Vives cerca de un almacén?
5. Algún día, ¿quieres ser dueño de una compañía?

Y así nace una estrella

—Doctor, siempre tengo el mismo sueño. Estoy en una ciudad muy grande. Estoy esperando un autobús, y noto unas personas corriendo de un edificio.

"¿Qué está pasando?" le pregunto a un policía.

El policía dice: "Están haciendo una película."

"¡Acción! ¡Abre la ventana!" grita el director. "¡Corre más rápido! ¡A la derecha! ¡No, no! ¡A la izquierda! ¡Derecho, sí! ¡Abre la puerta del taxi! ¡Abrocha el cinturón! ¡Cierra la puerta! ¡Ay! ¡Corten!"

"¿Qué pasa?" el asistente le pregunta al director. "El piso delante del taxi está muy sucio. Pide una escoba a ese señor" el director responde, señalando hacia mí.

—Y así termina el sueño, doctor. ¿Qué significado tiene?

—Pues, señor, —dice el doctor— puede ser que vas a tener una carrera en el cine.

—¡Qué bueno, doctor!

—También puede ser que necesitas limpiar tu casa.

—¡Ay, no, doctor!

Preguntas

1. ¿Tiene diferentes sueños el paciente?
2. En el sueño, ¿habla el paciente con un bombero?
3. ¿Está en un autobús el actor?
4. ¿A quién señala el director?
5. ¿El paciente sabe el significado del sueño?

¡Conversa tú!

1. ¿Tienes sueños?
2. A veces, ¿tienes el mismo sueño?
3. ¿Son importantes los sueños?
4. ¿Puedes recordar un sueño divertido?
5. En tu opinión, ¿el paciente va a tener una carrera en el cine?

Un viaje estupendo

¡Hola! Me llamo Iñaki. Soy español de la ciudad de Bilbao en el norte de España. Hoy viajo con mi familia a América Latina.

Primero, vamos en tren a Madrid, la capital de mi país. Desde la estación de ferrocarriles en Madrid, vamos en taxi al aeropuerto.

El avión va a Santo Domingo, la capital de la República Dominicana. De allí, vamos en barco visitando algunos países del Caribe: primero Puerto Rico, luego Venezuela y por último Panamá. Durante el viaje, voy a comprar muchos regalos para mis amigos. También voy a mandar muchas tarjetas postales.

Quiero viajar a más países y conocer a la gente: a los costarricenses, cubanos, nicaragüenses, hondureños y guatemaltecos. Pero tengo que esperar hasta hacer otro viaje.

Preguntas

1. Iñaki es de Bilbao, ¿verdad?
2. ¿Es Madrid la capital de España?
3. El avión va a Puerto Rico, ¿no?
4. ¿Qué país van a visitar primero, Puerto Rico o Panamá?
5. ¿Van a llegar a Nicaragua en este viaje?

¡Conversa tú!

1. ¿Conoces gente de otros países?
2. ¿De qué país es tu bisabuelo?
3. ¿Viajas mucho? ¿Adónde?
4. ¿Compras muchos regalos cuando viajas?
5. ¿Te gusta viajar más en tren o en avión?

¿Adónde vamos?

MAMÁ: Hijos, su papá y yo pensamos hacer un viaje fuera de los Estados Unidos.

PAPÁ: Sí. ¿Dónde quieren pasar las vacaciones?

EVA: Bueno, podemos ir al Ecuador. En el Ecuador hay montañas, valles y muchas playas. Podemos ver el Océano Pacífico.

HUGO: Podemos ir a la República Dominicana. Probamos frutas tropicales. También vamos a nadar en el Mar Caribe. Papá, tú puedes descansar en la playa.

PAPÁ: Es cierto. Pero prefiero ir a otro lugar. Cuesta mucho pasar las vacaciones en una isla.

MAMÁ: Podemos ir a México. México no está muy lejos. Hay playas bonitas, montañas, selvas...Pues, hay de todo.

EVA: ¡Buena idea!

MAMÁ: ¿Cuánto cuestan cuatro billetes de avión?

PAPÁ: No sé. Mañana voy a hablar con el agente de viajes.

HUGO: Tenemos que leer muchos libros sobre México.

EVA: ¡Estos estudios sí me gustan!

Preguntas

1. ¿Qué piensan hacer los papás?
2. ¿Adónde quiere ir Eva? ¿Por qué?
3. ¿Adónde quiere ir Hugo? ¿Por qué?
4. ¿Por qué el papá no quiere ir a una isla?
5. ¿Qué hay en México?

¡Conversa tú!

1. ¿Dónde vives tú?
2. ¿Hay montañas y valles en tu estado?
3. ¿Hay lagos y playas en tu estado?
4. ¿Piensas viajar en el futuro?
5. ¿Adónde quieres ir?

Viajando en avión

Cuando haces un viaje en avión a otro país, tienes que llegar temprano al aeropuerto—aproximadamente dos horas antes del vuelo. Por ejemplo, si el horario dice que el avión sale a las tres, tienes que llegar a la una.

Hay muchas cosas que hacer y llevan tiempo. Siempre hay muchos pasajeros y tienes que hacer fila. Entregas tu equipaje al empleado de la línea aérea, muestras tus documentos y recibes tu tarjeta de embarcación.

Muchos aeropuertos tienen buenos restaurantes. También tienen tiendas donde puedes comprar revistas, regalos y otras cosas antes de llegar a la puerta de salida.

Dentro del avión, los asientos de primera clase son más cómodos que los asientos de clase económica. Antes de despegar el avión, tienes que abroachar el cinturón. Después del despegue, los aeromozos sirven la comida y puedes descansar, leer o apreciar la vista espectacular. A veces hay una película.

Los viajes en avión son interesantes y pueden ser muy divertidos. ¿Cuándo piensas tú hacer tu próximo viaje?

Preguntas

1. Puedes llegar tarde para los vuelos internacionales, ¿verdad?
2. ¿Por qué tienes que hacer fila en el aeropuerto?
3. ¿Qué puedes comprar en las tiendas del aeropuerto?
4. ¿Quién sirve la comida durante el vuelo?
5. ¿Son aburridos los viajes en avión?

¡Conversa tú!

1. ¿Te gusta viajar en avión?
2. ¿Está lejos el aeropuerto de tu casa?
3. ¿Es aburrido o interesante hacer fila?
4. ¿Siempre abrochas el cinturón cuando vas en coche?
5. ¿Pueden ser divertidos los viajes en avión?

Una familia de Colombia

Ésta es la historia de Marleny. Ella vive con su familia en Manizales, Colombia.

Manizales es una ciudad muy bonita. Está en las montañas. Muchos turistas vienen a Manizales para ver el Nevado de Ruiz, un volcán muy activo con nieve en todo el año.

La familia de Marleny tiene un hotel pequeño en el centro de la ciudad. Todas las habitaciones tienen dos camas y un baño privado con ducha y agua caliente. El hotel sólo es de dos pisos y por eso no hay ascensor.

Durante los fines de semana, los padres de Marleny le piden ayuda para limpiar el hotel. Los sábados, ella se despierta a las seis de la mañana, se baña, se pone ropa cómoda y prepara un desayuno de arepas, queso y chocolate para todos los turistas del hotel. Después, Marleny limpia los baños, su padre cambia las sábanas y las mantas y su madre pasa la aspiradora. Al mediodía, todos almuerzan juntos.

Durante la semana, Marleny va al colegio y después de las clases juega al volibol con sus amigos. Marleny piensa ser la dueña del hotel algún día.

Preguntas

1. Manizales está en un valle, ¿verdad?
2. El Nevado de Ruiz es un volcán activo, ¿no?
3. ¿Es grande el hotel de la familia de Marleny?
4. ¿A qué hora almuerza la familia?
5. ¿Qué quiere ser Marleny en el futuro?

¡Conversa tú!

1. ¿Conoces alguna ciudad en las montañas?
2. ¿Te gustan más los hoteles grandes o los hoteles pequeños?
3. ¿Tú ayudas a limpiar tu casa?
4. ¿A qué hora almuerza tu familia?
5. ¿Qué quieres ser tú en el futuro?

La hora del almuerzo

LETICIA: Es la hora del almuerzo. Tengo mucha hambre. Hay un restaurante peruano muy cerca de aquí.

ALONSO: ¡Es cierto! Nuestro amigo Pablo es camarero en el restaurante.

LETICIA: Aquí estamos...pero hay mucha gente. ¿Hacemos fila?

ALONSO: Mmmm...¡mira, Leticia, hay una mesa libre! No tenemos que hacer fila. Ahora llamamos a Pablo.

LETICIA: Sí. Él nos va a servir rápido porque es nuestro amigo.

ALONSO: Y después le damos una propina grande.

LETICIA: ¡Hola, Pablo! Quiero tomar una limonada y unas arepas con queso y tomate, por favor.

ALONSO: Lo mismo para mí, Pablo. ¡Tenemos mucha hambre!

PABLO: Lo siento mucho, amigos. No les puedo servir ahora. Es la hora de mi almuerzo. ¡Yo también tengo mucha hambre!

Preguntas

1. ¿Adónde van Alonso y Leticia?
2. ¿Quién trabaja en el restaurante?
3. ¿Hacen fila Leticia y Alonso?
4. ¿Qué le van a dar a Pablo después del almuerzo?
5. ¿Les sirve el almuerzo Pablo?
6. ¿Qué va a hacer Pablo?

¡Conversa tú!

1. ¿Vives cerca de un restaurante?
2. ¿Cuántas veces al mes vas a un restaurante?
3. ¿Te gusta hacer fila?
4. Generalmente, ¿les das propinas grandes a los camareros?
5. ¿Cuándo les das propinas pequeñas a los camareros?

Las ciudades antiguas

En los países hispanos hay muchas ciudades antiguas. Estas ciudades casi siempre tienen plazas. Generalmente, hay una plaza grande en el centro rodeado por edificios como la catedral principal y la alcaldía.

La plaza central de México se llama el Zócalo; de Buenos Aires, la Plaza de Mayo; y de Lima, la Plaza de Armas. En el medio de las plazas puedes encontrar monumentos a los héroes del país. En Venezuela, por ejemplo, todas las ciudades tienen una plaza Bolívar, y en todas las plazas Bolívar hay un monumento o una escultura de Simón Bolívar. Simón Bolívar es un héroe en Venezuela y en otros países de América Latina de la misma manera que George Washington es un héroe en los Estados Unidos.

Fuera de sus plazas centrales, las ciudades antiguas también tienen muchos edificios y casas de la época colonial, algunos de los cuáles son museos. Muchas veces estos edificios tienen bonitos patios adentro con fuentes y jardines llenos de flores. La gente hace mucho esfuerzo para mantener el aspecto antiguo de estos lugares. Sirven para recordar la época pasada en medio de los supermercados, metros, edificios de apartamentos y otros ejemplos de la vida moderna.

Preguntas

1. América Latina tiene pocas ciudades antiguas, ¿verdad?
2. ¿Hay una plaza en Buenos Aires que se llama la Plaza de Armas?
3. ¿Es Simón Bolívar un héroe en Venezuela?
4. A veces las casas antiguas son museos, ¿no?
5. Generalmente, ¿dónde están los patios de las casas?

¡Conversa tú!

1. ¿Es antigua o moderna la ciudad donde vives?
2. ¿Tiene una plaza central tu ciudad?
3. ¿Dónde hay un monumento en tu ciudad?
4. ¿Hay un museo de historia donde vives?
5. ¿Qué otros ejemplos de la vida moderna puedes nombrar?

¡Abre los ojos!

MARCOS: ¿Me ayudas, Jorge? ¡Este mapa no sirve!

JORGE: Sí, cómo no. ¿Qué buscas?

MARCOS: Tengo que ir a la plaza Bolívar.

JORGE: No hay problema. Conozco bien la plaza. Sigue derecho tres cuadras. Luego, dobla a la derecha y camina un kilómetro al norte. ¡No dobles al sur o te vas a perder! Por fin, cruza la calle Pilar y la plaza te queda adelante.

MARCOS: Pero, mira, Jorge. Según este mapa, la plaza queda aquí, en el centro de la ciudad.

JORGE: ¡Ay, Marcos! ¡Abre los ojos! No uses este mapa.

MARCOS: ¿Por qué no?

JORGE: Porque este mapa es de Ciudad Jardín. ¡Estamos en Aguaslimpias!

Preguntas

1. ¿Qué busca Marcos?
2. ¿Quién conoce el lugar?
3. ¿Qué le dice Jorge?
4. Según el mapa, ¿dónde está la plaza Bolívar?
5. ¿De qué ciudad es el mapa?

¡Conversa tú!

1. ¿Cuándo usas un mapa?
2. ¿Sabes leer los mapas?
3. ¿Cuántos kilómetros puedes caminar?
4. Si te pierdes, ¿pides ayuda?
5. ¿Cómo buscas un lugar que no conoces?

En el mercado al aire libre

MAMÁ: ¿Qué compraste en el mercado, Elisa?

ELISA: Compré un regalo para abuelita. Le compré una blusa.

MAMÁ: ¡Qué bueno! ¿Cuánto pagaste?

ELISA: Pagué muy poco, mamá. Caminé por todo el mercado y busqué una blusa con un precio barato.

MAMÁ: ¿Examinaste bien la blusa?

ELISA: No, mamá. No la examiné. Sólo miré el precio.

MAMÁ: Pues, mira, ¡no hay botones en la blusa! ¡Por eso pagaste tan poco dinero!

ELISA: ¡Caramba! Vuelvo al mercado ahora mismo.

Preguntas

1. ¿Qué compró Elisa?
2. ¿Cuánto pagó?
3. ¿Qué buscó ella?
4. ¿Examinó bien el regalo?
5. ¿Por qué no pagó mucho por el regalo?

¡Conversa tú!

1. ¿Dónde compras regalos?
2. ¿Buscas precios caros o baratos?
3. ¿Miras bien los regalos antes de comprarlos?
4. Generalmente, ¿cuánto pagas por un regalo?
5. ¿Por qué es importante examinar bien los regalos antes de comprarlos?

¡Vamos de vacaciones!

Tú quieres hacer el esquí acuático, tu hermano sólo quiere tomar el sol, tus amigos quieren jugar en la nieve y tus padres piensan visitar los museos.

¿Adónde vas a pasar las vacaciones?

¡CLARO, EN SANTA BÁRBARA DE LOS ARCOS!

Santa Bárbara de los Arcos es perfecto para toda la familia. Tiene playas con olas grandes para hacer surf. También hay playas donde el mar es tranquilo y perfecto para tomar el sol.

Lindas montañas están a tu alcance con nieve en todo el año para esquiar. Para gente con intereses más culturales, tenemos bonitos museos y docenas de sitios históricos.

Escucha al señor Alfonso Rodríguez:

> ¡Santa Bárbara de los Arcos es fantástica! Mi hijo nadó en la playa, mi hija esquió en las montañas y mi esposa buceó en el mar buscando conchas y caracoles. Yo pasé todos los días tomando el sol. Por las noches, comimos comidas deliciosas y caminamos por las bonitas playas bajo la luz de la luna. Volvimos a casa felices.

SANTA BÁRBARA DE LOS ARCOS — ¡RECUÉRDALA EN TUS PRÓXIMAS VACACIONES!

Preguntas

1. ¿Para quién es perfecto Santa Bárbara de los Arcos?
2. Las montañas solo tienen nieve durante tres meses del año, ¿verdad?
3. Al Sr. Rodríguez no le gusta Santa Bárbara de los Arcos, ¿verdad?
4. ¿Visitó muchos museos el Sr. Rodríguez?
5. ¿Dónde caminaron por las noches la familia Rodríguez?

¡Conversa tú!

1. ¿Te gustan los deportes acuáticos?
2. ¿Tú vas a la playa durante las vacaciones?
3. ¿Qué te gusta más, tomar el sol o nadar en el mar?
4. ¿Tienes un caracol o una concha en tu casa?
5. ¿Te gusta comer el pescado y otras delicias del mar?

NUMBERS / LETTERS

I

J

K

L

M

N

Ñ

O

P

Q

R

S

T

U

V

W

X

Y

Z

MAPS

United States and Canada

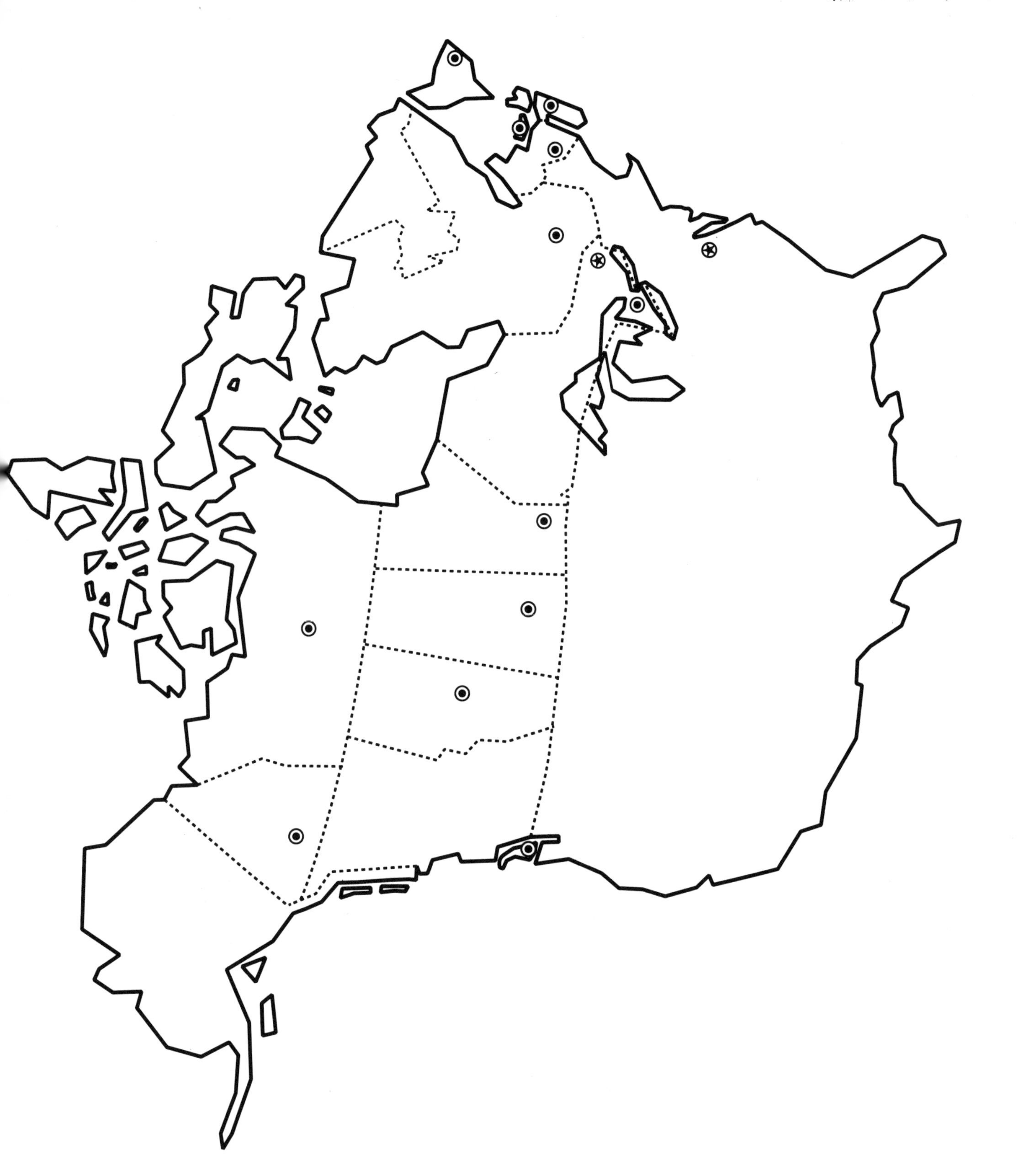

Mexico, Central America, and the Caribbean

South America

Spain and Western Europe

United States

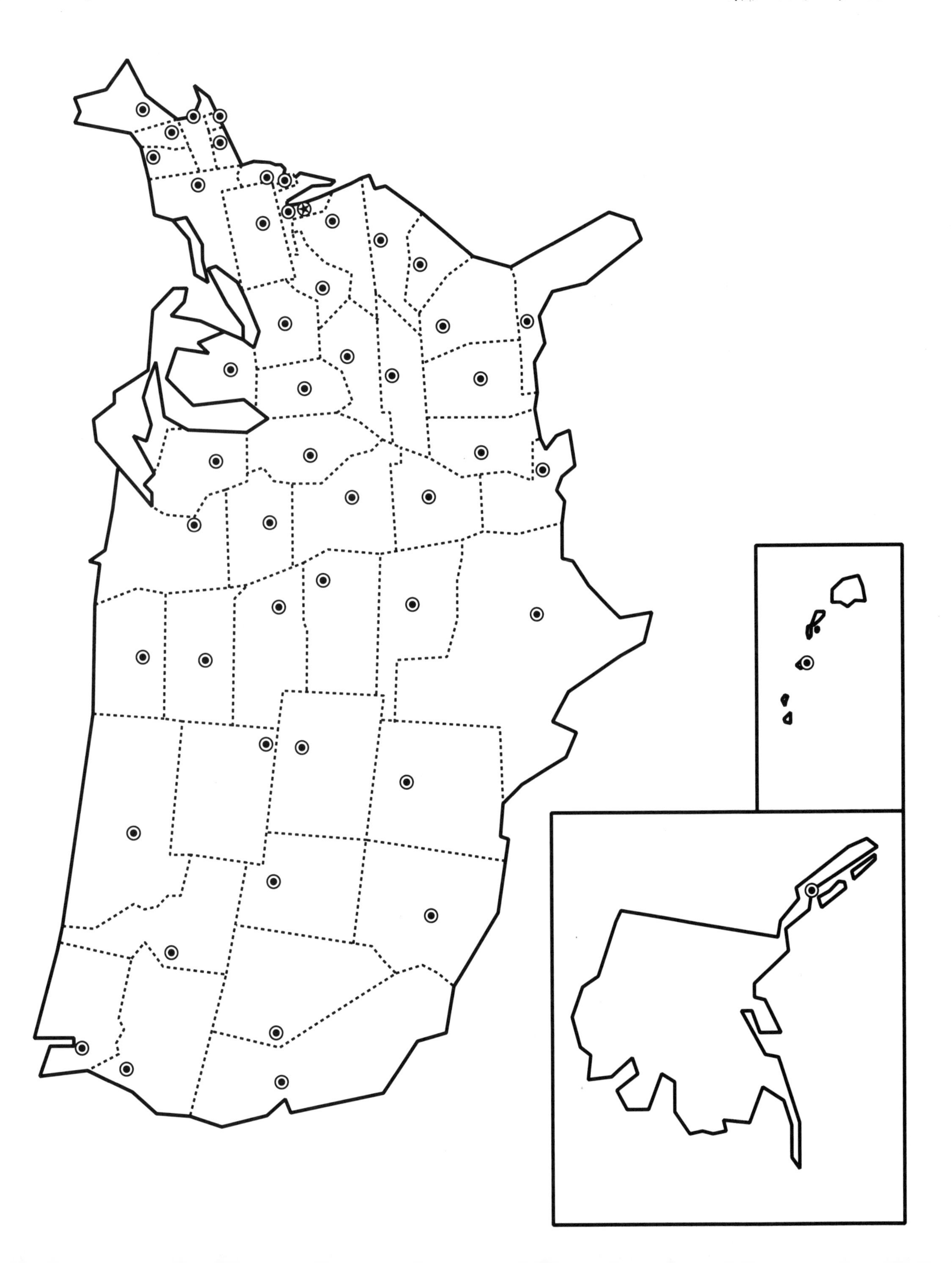

GAME / ACTIVITY PAGES

C	i	n	c	o

¿Cuánto cuesta la palabra?

Letras=		Pesos	Letras=		Pesos
a	=	1	p	=	17
b	=	2	q	=	18
c	=	3	r	=	19
d	=	4	s	=	20
e	=	5	t	=	21
f	=	6	u	=	22
g	=	7	v	=	23
h	=	8	w	=	24
i	=	9	x	=	25
j	=	10	y	=	26
k	=	11	z	=	27
l	=	12	á	=	28
m	=	13	é	=	29
n	=	14	í	=	30
ñ	=	15	ó	=	31
o	=	16	ú	=	32

Vamos en taxi
(game board)

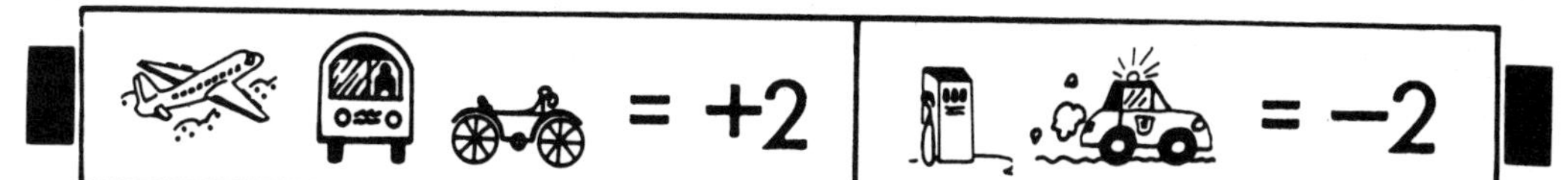

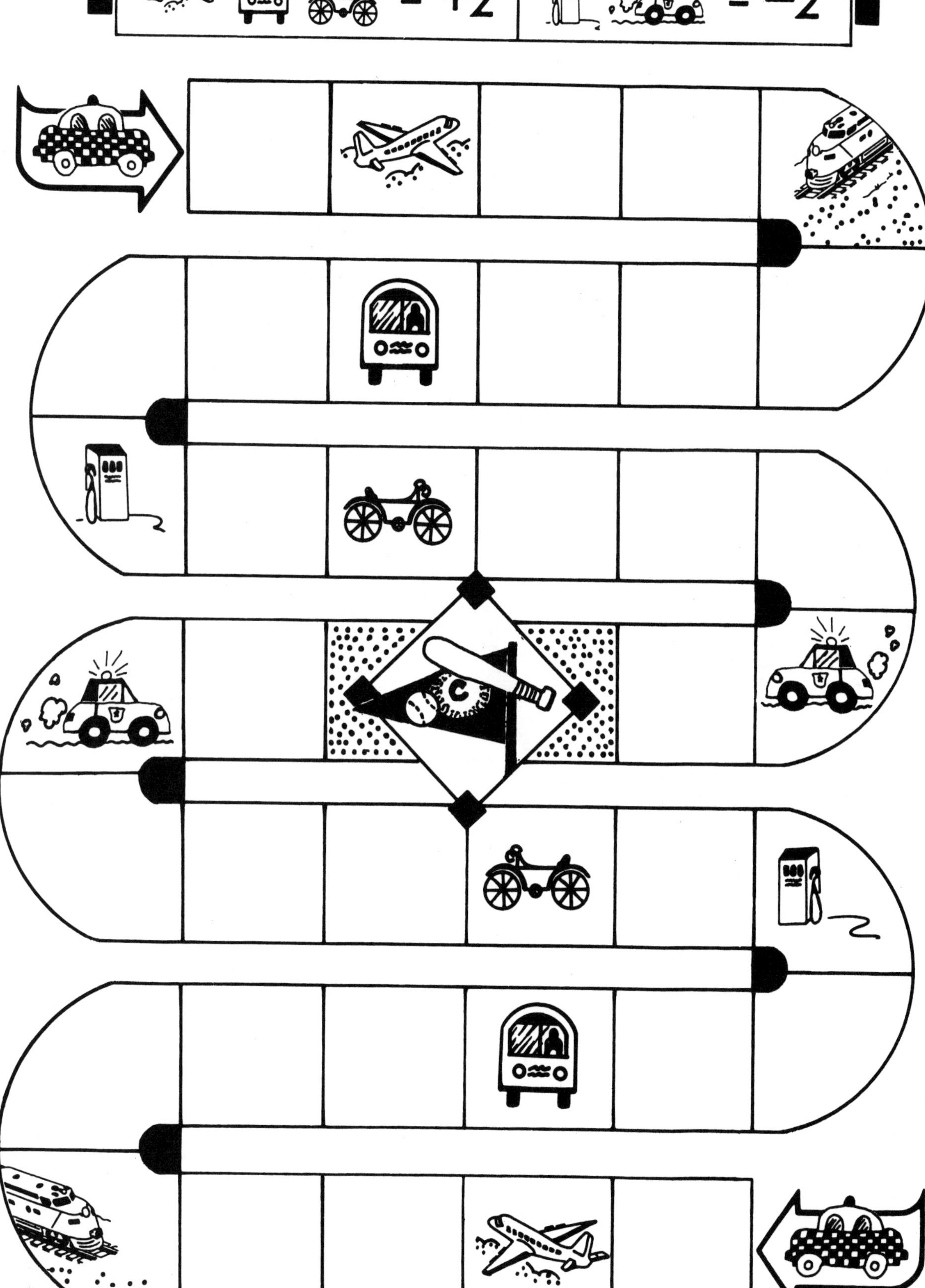

Vamos en taxi
(number spinner)

El volcán
(game board)

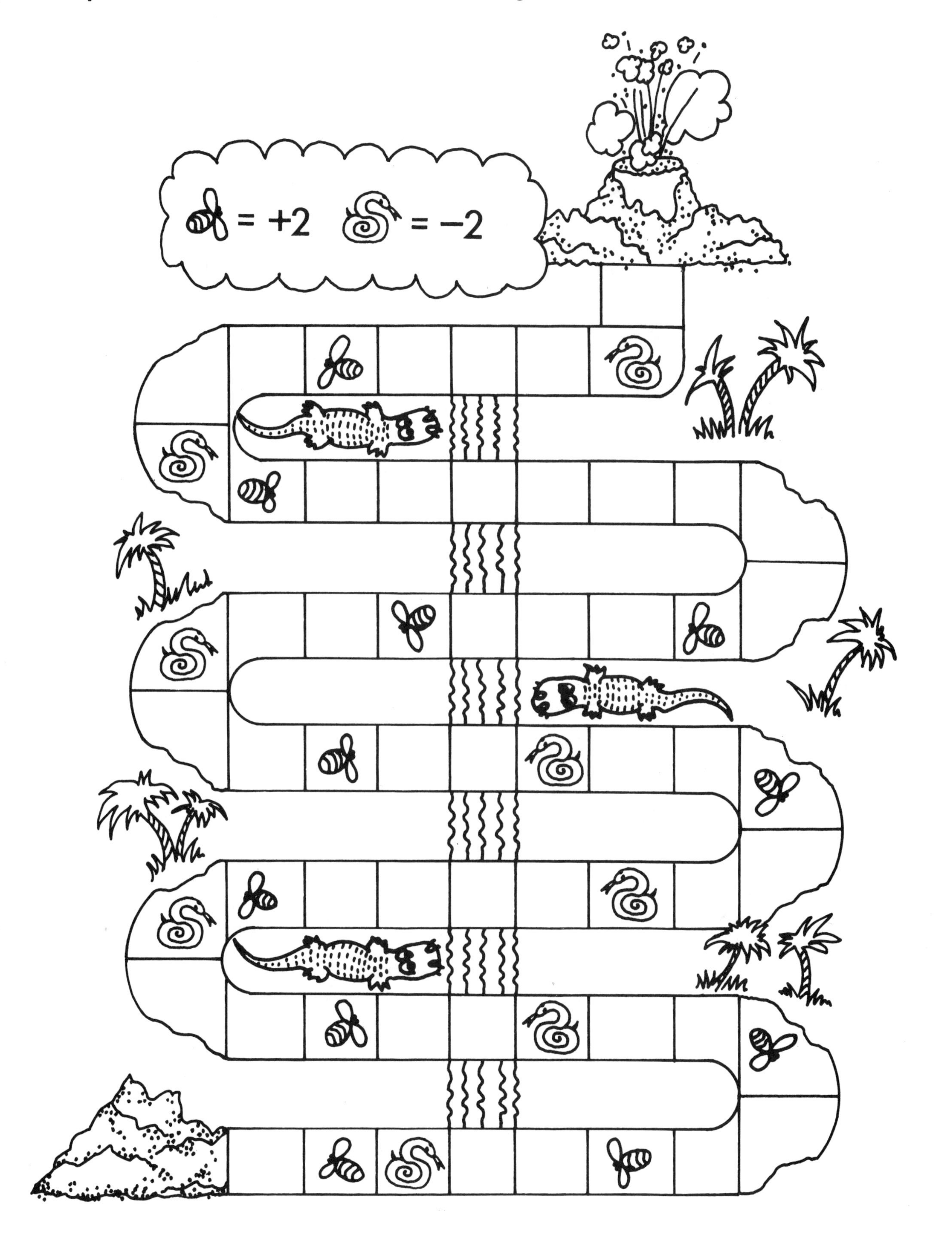

El volcán
(number spinner)

Blank Calendar: Una semana

lunes	
martes	
miércoles	
jueves	
viernes	
sábado	
domingo	

Blank Calendar: Un mes

lunes	martes	miércoles	jueves	viernes	sábado	domingo

Large clock face

Quarter-page clock faces

Mis amigos

el nombre	la dirección	el número de teléfono

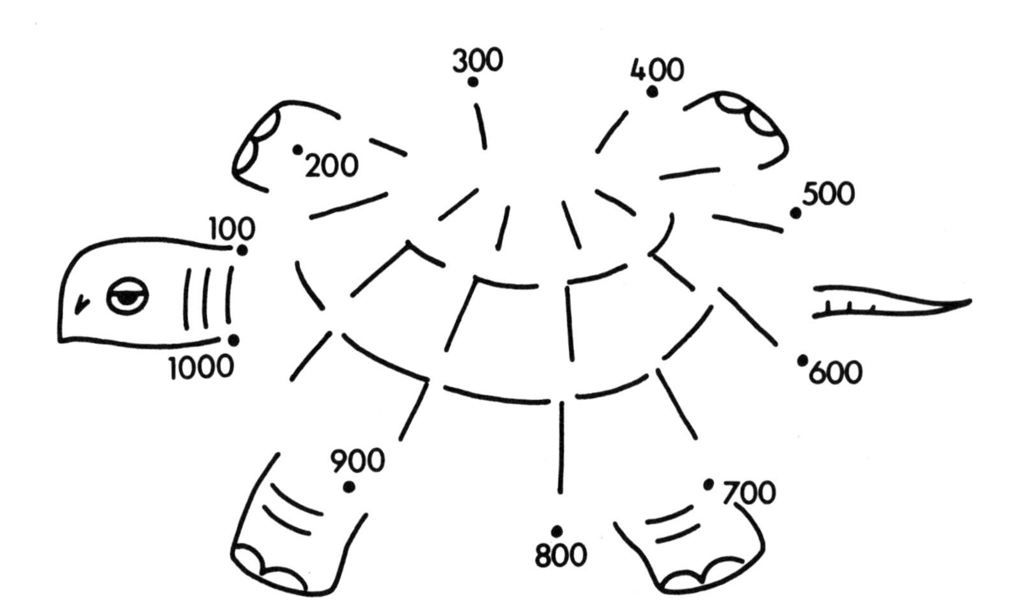
300
400
200
500
100
1000
600
900
700
800

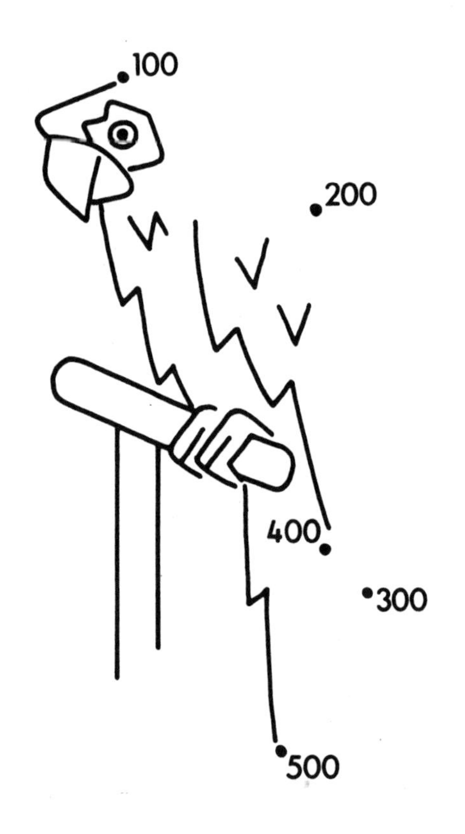
100
200
400
300
500

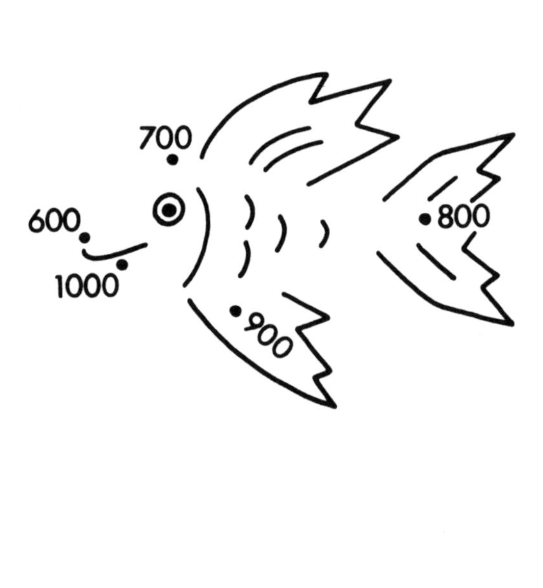
700
600
800
1000
900

A Day in the Life

Postcard Forms

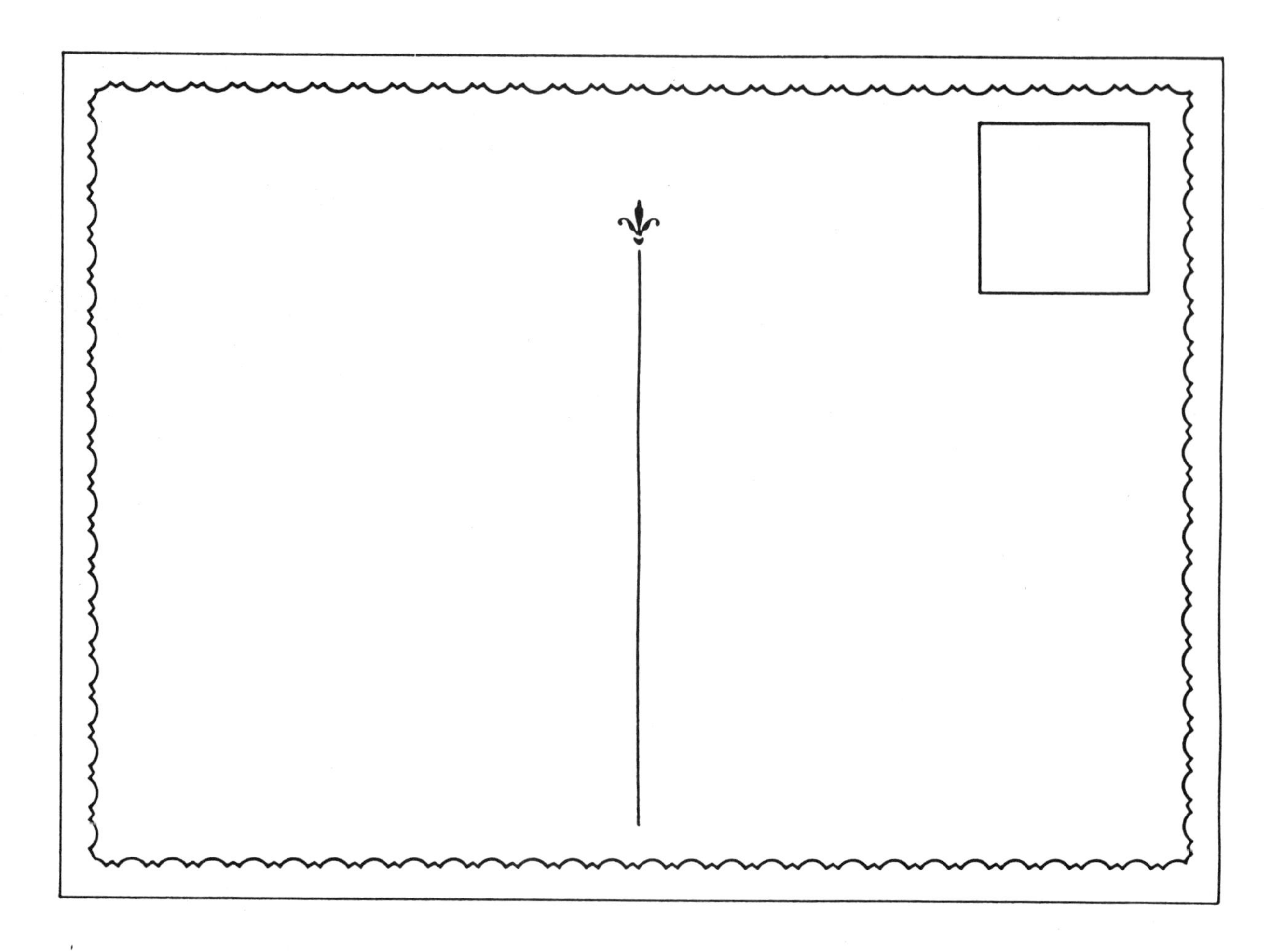

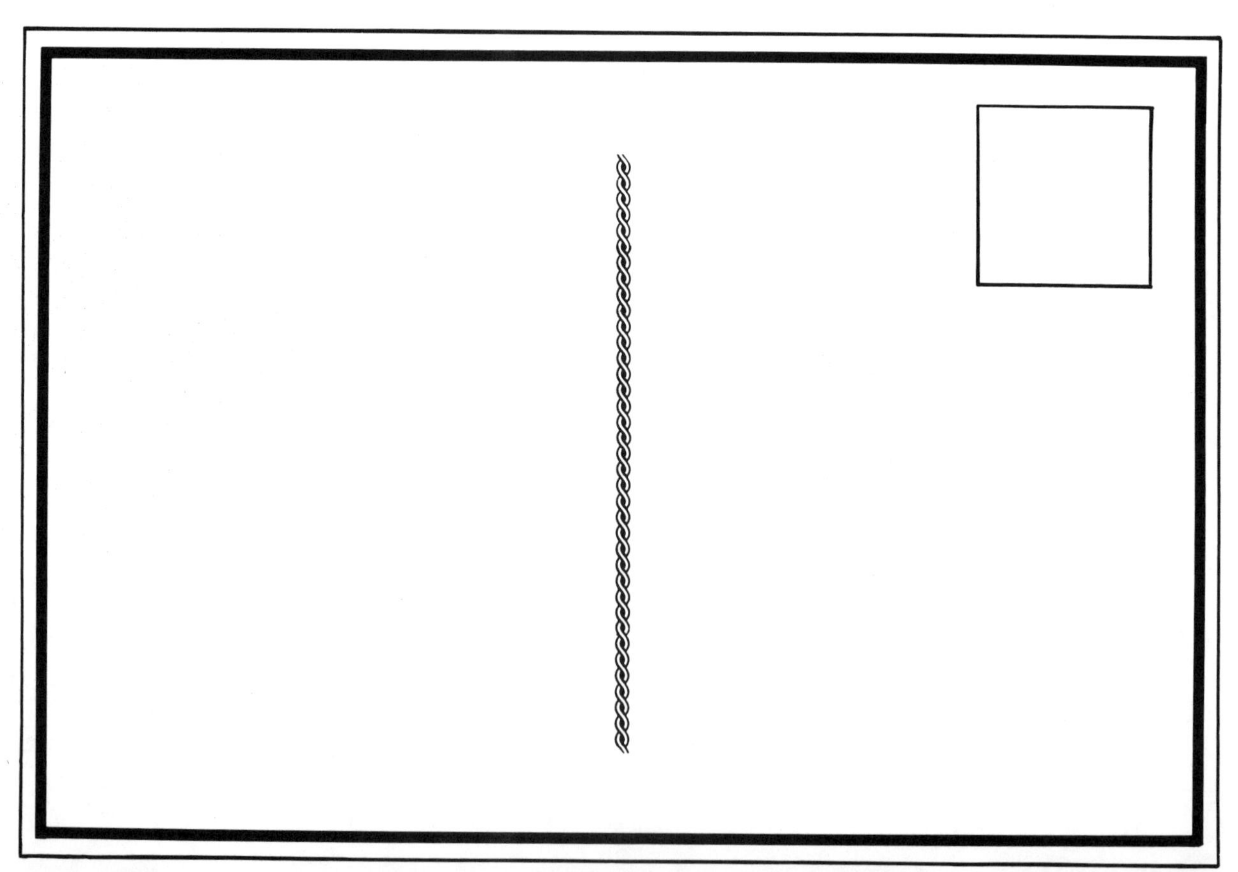

Aeroviva

Boleto de pasaje en avión					Número
Agencia de viajes:					
Nombre del pasajero:					
De:	Vuelo:	Fecha:	Salida:	Llegada:	Reservaciones:
A:	Tarifa: $				

Aeroviva

tarjeta de embarcación

Vuelo:	Destino:	
Fecha:	Salida:	Llegada:
Sala:	Asiento:	

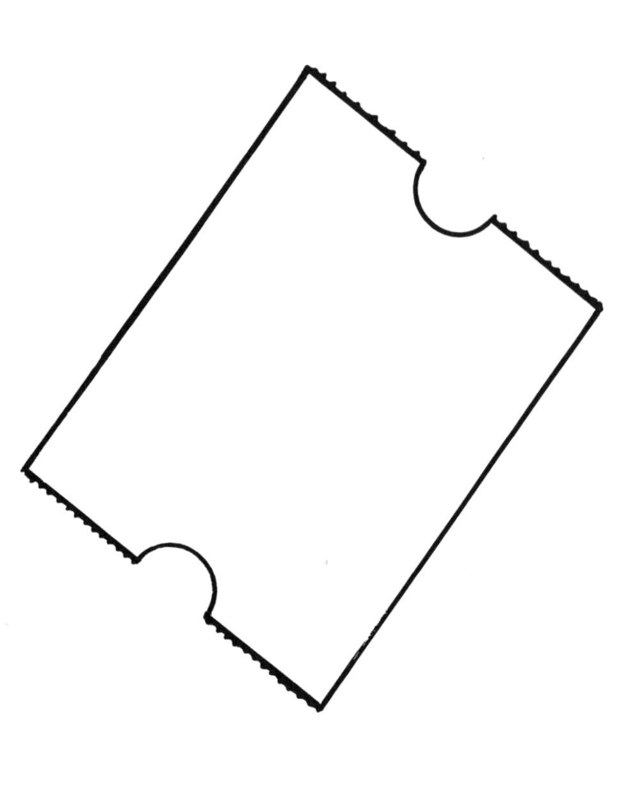

Multipurpose Map

N

O E

S

Shopping Items/ Jewelry Patterns

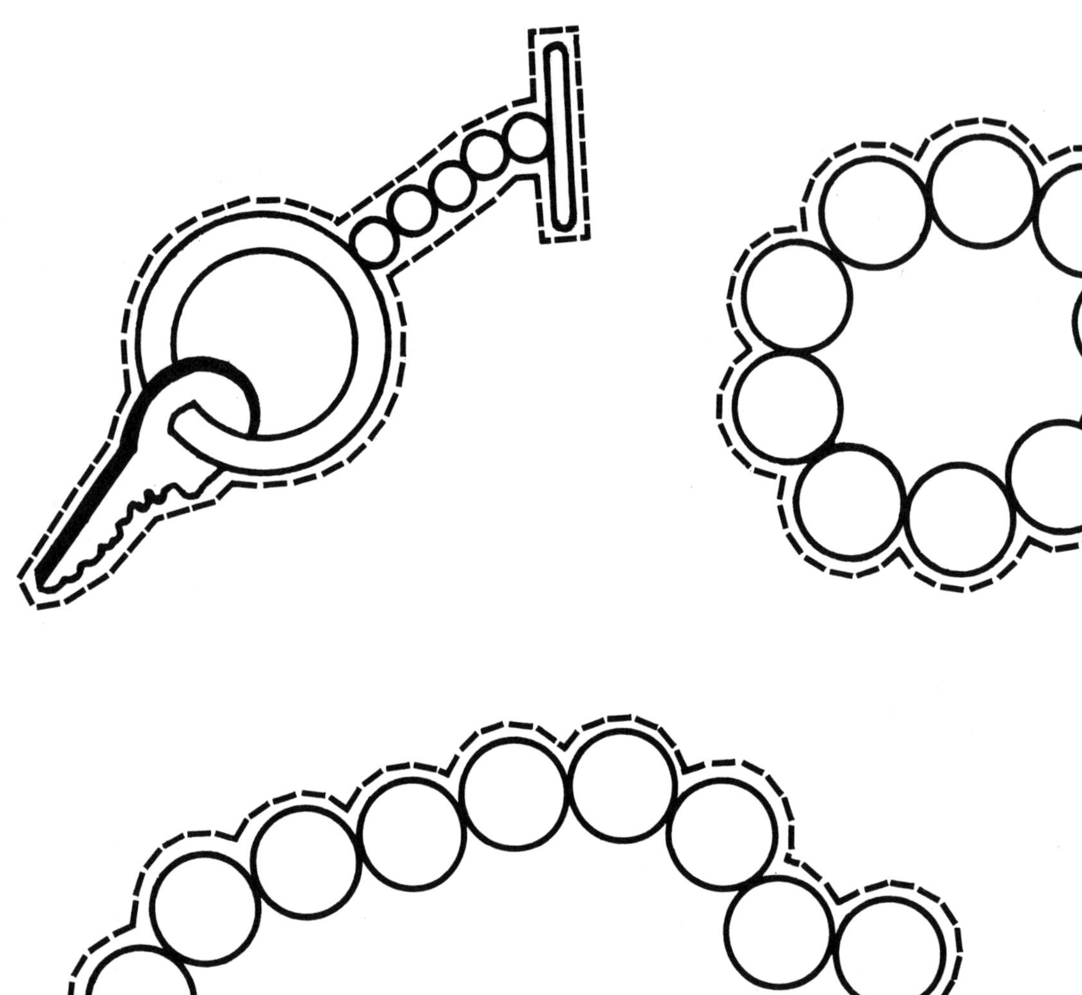

TAPE EXERCISE AND PRONUNCIATION PAGES

Nombre ______________________ Fecha ______________________

Los sonidos del idioma

Las consonantes: La g

Escucha y repite.

gesto	vegetal	gigante	mágico
gente	escoge	girasol	página

1. La gente come vegetales mágicos.
2. La flor escogida es el girasol gigante.
3. Generalmente, Geraldo lee las páginas a los gemelos en el gimnasio.

Pronunciation Exercise

	sí	no			
M	✓	____	5.	____	____
M	____	____	6.	____	____
1.	____	____	7.	____	____
2.	____	____	8.	____	____
3.	____	____	9.	____	____
4.	____	____	10.	____	____

Nombre ______________________ Fecha ______________________

¿Cómo lo dices?

Exercise 1

Exercise 2

Soy atlética.

M

__________ generoso.

1.

__________ gruesos.

2.

__________ atléticos.

3.

__________ cómica.

4.

__________ delgadas.

5.

__________ fuerte.

6.

__________ populares.

Nombre ______________________ Fecha ______________________

Los sonidos del idioma

Las consonantes: La j

Escucha y repite.

jalea	jinete	jugo	ajedrez	mejor
jefe	joya	mojado	ají	injusto

1. José y Julia toman jugo en el jardín.
2. Jaime sueña ser un jinete en una jirafa.
3. Jorge y Juliana son dos jóvenes jugadores de ajedrez.
4. Es injusto que las joyas rojas brillen más fuerte los jueves.

Pronunciation Exercise

M j______ usticia

M hara ______ o

1. a ______ o
2. pere ______ il
3. parti ______ a
4. glo ______ o
5. si ______ lo
6. ______ inete
7. sin ______ onía
8. mascara ______ a
9. le ______ árgico
10. conser ______ e

Nombre ______________________ Fecha ______________________

¿Cómo lo dices?

Exercise 1

M a. Sí, conozco a la profesora.
b. Sí, conoce a la profesora.
c. Sí, conoces a la profesora.

M a. No, no conocen al señor González.
b. No, no conocemos al señor González.
c. No, no conoce al señor González.

1. a. Sí, conoces a la obrera.
b. Sí, conocemos a la obrera.
c. Sí, conozco a la obrera.

2. a. Sí, conoces al director.
b. Sí, conoce al director.
c. Sí, conozco al director.

3. a. Sí, conocemos a la médica.
b. Sí, conoces a la médica.
c. Sí, conocen a la médica.

4. a. No, no conozco a los conserjes.
b. No, no conocen a los conserjes.
c. No, no conoce a los conserjes.

5. a. Sí, conoce a la profesora.
b. Sí, conocemos a la profesora.
c. Sí, conozco a la profesora.

6. a. Sí, conocen a los obreros.
b. Sí, conocemos a los obreros.
c. Sí, conoces a los obreros.

7. a. Sí, conozco a los empleados.
b. Sí, conoce a los empleados.
c. Sí, conoces a los empleados.

8. a. No, no conocemos a la bombera.
b. No, no conozco a la bombera.
c. No, no conocen a la bombera.

Nombre ______________________ Fecha ______________________

¿Cómo lo dices?, *continued*

Exercise 2

M

M

1.

2.

3.

4.

5.

6.

Nombre ______________________ Fecha ______________________

Los sonidos del idioma

Las consonantes: La g

Escucha y repite.

guerra	pagué	guisantes	águila
guerilla	juguetes	guitarra	seguida
hamburguesa	Miguel	Guillermo	Dieguito

1. Guillermo toca la guitarra.
2. Miguel come una hamburguesa y unos guisantes.
3. Olguita compra juguetes para Dieguito.
4. El águila se para en la manguera en seguida.

Pronunciation Exercise

M ___no___

M ______________

1. ______________
2. ______________
3. ______________
4. ______________
5. ______________
6. ______________
7. ______________
8. ______________

Nombre ______________________ Fecha ______________________

¿Cómo lo dices?

Exercise 1

M

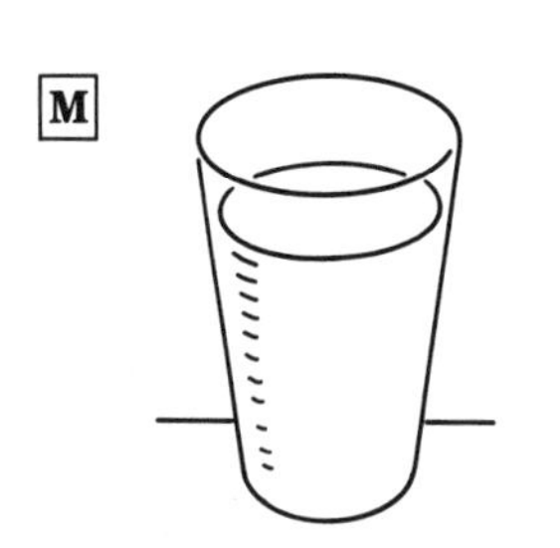

M

1.

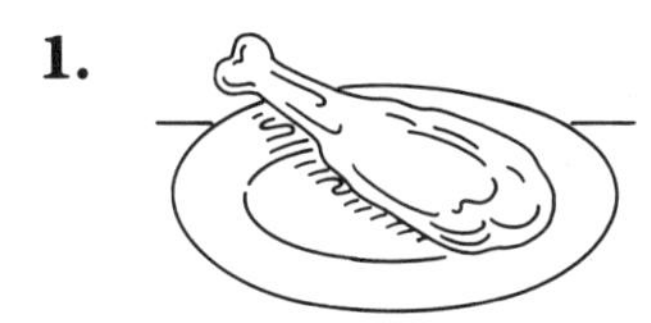

2.

3.

4.

5.

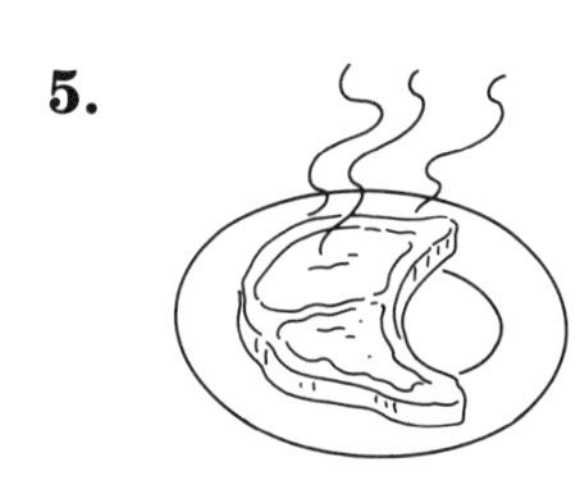

6.

7.

8.

Exercise 2

Nombre ______________________ Fecha ______________________

Los sonidos del idioma

Las consonantes: La ll y la y

Escucha y repite.

llamada	calle	yodo	subrayar
llorar	pollito	yegua	papaya
lluvia	gallina	Yugoslavia	vaya

1. La llama amarilla llora en la calle.
2. Yasmina da la papaya a la yegua.
3. El pollito oye la llamada de la gallina.
4. El llano ya estaba en llamas cuando cayó la lluvia.

Pronunciation Exercise

	sí	no		sí	no
M	✓	____	5.	____	____
M	____	____	6.	____	____
1.	____	____	7.	____	____
2.	____	____	8.	____	____
3.	____	____	9.	____	____
4.	____	____	10.	____	____

Nombre ______________________ Fecha ______________________

¿Cómo lo dices?

Exercise 1

Nombre ______________________________ Fecha ______________________

¿Cómo lo dices?, *continued*

Exercise 1

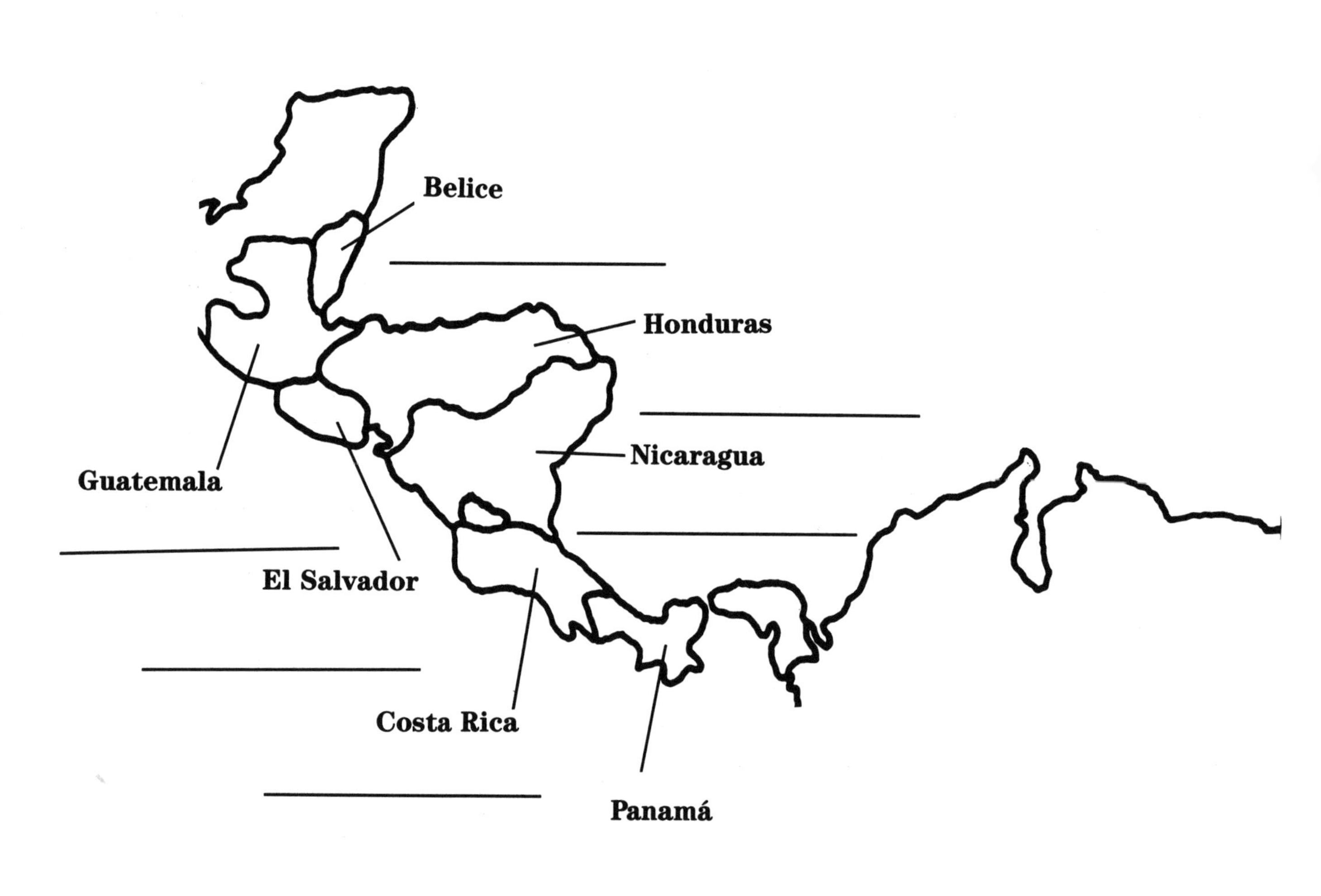

Nombre ______________________ Fecha ______________________

Los sonidos del idioma

Las vocales: ae, ea; ao, oa

Escucha y repite. Compara los sonidos de las vocales.

ae	ea	ao	oa
aeropuerto	idea	bacalao	toalla
caer	tarea	ahora	barbacoa
maestro	impermeable	caos	boa

1. El maestro trae su impermeable al aeropuerto.
2. Ahora el bacalao está en una toalla cerca de la barbacoa.
3. Una boa en el salón resulta en el caos.

Pronunciation Exercise

	AE	EA
M	✓	___
M	___	✓
1.	___	___
2.	___	___
3.	___	___
4.	___	___
5.	___	___
6.	___	___

	AO	OA
M	___	✓
1.	___	___
2.	___	___
3.	___	___
4.	___	___
5.	___	___
6.	___	___

Nombre ______________________ Fecha ______________________

¿Cómo lo dices?

Exercise 1

M	camino	M	subimos
	caminas		suben
	(camina)		subo
1.	nadas	**5.**	saca
	nada		sacan
	nadan		sacas
2.	como	**6.**	escribe
	comen		escribimos
	comemos		escribo
3.	descanso	**7.**	come
	descansa		comemos
	descansan		comen
4.	lees	**8.**	caminas
	leemos		caminamos
	leen		camino

Nombre ______________________ Fecha ______________________

¿Cómo lo dices?, *continued*

Exercise 2

generoso	popular	bajo	delgado
inteligente	impaciente	alto	grueso
atlético	simpático	débil	
tímido	cómico	fuerte	

Exercise 3

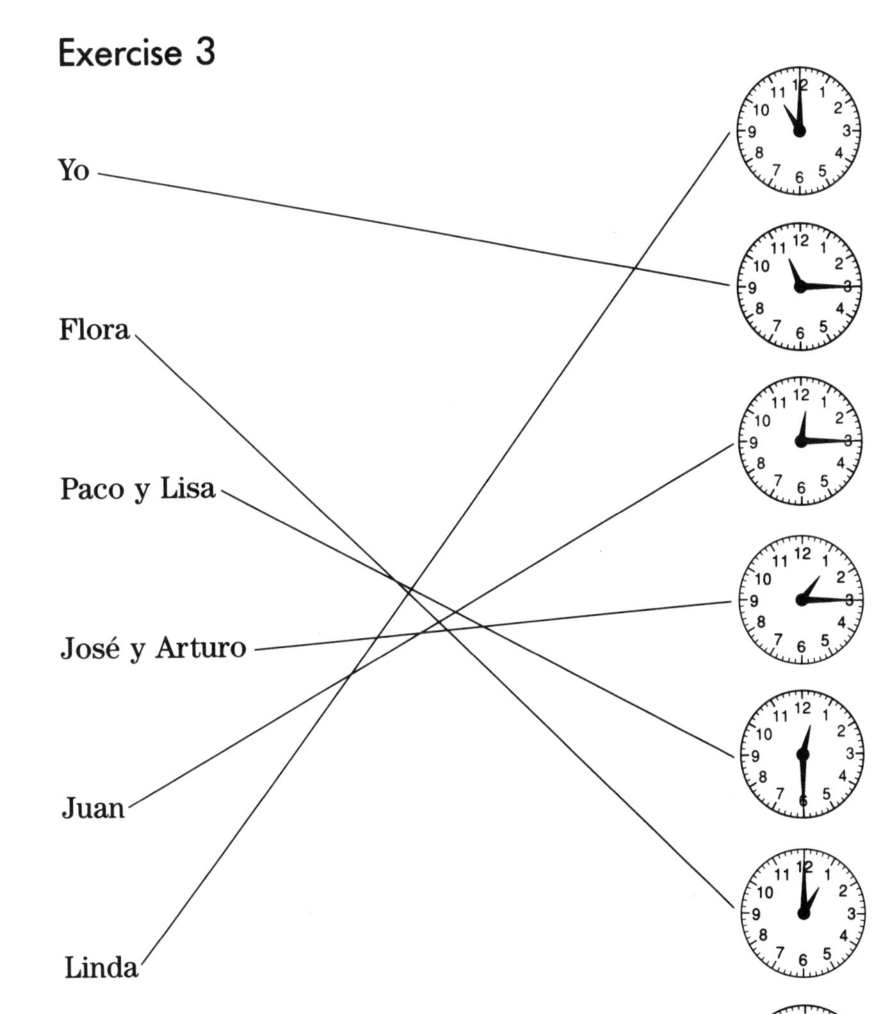

Nombre ______________________ Fecha ______________________

Los sonidos del idioma

Las vocales: eo, oe

Escucha y repite. Compara los sonidos de las vocales.

eo	**oe**
empleo	roedor
museo	corroer
correo	coherente

1. No veo el museo desde esta calle, pero sí veo el correo.
2. Los ratones son roedores.
3. Leonor tiene deseos de leer un cuento coherente.

Pronunciation Exercise

	EO	OE
M	_____	✓
M	_____	_____
1.	_____	_____
2.	_____	_____
3.	_____	_____
4.	_____	_____
5.	_____	_____
6.	_____	_____
7.	_____	_____
8.	_____	_____

Nombre ______________________ Fecha ______________________

¿Cómo lo dices?

Exercise 1

M 

M 

1.

2. 

3.

4. 

5.

6. 

Nombre ______________________ Fecha ______________

Los sonidos del idioma

Las vocales: ai, ia; au, ua

Escucha y repite. Compara los sonidos de las vocales.

ai	**ia**	**au**	**ua**
baile	copia	automóvil	cuaderno
traigo	estudia	restaurante	guapo
Haití	gracias	gaucho	agua

1. El estudiante estudia la historia de Haití.
2. ¿Cuántos vasos de agua bebes cuando tienes sed?
3. El gaucho es muy guapo y baila un baile especial.

Pronunciation Exercise

M b __ai__ lo

M p ______ no

1. grac ______ s

2. farmac ______

3. c ______ go

4. f ______ mbres

5. ______ re

6. fr ______ le

M g __ua__ po

1. j ______ la

2. s ______ ve

3. apl ______ so

4. g ______ rdia

5. fl ______ ta

6. c ______ dro

Nombre ______________________ Fecha ______________________

¿Cómo lo dices?

Exercise 1

M

1.

2.

3.

4.

5.

6.

Nombre ______________________ Fecha ______________________

Los sonidos del idioma

Las vocales: ei, ie; eu, ue

Escucha y repite. Compara los sonidos de las vocales

ei	**ie**	**eu**	**ue**
peine	bien	reunión	abuela
béisbol	invierno	deuda	bueno
reina	pierna	neutral	escuela

1. La reina se peina bien antes de la fiesta.
2. Hay una reunión sobre las deudas de la escuela.
3. No juego al béisbol afuera en el invierno.

Pronunciation Exercise

M p **ei** ne

M qu ______ to

1. pl ______ to
2. t ______ rno
3. qu ______ n
4. r ______ no
5. r ______ nda
6. v ______ nte

M ab **ue** lo

1. d ______ da
2. n ______ mático
3. tr ______ no
4. p ______ sto
5. r ______ nir
6. ac ______ sta

Nombre ______________________ Fecha ______________________

¿Cómo lo dices?

Exercise 1

M A Óscar **le sirve huevos revueltos**.

M A mí ______________________.

1. A Luis y Armando ______________________.
2. A ti ______________________.
3. A Catalina ______________________.
4. A nosotros ______________________.
5. A Marisa y Adolfo ______________________.
6. A Mateo ______________________.

Nombre ______________________ Fecha ______________

¿Cómo lo dices?, *continued*

Exercise 2

Juana y Rosalía	una lámpara vieja
Tú	un retrato
Enrique y Clemente	unos libros
Miguel y Natán	cinco camisetas
Dolores	un radio
David	un espejo
Jorge	dos camisas
Sergio	unos platos

Nombre ______________________ Fecha ______________

Los sonidos del idioma

Las vocales: oi, io; uo

Escucha y repite. Compara los sonidos de las vocales.

oi	io	uo
oigo	diario	arduo
boina	preciosa	cuota
Loida	camiones	antiguo

1. Oigo música preciosa en el colegio antiguo.
2. Vamos con Mario en un arduo viaje en avión.
3. Hay un monstruo rubio en el colegio de Loida.

Pronunciation Exercise

	OI	IO
M	✓	____
M	____	____
1.	____	____
2.	____	____
3.	____	____
4.	____	____
5.	____	____
6.	____	____

M	sí
M	____________
1.	____________
2.	____________
3.	____________
4.	____________
5.	____________
6.	____________

Nombre ______________________ Fecha ______________________

¿Cómo lo dices?

Exercise 1

M Voy a **darles** camisetas.

M Voy a ______________ un radio.

1. Voy a ______________ un libro.
2. Voy a ______________ un plato bonito.
3. Voy a ______________ un bolígrafo.
4. Voy a ______________ unos cuadernos.
5. Voy a ______________ dos coches de plástico.
6. Voy a ______________ un beso grande.

Nombre ______________________ Fecha ______________________

Los sonidos del idioma

Las vocales: ui, iu

Escucha y repite. Compara los sonidos de las vocales.

ui	**iu**
cuidar	ciudad
Luisa	triunfo
buitre	viuda

1. El juicio en Suiza los va a llevar a la ruina.
2. ¡Qué ruido! Van a destruir toda la ciudad.
3. ¡Cuidado! Hay un buitre en la cocina de la viuda.

Pronunciation Exercise

M ____sí____

M ______________

1. ______________
2. ______________
3. ______________
4. ______________

M ____sí____

1. ______________
2. ______________
3. ______________
4. ______________

Nombre ______________________________ Fecha ____________________

¿Cómo lo dices?

Exercise 2

[M] SIMÓN: Lee la lección tres.

TÚ: No, no ____leas____ la lección tres.

[M] SIMÓN: Mira el programa de televisión.

TÚ: No, no ______________________ el programa de televisión.

1. SIMÓN: Escribe las respuestas.

TÚ: No, no ______________________ las respuestas.

2. SIMÓN: Lee la novela.

TÚ: No, no ______________________ la novela.

3. SIMÓN: Usa la computadora.

TÚ: No, no ______________________ la computadora.

4. SIMÓN: Prepara un reporte.

TÚ: No, no ______________________ un reporte.

5. SIMÓN: Abre el libro de ciencias.

TÚ: No, no ______________________ el libro de ciencias.

6. SIMÓN: Contesta las preguntas.

TÚ: No, no ______________________ las preguntas.

Nombre ______________________ Fecha ______________________

Los sonidos del idioma

Las palabras en sílabas

Escucha y repite.

ca-sa	es-**pe**-ra	pri-ma-**ve**-ra
li-bro	co-**me**-mos	a-pren-**de**-mos
an-tes	mer-**ca**-do	ham-bur-**gue**-sa

1. La casa roja queda en esta calle.
2. Espera la llegada de Marcela en el mercado.
3. La primavera es hermosa en la Argentina.

Pronunciation Exercise

M	2	(3)	4
M	2	3	4
1.	2	3	4
2.	2	3	4
3.	2	3	4
4.	2	3	4
5.	2	3	4
6.	2	3	4
7.	2	3	4
8.	2	3	4
9.	2	3	4
10.	2	3	4

M ma-ra-vi-lla	M cla-ro
1. gui-san-tes	5. ma-ri-ne-ro
2. car-ta	6. al-to
3. pa-vo	7. ca-ri-ño
4. es-tre-lla	8. ham-bur-gue-sa

Nombre ______________________ Fecha ______________________

¿Cómo lo dices?

Exercise 1

M

1.

2.

3.

4.

5.
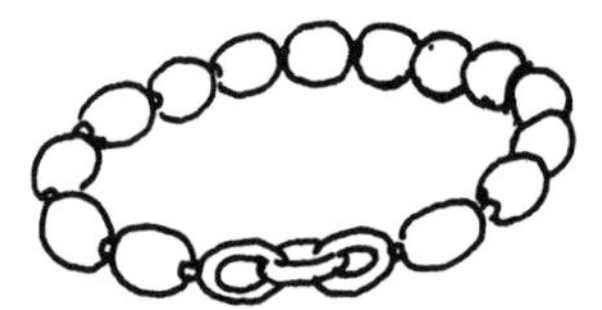

6.
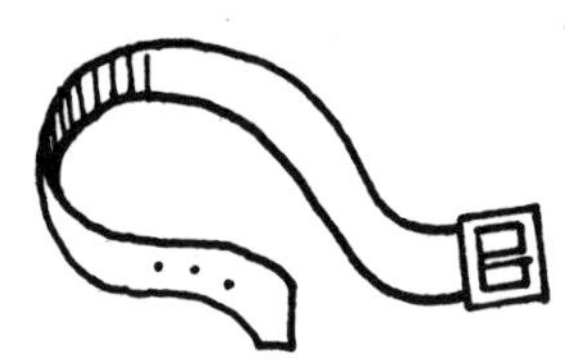

Exercise 2

M Sí, **almorcé** en un restaurante.

M Mis papás la ______________________.

1. No, nosotros no ______________________ al fútbol.
2. ______________________ al ajedrez.
3. No, yo no ______________________ fotos.
4. Sí, él ______________________ fotos.
5. Sí, ______________________ ir.
6. ______________________ a las siete y media.
7. No, mi amigo ______________________ por los billetes.
8. ______________________ a las diez y media.

Nombre ______________________ Fecha ______________________

Los sonidos del idioma

La entonación

Escucha y repite.

papa	papá	leo	león
esta	está	sabana	sábana
río	rió	saco	sacó

1. ¿Cómo como la papa de papá?
2. El libro sobre el león de la sabana está en la sábana.
3. El árbol cayó en el río y el niño se rió.
4. José sacó los artículos del saco.

Pronunciation Exercise

M	(mando)	mandó
M	saque	saqué
1.	este	esté
2.	marcho	marchó
3.	libre	libré
4.	ríe	rié
5.	hable	hablé
6.	termino	término
7.	plato	plató
8.	llevo	llevó

Nombre ______________________ Fecha ______________________

¿Cómo lo dices?

Exercise 1

M **Corriste** mucho en la playa, ¿verdad?

M Tu hermana ______________ tarjetas postales, ¿verdad?

1. Tu hermanito y tú ______________ en la ciudad, ¿verdad?
2. Tus papás ______________ a comer en un restaurante, ¿verdad?
3. ______________ a bucear, ¿verdad?
4. Tu hermana ______________ a nadar, ¿verdad?
5. Un día ______________ la cabeza en la playa, ¿verdad?
6. ______________ el miércoles, ¿verdad?

Nombre ______________________ Fecha ______________________

¿Cómo lo dices?, *continued*

Exercise 2

M 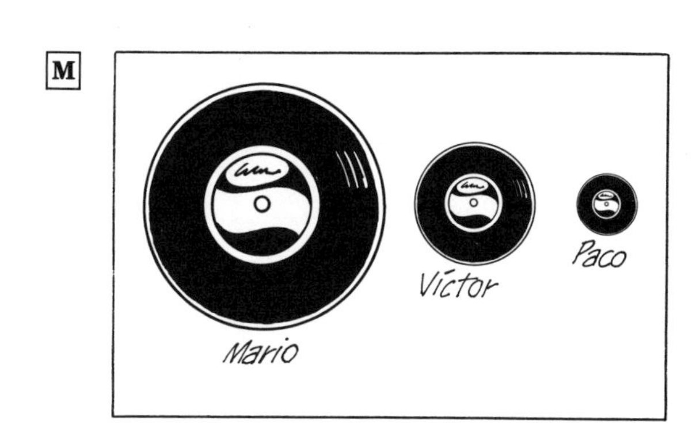

M 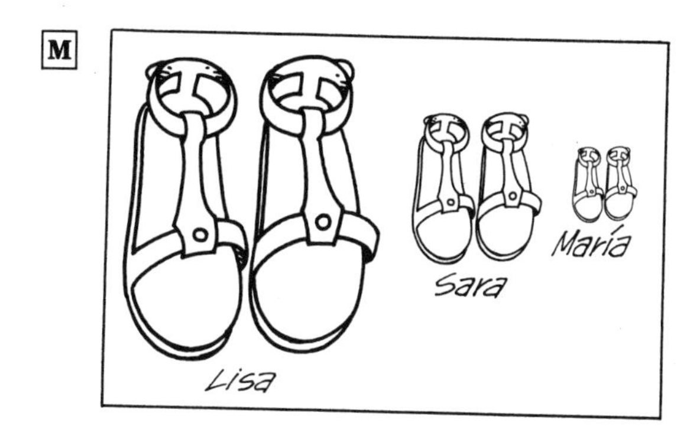

1\.

2\. 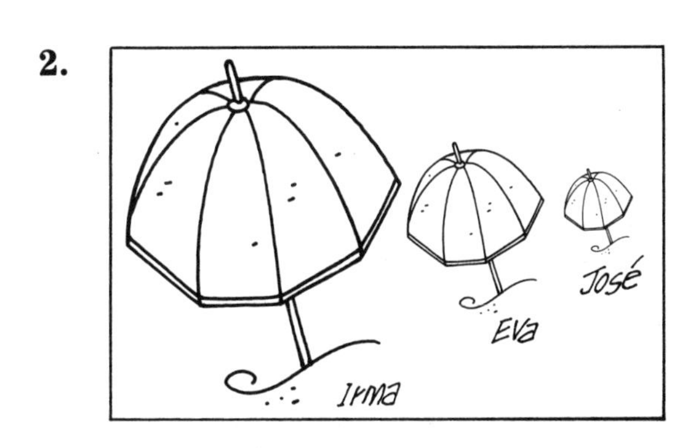

3\.

4\. 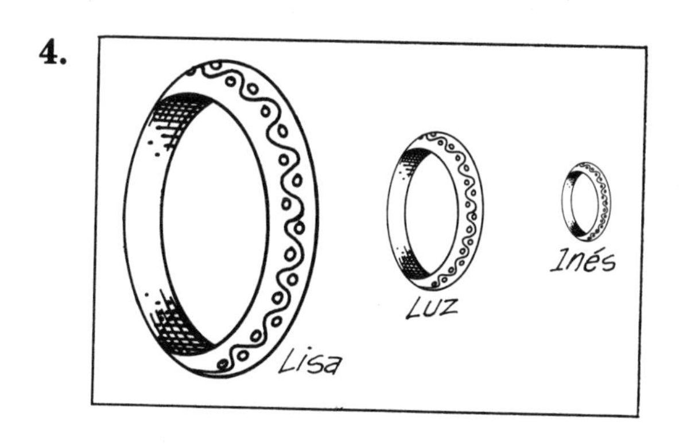

5\. 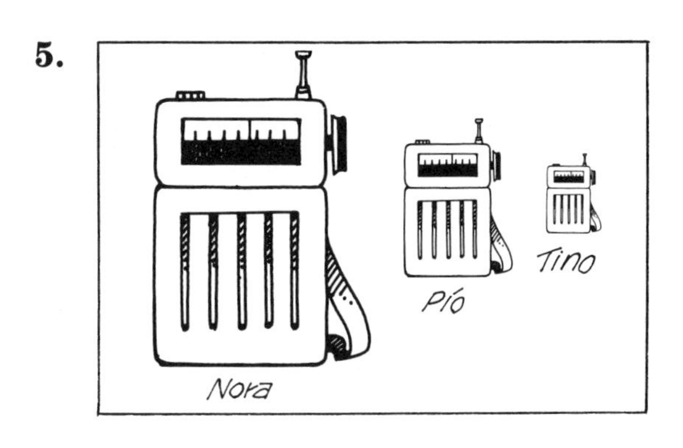

6\. 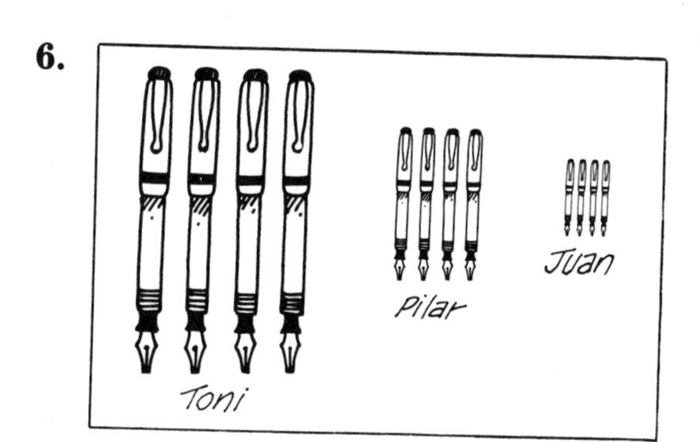